신경언어장애의 해부생리

김향희 저

ANATOMY AND PHYSIOLOGY FOR NEUROLOGIC SPEECH-LANGUAGE DISORDERS

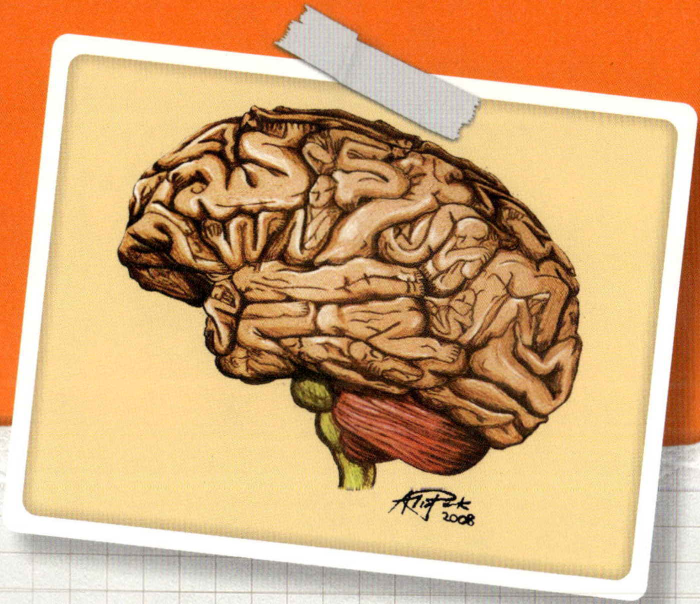

학지사

머리말

오래전 언어병리학에 입문한 이후, 수많은 언어병리 현상을 이해하기 위해서는 '뇌와 신경계'에 대한 지식이 반드시 선행되어야 한다는 사실을 깨닫기까지 그리 오랜 시간이 걸리지 않았습니다. 전공 학생으로서 다양한 신경 관련 언어병리학 및 의학 교과목을 수강하고, 임상가이자 치료사로서 신경계 질환으로 인한 환자의 신경언어-말-삼킴 장애 현상을 관찰하면서, 뇌와 신경계 지식을 직간접적으로 쌓게 됩니다. 그러나 정작, 수업에서 배운 이론과 실제 임상현장에서 마주하는 신경언어장애 양상을 유기적으로 연계하기는 그리 수월하지 않습니다. 이러한 어려움은 저자 역시 강단에서 교육 활동을 하면서, 그리고 임상 감독자 역할을 하면서 더욱 절실하게 느낍니다.

이 책은 이러한 어려움을 해소해 보고자 하는 시도로서 기획되었고, 뇌와 신경해부생리에 대한 '실용적' 기초 지식을 최대한 명확하게 전달하는 데 중점을 두었습니다. 특히 각 장마다 신경해부와 기능적 기본 지식을 다루되, 이를 언어병리와 연관시키는 내용으로 구성하였습니다. 이 책은 2009년에 발간되었던 『언어병리학의 신경해부』 교재의 주요 내용을 기반으로 하였고, 학습 효과성과 효율성을 극대화하기 위하여 '워크북' 형태의 별책 컬러북도 함께 준비하였습니다.

제1장 **'언어와 신경계'**에서는 언어의 형성과정과 말의 산출과정을 개괄적으로 살펴보았고, 이러한 과정에서 신경계의 역할을 간략히 짚어 보았습니다. 제2장 **'신경세포와 교세포'**에서는 신경세포와 교세포의 구조와 기능을 소개하고, 손상 시에 관찰될 수 있는 언어병리 현상에 대하여 다루었습니다. 여기서 '언어'는 '언어$_{\text{language}}$'와 '말$_{\text{speech}}$'을 통칭하는 용어로 사용하였습니다. 제3장 **'뇌와 신경계'**에서는 신경계를 구성하는 중추신경계 및

말초신경계를 포함하는 신경계의 기본적인 구조에 대하여 소개하였습니다. 제4장 '**대뇌의 해부학적 구조**'에서는 대뇌피질과 피질하 구조 및 각 영역을 지칭하는 주요 세부적인 용어들을 소개하였습니다. 또한 실제 B-MRI를 통하여 해당 구조들을 시각적으로 재확인하였습니다. 이 장에서 제시된 많은 용어들은 뒤에 이어진 장들에서 반복적으로 학습됩니다. 제5장 '**대뇌의 기능적 구조**'에서는 제4장에서 살펴본 대뇌의 구조나 영역들이 기능적인 측면에서 어떤 역할을 수행하는지를 살펴보고, 손상 시에 관찰될 수 있는 언어병리 현상을 함께 다루었습니다. 제6장 '**뇌의 섬유다발**'에서는 뇌영역들이 섬유다발로서 서로 어떻게 이어지는지를 공부합니다. 또한 손상 시에 관찰되는 여러 언어병리 현상에 대해 살펴보았습니다. 제7장 '**뇌의 운동신경로**'에서는 말산출과 관련된 운동신경로가 어떻게 형성되는지를 알아보고, 손상 시에는 어떤 언어병리가 관찰되는지를 설명하였습니다. 제8장 '**뇌간과 뇌신경**'에서는 뇌간에서 관찰되는 뇌신경핵에 대하여 공부하고, 언어, 말, 삼킴과 관련된 뇌신경과 손상 시에 유발되는 다양한 언어병리 현상을 이해하고자 합니다. 마지막으로, 제9장 '**뇌혈관체계**'에서는 심장에서 시작되는 혈액이 뇌로 전달되는 과정을 소개하며, 뇌혈관 손상과 언어병리의 관계를 알아보았습니다.

이처럼 다양한 영역의 지식과 개념을 효과적으로 전달하고, 앞서 학습한 내용을 충분히 되짚어 볼 수 있도록 각 장마다 개념 및 용어 정리, 복습문제를 수록하였습니다. 책을 집필하면서 어려웠던 점 중 하나는 용어 표기였습니다. 아직도 외국어에 근원을 둔 많은 용어들이 통일되지 못한 채 쓰이고 있어서 적절한 용어 선택이 쉽지만은 않았습니다. 이에 따라 이 책에서는 다음의 원칙을 적용하여 표기하였습니다. 첫째, 참고 도서들에서 여러 용어들이 병행되어 실려 있는 경우에는 최대 두 가지 용어를 선택하였습니다. 예컨대, 'lateral'은 '바깥쪽'이나 '외측'으로 표기하였습니다. 둘째, 과도하게 긴 한자 용어의 경우는 우리말로 풀어 쓴 용어가 오히려 어색하고 의미가 전달되기 어려우므로 되도록 짧은 길이의 용어(예: 행위상실증–실행증$_{\text{apraxia}}$, 겉질경유언어상실증–연결피질실어증$_{\text{transcorical aphasia}}$)를 채택하였습니다. 언어병리학 분야 용어의 경우에는 대한의사협회의 『의학용어집(제6판)』(2020), 『필수용어집』(2005), 『언어치료학사전』(권도하) 등을 참고하였고, 필요한 경우에는 영문이나 영문 약어 용어를 병기하였습니다.

이 책이 완성되기까지 수고해 주신 많은 분들이 계십니다. 먼저, 학지사의 김진환 사장님, 한승희 부장님, 편집부의 유은정 과장님 이하 편집진 여러분께 감사의 말씀을 전합니다. 또한 비록 서툰 솜씨지만 세상에서 단 하나뿐인 표지의 '뇌' 도안을 선물해 준 사랑하는 딸에게, 그리고 집필 과정 내내 끊임없이 격려해 주고 수십 번의 주말 나들이를 기꺼이 포기해 준 남편에게, 끝으로 늘 한결같은 사랑과 응원으로 제 곁을 지켜 주시는 엄마께 깊은 감사의 마음을 전합니다.

2025년 9월

김향희

차례

제3장

뇌와 신경계 • 43

제4장

대뇌의 해부학적 구조 • 69

제5장

대뇌의 기능적 구조 • 111

제6장 뇌의 섬유다발 • 145

제7장 뇌의 운동신경로 • 159

제9장

뇌혈관체계 • 243

제1장

언어와 신경계

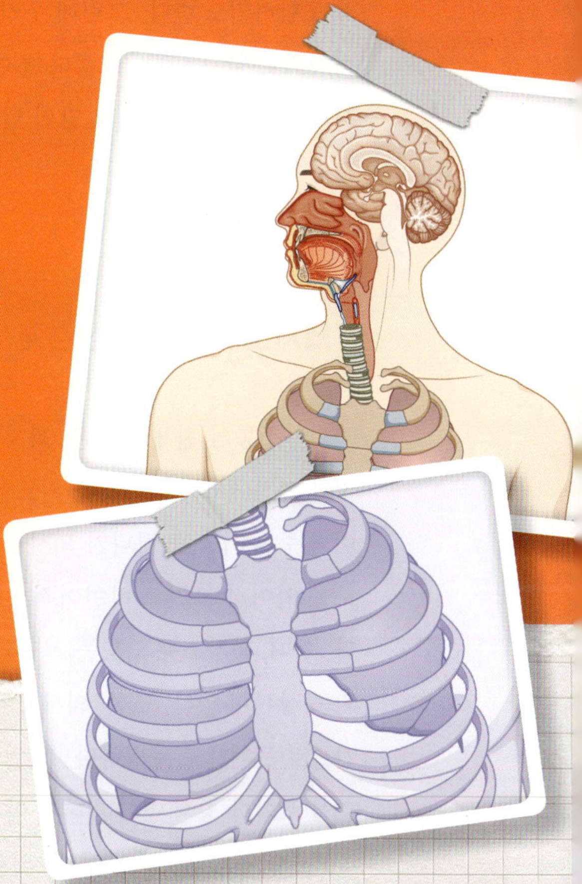

학습목표

- 의사소통 형성 과정과 관련 신경계에 대하여 알아본다.
- 언어의 네 가지 전달 양식에 대하여 알아본다.
- 말의 산출 과정을 이해한다.
- 말의 집행이 이루어지기 위한 호흡 · 발성 · 조음 · 공명 · 운율 체계에 대하여 살펴본다.

인간은 언어라는 수단을 통하여 자신의 생각을 정리할 수 있으며, 타인과의 의사소통communication이 가능하다. 여기서 '언어'란 말이나 글뿐만 아니라, 더 넓게는 소통이 가능한 음성, 동작(예: 몸짓이나 손짓) 등을 포함하기도 한다. 그런데 우리는 일반적으로 언어가 '뇌'에서 만들어진다는 사실을 상식적으로 알고 있다. 그렇다면 언어는 어떻게 생성되고, 실제로 어떻게 활용되는 것일까? 이 장에서는 언어 및 말의 형성 과정과 신경계와의 연관성에 대하여 간략히 알아보고자 한다.

의사소통 의도와 신경계

의사소통의 전제 조건은, 화자 입장에서는 의사소통 의도communicative intent를 구축하고, 청자 입장에서는 의사소통 의도를 해석할 수 있는 기반을 정립하는 일이다. 왜냐하면 언어의 주요 기능 중 하나가 의사소통에 가담하는 '화자–청자' 쌍방 간 서로 의사소통의 의도를 언어적 그리고 비언어적으로 명확하게 전달하는 동시에 전달받는 것이기 때문이다. 이때, 의사소통 의도는 전달되는 의사소통의 양식(즉, 언어적인가? 혹은 비언어적인가?)과는 상관이 없다. 또한, 의사소통이 동작이나 수신호 등에 의존한다면 '발신자–수신자' 간으로 표현해도 무방하다. '비언어상징적' 수단에는 음운론적, 구문론적 및 의미론적 처리를 포함한 형식 언어 기술이 아닌 '운율' 등의 억양적 단서 등을 포함한다.

의도화(과정)intentionalization는 의사소통의 목표를 정하고, 의사소통 수행을 위한 행동을 계획한다든지 전략을 수립하는 일이다. 의도화는 의사소통의 근간이 되는 인지 활동을 통해 이루어지며, 여러 기능이 요구된다. 구체적으로, 중추신경체계로 구성된 중앙협응기제central coordination mechanism에서 관장하는 주의력, 집행 기능, 작업기억, 추론력 등에 기반한 의식적 혹은 무의식적인 행동을 필요로 한다.

그렇기 때문에 어떤 이유에서든지 자신이 무엇을 표현하고자 하는지를 제대로 알지 못하거나 혼란스러워한다면 상대방이 의사소통의 내용을 알아채기가 쉽지 않을 것이다. 이와 유사하게 상대방이 전달하고자 하는 내용에 대한 의도를 파악하기 어려운 상태에서도 의사소통이 원활하지 않을 것이다. 따라서 치매dementia, 지적 장애mental retardation, 그

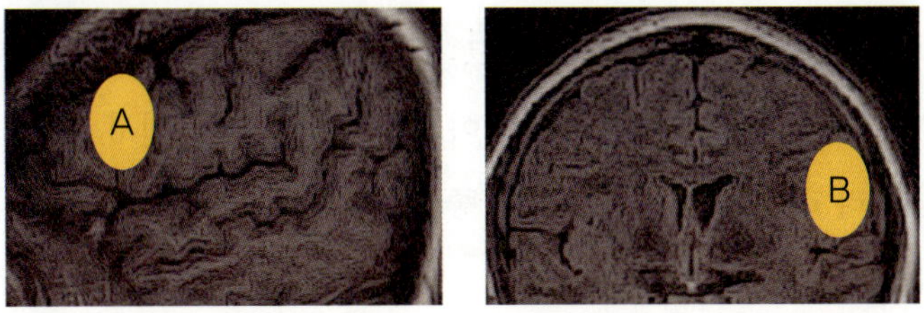

그림 1-1 의사소통 의도와 신경계

의사소통 의도에 관여하는 대표적인 신경계 부위는 좌측 배외측 전전두엽dorsolateral prefrontal cortex[DLPFC](A), 좌측 중측두엽middle frontal gy.[MFG](A), 좌측 하전두엽inferior frontal gy.[IFC](B) 등이다.

밖의 여러 가지 원인으로 인지 기능이 저하된 사람들은 상대방이 혹은 자신이 어떤 의사소통의 의도를 갖고 있는지를 인식하지 못하거나 제대로 전달하지 못한다.

의사소통 의도 해석에 기초가 되는 신경 회로로서 가장 중요하게 여겨지는 신경계 부위는 좌측 전두-측두 네트워크, 즉 좌측 하전두엽infeior frontal gyrus[IFG], 좌측 배외측 전전두엽dorsolateral prefrontal cortex[DLPFC], 중측두엽middle temporal gyrus[lMTG]이다(그림 1-1). 이 밖에도 측두-두정접합부temporo-parietal junction[TPJ], 후상측두고랑posterior superior temporal sulcus[pSTS], 좌측 중전두엽middle frontal gyrus[MFG], 내측전전두엽medial prefrontal cortex[MPFC], 쐐기앞소엽precuneus은 처리되는 의도의 성격에 따라 차등적으로 관여한다.

언어 활동과 신경계

의사소통에 참여할 때 상대방에게 의사소통의 의도를 전하기 위해서는 흔히 '언어'라는 형식을 통하여 그 메시지를 부호화symbolization한다. 언어란 뇌 속에 들어 있는 문법적 지식이나 어휘, 의미적 체계 등의 추상적인 규칙을 뜻한다. 언어가 언제, 그리고 어떻게 신경계에 구축되는가에 대해서는 의견이 분분하나, 뇌의 특정 장소에서 형성되고 저장되는가에 대한 생각은 대체적으로 일치한다. 뇌에는 주요 언어중추뿐만 아니라 언어 활동에 연관된 여러 영역들이 자리 잡고 있어서 언어를 인식하고 표현하는 기능을 발휘한다.

한편, 언어를 전달하는 양식은 크게 네 가지로 듣기, 말하기, 읽기, 쓰기가 있다. 듣기와 말하기는 구어인 말을 통해 가능한 반면, 읽기와 쓰기는 문어인 글을 통한다. 이 중에서 '듣기'와 '읽기'는 이해언어 양식이고, '말하기와 쓰기'는 표현언어 양식이다. 뇌손상으로 인하여 언어장애가 생기면 이해언어와 표현언어 모두에서 수행력이 저하되는데, 이를 실어증이라고 한다. 즉, 실어증은 중추신경계의 손상으로 언어의 네 가지 양식에서 수행력에 문제를 보이는 장애이다.

'언어'가 '뇌'에서 만들어진다는 사실은 잘 알려져 있다. 그렇다면 뇌의 어느 부분에서 언어가 만들어지는 것일까? 또한 뇌에서 계획된 언어가 '말'이라는 최종 결과물을 내보내기 위해서는 조음기 등의 말초기관에 어떤 명령을 어떻게 내려보내야 할까? 여기서 뇌는 이 모든 활동을 위한 사령관의 역할을 한다.

뇌는 '신경계nervous system'의 한 구성요소이다. 신경계는 인체를 구성하는 근골격계, 호흡계, 순환계, 소화기계 등 여러 계통systems 중의 하나로서 이들을 조절하여 인체의 구조와 기능을 유지할 수 있게 한다. 신경계는 크게 중추신경계와 말초신경계로 나뉘는데, 뇌는 척수와 함께 중추신경계에 속한다. 그리고 뇌와 척수로부터 각각 말초신경계인 뇌신경과 척수신경이 이어진다.

말 활동과 신경계

언어의 네 가지 기본 양식 중에서 '말하기'는 '소리'를 통하여 구강 밖으로 표출되는 언어 형식에 국한하며, '말speech'이라는 좀 더 간단한 용어로 불린다. 일반적으로 '언어'라는 용어에는 'language'와 'speech'의 개념이 함축되어 있고, 언어병리학에서는 통상적으로 그 둘이 구별된다. 일상생활에서는 '글'보다는 '말'을 통한 언어 활동이 좀 더 빈번히 이루어진다. 그런데 우리가 '말하기'를 실현하기 위해서는 여러 단계의 말산출speech production 과정을 거친다. 여기서 말산출 과정은 크게 말프로그래밍speech programming과 말집행speech execution으로 나눌 수 있다.

말프로그래밍이란 말을 구사하기 위한 준비과정으로서, 조음기articulator나 말근육을 언제, 어떻게, 그리고 어디에 놓을 것인지positioning를 정하고, 또한 말의 기본 단위(예: 음소, 음절 등)를 일련의 조음 동작articulatory movements으로 적절하게 순차화sequencing하는 것이다. 말프로그래밍은 실제적으로 소리를 내어 말을 하기에 앞서 반드시 거쳐야 하는 단계이나, 정상인의 경우에는 대부분 스스로 의식하지 못하는 활동이다. 만일 뇌손상으로 말프로그래밍 장애가 생기면 혀를 잘못 위치시켜 다른 음절을 말한다든지(예: 까 → 따; 음소대치) 혹은 음절의 순서를 뒤바꿔서 말하는(예: 해바라기 → 해라바기; 음절도치) 등의 오류를 보인다. 이러한 현상을 말실행증apraxia of speech[AOS]이라고 한다.

말집행 과정은 말을 구강 밖으로 표출하기 위한 가장 마지막 과정이다. 뇌에서 내려진 명령이 말초신경에 의하여 우리 몸에 있는 수많은 말초기관의 근육들을 움직여서 말소리를 내게 된다. 이러한 말집행에서는 우리 인체의 여러 기관들이 말소리를 생성해 내기 위한 활동을 하며, 각 기관의 활동들이 서로 협응을 이루게 된다. 이때 각 활동은 크게 4단계, 즉 호흡 · 발성 · 조음 · 공명 단계로 나눈다. 부가적으로 운율단계가 있는데, 이는 호흡 · 발성 · 조음 · 공명 기능 등의 조화로 이루어진다.

호흡단계는 말산출에 필요한 공기를 생성하여 내보내는 과정으로서 들숨단계inspiratory stage와 날숨단계expiratory stage로 나뉜다. 말하기는 공기를 내보내는 과정 동안, 즉 날숨 동안 이루어지며, 이를 위하여 먼저 충분한 공기를 들이마시는 것이 선행되어야 한다. 그 후에는 말프로그래밍 단계에서 생성된 운동명령에 따라, 폐에서 올라온 공기는 기관trachea을 통과해, 성대를 진동시키는 원동력이 된다.

발성단계에서는 폐에서 올라온 공기가 성대 밑에 압축되어 기압, 즉 성문하압subgolttal pressure을 형성함으로써 성대를 진동시킨다. 공기는 성대를 지나면서 해당 말소리의 유성성voicing(즉 유성음, 무성음)에 따라 진동 여부가 결정된다.

공명단계에서는 성대를 통과한 공기가 인두강pharyngeal cavity에 도달한 후에 구강oral cavity과 비강nasal cavity으로 나뉘어 지나는데, 이 세 구조를 통틀어서 공명기관resonance apparatus이라고 한다. 성대를 통과한 소리는 공명기관을 지나면서 증폭되거나 변형되는데, 공명기관의 모양, 크기, 상태 등에 따라 음성의 질, 즉 음질voice quality이 변화한다. 우리 말소리에는 구강에서만 공명이 이루어지는 소리, 즉 구강음(예: /ㄱ/, /ㄷ/)과 비강에서 공명이 이루어지는 소리, 즉 비(강)음(예: /ㄴ/, /ㅁ/)이 있다. 구강음은 기류가 구강으로 유입되어야 하므로 연인두가 닫혀야 하는 반면, 비(강)음은 비강을 통과해야 하므로 연인두가 열려야 한다. 공명단계에서는 이러한 연인두폐쇄velopharyngeal closure기능이 중요한 역할을 한다.

조음단계에서는 공명단계에서 증폭되고 변형된 소리가 음소라는 말의 기본 단위로 형성된다. 음소는 혀, 입술, 턱, 연구개, 경구개, 치아 등의 다양한 조음기들의 협응된 움직

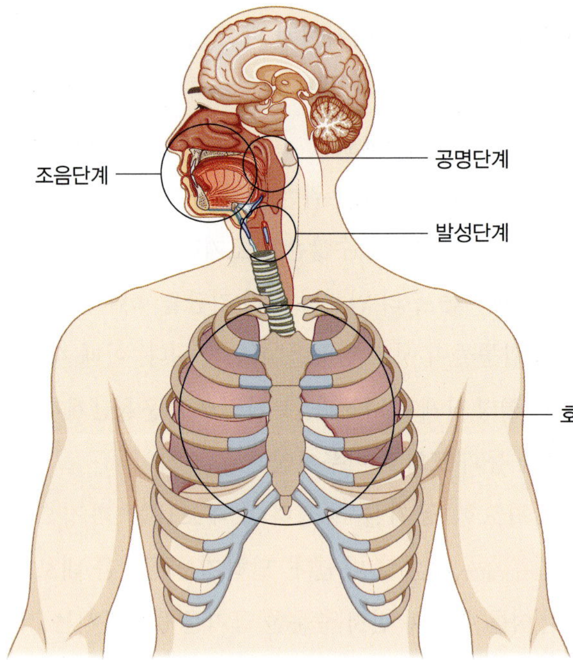

그림 1-2 **말집행의 과정**

말집행 과정은 호흡단계, 발성단계, 공명단계, 조음단계로 나뉜다. 부가적으로 운율단계는 호흡 · 발성 · 조음 · 공명 기능 등의 조화로 이루어진다. 이러한 여러 단계들이 제대로 기능하고 서로 잘 협응해야만 정상적인 말집행이 가능하다.

임을 통해 만들어진다. 조음기가 공기 통로를 강하게 방해할 경우에는 자음이 산출된다. 여기서 공기의 흐름을 강하게 방해한다는 것은 두 입술을 닫은 채 공기가 비강으로만 나가거나, 두 입술과 비강을 모두 닫고 잠시 공기의 흐름이 막혔다가 터지는 경우, 또는 공기가 좁은 통로를 통과하면서 마찰되어 나가는 경우를 의미한다. 그런데 공기가 방해를 받지 않고 구강 내에서 공명만 이루어질 경우에는 모음이 생성된다. 이때 혀의 높낮이나 앞뒤 위치에 따라 다양한 모음이 산출될 수 있다.

이렇게 호흡단계, 발성단계, 공명단계, 조음단계를 거쳐 산출된 말소리는 음파wave form를 형성하여 퍼져 나가게 된다. 이때 말하는 사람은 억양, 강세, 리듬 등 소리의 특징을 다양하게 하여 말의 의미를 변화시키거나 감정을 결부하여 표현한다. 이러한 말형성 과정을 운율단계라고 한다. 소리의 특징들은 운율자질prosodic feature이라 하며, 높이, 길이, 크기의 세 가지 자질이 있다. 말의 높이는 성대의 진동 속도에 따라 달라지며, 길이는 조음의 지속 시간에 따라 달라지고, 크기는 높이, 길이, 강세, 공명 정도 등의 요인들이 복합적으로 작용하여 변화한다. 이렇게 운율단계는 말집행 단계에서 호흡 · 음성 · 조음 · 공명 단계 등과 함께 기능하는 것이다.

그런데 이 모든 말집행 과정 동안에는 끊임없이 자신의 말을 감시하고 고쳐 가는 절차를 밟는데, 이를 되먹임feedback과 앞먹임feedforward 과정이라 한다. 앞먹임은 말하기 전에 예상되는 오류나 문제를 미리 예측하고 이를 방지하기 위해 말을 조정함을 뜻한다. 반면에, 되먹임은 실제 산출된 말을 바탕으로 수정하거나 조정함을 의미한다. 이 과정은 여러 운동기관 및 감각기관을 통해 이루어진다. 감각으로는 청각, 촉각, 위치감각 등의 여러 감각요소가 관여한다. 특히 청각기능은 자신이 내뱉은 말을 공기를 통하여 전달받아 계속적으로 말을 감시하게 한다. 이러한 청각기능은 말의 습득과정에서 더욱 필요한 기능이다. 그 밖에도 조음기가 어디에 위치하는지에 대한 위치감각 정보, 그리고 감각수용기는 조음기의 어느 부분에 닿는지에 대한 촉각 정보 등 끊임없는 정보를 받아들이게 된다. 결국, 말을 하려면 운동뿐만 아니라 감각 또한 중요한 역할을 한다는 것을 알 수 있다.

뇌손상으로 인하여 말집행 과정에 이상을 보이는 증세를 마비말장애[마비성 구음장애] dysarthria라고 한다. 이러한 마비말장애[마비성 구음장애]로 인해 호흡 · 발성 · 공명 · 조음 · 운율 체계 중 하나 이상에서 비정상적인 수행력을 보이게 된다. 앞서 언급된 말실행증과 마비말장애[마비성 구음장애]를 통칭하여 말운동장애motor speech disorders라고 한다.

신경계의 역할

말을 하기 위해서는 뇌에서 말운동이 프로그래밍되어, 그 명령이 뇌신경과 척수신경을 통하여 호흡 · 발성 · 공명 · 조음 기관을 포함한 말초기관으로 전달된다. 이때 되먹임과 앞먹임 과정을 거쳐 끊임없이 말명령이 조율된다. 되먹임은 체성감각과 청각정보를 처리하는 대뇌 감각영역에서, 앞먹임은 대뇌 운동영역과 소뇌에서 담당한다. 말초기관으로 전달된 명령은 말생성에 관여하는 근육을 움직여서 비로소 말을 할 수 있게 한다.

이처럼 '언어'와 '말'에 있어서 신경계의 정상적인 역할은 필수적이므로 신경계가 손상되면 여러 가지 언어장애나 말장애가 생긴다. 그러므로 이어지는 장들에서는 신경계에 대한 상세한 구조와 기능을 학습하고, 앞서 제기되었던 질문들에 대한 답을 제시할 것이다.

개념 및 용어 정리

- 신경계는 의사소통 의도를 언어라는 형식을 통하여 말이라는 양식으로 표출하게 한다.

- 의사소통 의도
  - 언어 구사를 위한 첫 번째 단계이다.
  - 치매, 지적 장애 등의 경우는 의사소통 의도를 제대로 형성하지 못한다.

- 언어
  - 의사소통 의도가 언어라는 추상적 규칙으로 부호화된다.
  - 뇌의 언어중추와 기타 영역들은 언어를 인식하고 표현할 수 있는 기능을 한다.
  - 신경계 손상으로 인한 언어장애를 실어증이라 한다.

- 말
  - 말(하기)은 소리를 통한 언어 형식이다.
  - 말프로그래밍과 말집행 단계로 나누어지는 말산출 과정을 거친다.
    - 말프로그래밍: 조음기나 말근육의 위치와 말운동의 순서를 정하는 일이며, 이에 대한 장애를 말실행증이라 한다.
    - 말집행: 말초기관의 근육들이 움직여서 말소리를 내는 과정으로서 호흡 · 발성 · 조음 · 공명 · 운율 체계로 나누고, 이에 대한 장애를 마비말장애[마비성 구음장애]라고 한다.
    - 호흡 체계: 말산출에 필요한 공기를 생성하여 내보낸다.
    - 발성 체계: 공기가 성문하압을 형성함으로써 성대를 진동시킨다.
    - 공명 체계: 성대를 통과한 소리가 공명기관을 지나면서 음질이 변화된다.
    - 조음 체계: 조음기의 움직임으로 소리가 음소로 형성된다.
    - 운율 체계: 억양, 강세, 리듬 등과 같은 소리의 특징을 다양하게 한다.
  - 말프로그래밍과 말집행의 장애를 통칭하여 말운동장애라고 한다.
  - 되먹임과 앞먹임: 말집행 과정 동안에 끊임없이 자신의 말을 감시하고 고쳐 가는 절차이다.

- 신경계(중추신경계와 말초신경계)의 역할: 언어 활동이나 말산출을 위한 사령관으로서의 신경계가 손상되면 여러 가지 신경언어장애나 말운동장애가 생긴다.

복습문제

1. 의사소통 의도에 관여하는 신경계를 모두 고르시오.

(1) 좌측 배외측 전전두엽

(2) 좌측 후두엽

(3) 좌측 중전두엽

(4) 측두–두정접합부

2. 다음은 언어에 대한 설명이다. 옳은 것에 ○, 틀린 것에 × 표시를 하시오.

(1) 언어활동을 위한 기본적인 요건은 의사소통의 의도를 갖는 것이다. (　　)

(2) 일반적으로 기본적인 언어의 양식에는 듣기, 말하기, 읽기, 쓰기가 포함된다. (　　)

3. 각 내용에 대하여 옳은 것에 ○, 틀린 것에 × 표시를 하시오.

(1) 신경계의 손상으로 말을 할 수 없는 사람이 의사소통을 하기 위하여 손동작을 사용하는 것은 넓은 의미에서 언어 활동에 해당한다. (　　)

(2) 말생성 과정에서는 말집행이 말프로그래밍보다 앞선다. (　　)

(3) 말초기관의 근육들을 움직여서 말소리를 형성하도록 명령을 내리는 일은 중추신경계의 역할이 아니다. (　　)

(4) 말집행에서 가장 기본이 되는 단계는 공기를 생성해서 내보내는 발성 단계이다. (　　)

(5) 발성 및 공명 상태에 따라 음성의 질, 즉 음질이 변화할 수 있다. (　　)

4. 말집행 과정 동안 일어나는 되먹임과 앞먹임 과정에 대한 설명으로 틀린 것은?

(1) 끊임없이 자신의 말을 감시하고 고쳐 나가는 절차를 말한다.

(2) 감각기관보다는 주로 운동기관의 역할이 더욱 중요시된다.

(3) 앞먹임에 관여하는 뇌영역은 대뇌 운동영역과 소뇌이다.

(4) 되먹임 과정을 통해 조음기가 어디에 위치하는지를 알 수 있다.

정답

1. (1), (3), (4)
2. (1) ○ (2) ○
3. (1) ○
   (2) × *말프로그래밍이 말집행보다 앞섬.
   (3) × *말초기관의 근육들을 움직이게 하는 명령은 중추신경계에서 내려지므로 중추신경계의 역할임.
   (4) × *공기를 생성하는 단계는 호흡 단계임.
   (5) ○
4. (2) *감각기관과 운동기관의 역할이 동일하게 중요함.

제 2 장

신경세포와 교세포

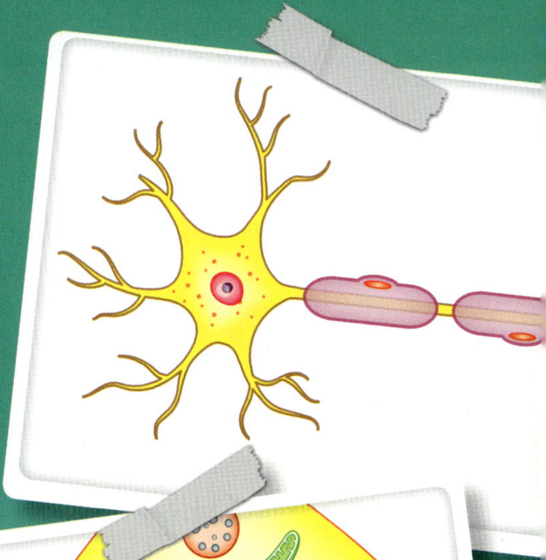

학습목표

- 신경세포와 교세포의 구조 및 기능을 익힌다.
- 신경세포와 교세포의 손상으로 유발되는 다양한 언어병리에 대하여 학습한다.

신경계의 역할이 중요한 만큼 신경계를 구성하는 기본 요소인 세포에 대한 학습이 필요하다. 세포는 조직tissue을 구성하는 기본 구성 요소building block이다. 인체의 세포는 조직의 종류에 따라 근육세포, 피부세포, 혈관내피세포 등으로 다양하다. 그중 신경계를 구성하는 두 가지 유형의 세포는 신경세포와 교세포(신경 교세포)이다. 신경세포의 활동을 통하여 신경신호를 전달하면서 언어를 형성할 수 있고, 근육의 움직임을 통한 말이나 삼킴 활동 등이 가능하며, 교세포는 이 신경세포들을 물리적으로 지지하고 여러 가지 대사기능을 수행한다. 이러한 신경세포와 교세포에 대하여 좀 더 자세히 알아보자.

신경세포

신경세포의 구조

신경세포neuron(뉴런, 신경원)는 신경세포 내에서나 혹은 다른 세포에 전기·화학적 신경신호neural impulse(신경충격)를 전달하여 신경적 기능을 이끌어 내는 역할을 하는 신경계의 기본 단위이다. 전기화학적 신경신호에 대해서는 다음에 이어지는 '신경세포의 생리'(26쪽)에서 자세히 알아보도록 한다. 신경신호가 전달되면 운동을 일으키거나, 감각을 느끼거나, 침 또는 땀을 흘리는 등의 활동이 이루어진다.

지금부터 신경세포의 세부 구조에 대하여 알아보자. 신경세포들은 모양이나 크기가 다양하나, 중추신경계에 분포되어 있는 전형적인 운동신경세포의 구조는 다음과 같다(그림 2-1).

먼저 세포체cell body, soma가 있으며, 그 중심에는 핵nucleus이 위치하고 핵 주변을 핵주위부perikaryon가 둘러싸고 있다. 세포체는 인접한 신경세포로부터 정보를 받아들이고 통합하는 중추적인 역할을 한다. 세포체로부터 여러 돌기(혹은 가지)들이 뻗어 나오는데, 그중 수상돌기dendrite는 1개 이상의 짧은(1mm 이하 길이) 돌기를 지칭한다. 수상돌기는 인접한 신경세포로부터 신호를 전달받아 이를 세포체로 전달하는 역할을 한다.

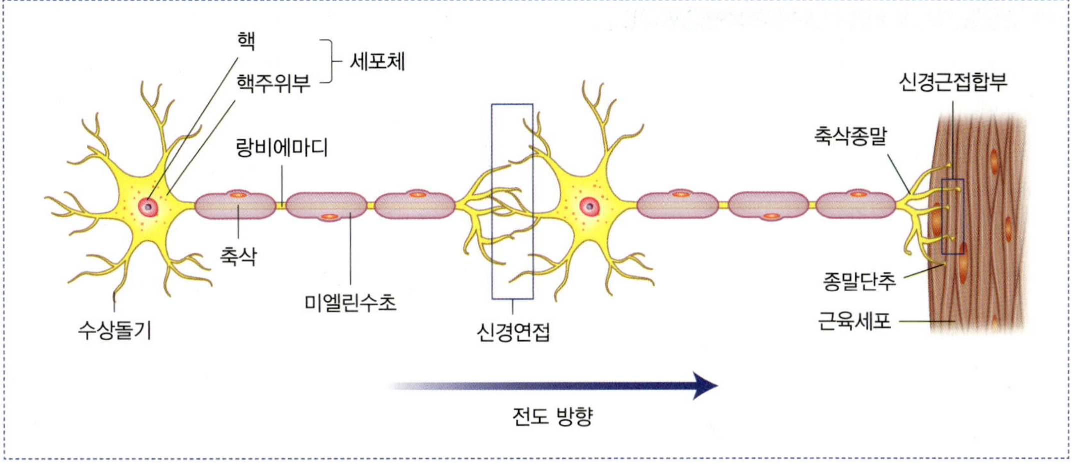

그림 2-1 전형적인 운동신경세포의 구조

운동신경세포는 세포체, 축삭, 수상돌기, 축삭종말 등으로 이루어져 있으며, 축삭의 끝은 다른 신경세포나 근육세포 등과 연결되어 있다.

축삭axon은 여러 개의 돌기 중에서 가장 길게 뻗어 나온 줄기로서, 대뇌피질에서 척수 아래까지 연결되는 신경세포의 축삭인 경우에는 그 길이가 최대 1.2m에 이르기도 한다. 대부분의 신경세포는 개당 1개의 축삭이 있다. 축삭의 역할은 세포체에서 통합된 신경신호를 세포 내에서 전도시키고 이를 다른 세포(예: 신경세포, 근육세포, 분비세포 등)로 전달해 주는 일이다. 여러 축삭이 모여 다발을 이루면 신경섬유nerve fibers가 형성된다.

축삭은 여러 겹의 얇은 흰색 미엘린수초myelin sheath로 감싸져 있다. 미엘린수초는 주위의 다른 신경세포의 전기적 간섭을 효과적으로 차단하는 전기 절연의 기능을 하면서 신경신호의 전도 속도를 빠르게 한다. 미엘린수초의 두께가 두꺼울수록 절연 효과가 높아지기 때문에 신호의 전도 속도도 빨라진다.

미엘린수초는 교세포에 의하여 만들어지는데, 중추신경계에서는 희돌기교세포가, 말초신경계에서는 슈반세포가 각각 미엘린수초를 형성한다. 미엘린수초에는 축삭을 따라 일정한 간격(80~600μm)으로 끊겨 수초가 없는 무수축삭 틈새가 있는데, 이

> **잠깐!**
>
> **축삭이 모이면…**
>
> 뇌나 척수 등의 중추신경계에는 신경세포의 축삭이 모여서 형성된 수많은 신경섬유 다발(bundle)이 있다. 그런데 이 '다발'을 의미하는 용어는 여러 가지이다. 경로(pathway), 로(tract), 섬유다발(fasciculus) 등은 축삭이 모여 기능이 확실한 경로를 이루는 것을 지칭한다. 또한 섬유단(funiculus), 기둥(column) 등은 구체적으로 척수에 있는 축삭다발을 일컫는다. 이 밖에도 대뇌나 뇌간 등에서 각(peduncle), 섬유띠(lemniscus) 등을 찾아볼 수 있다. 한편, 뇌신경이나 척수신경 등의 말초신경도 신경세포의 축삭으로 이루어진다.

> **잠깐!**
>
> **중추신경계의 백질은 왜 흰색을 띠는가?**
>
> 이는 백질(white matter)이 신경세포의 축삭이 모인 영역이고, 축삭은 흰색의 미엘린수초로 감싸여 있기 때문이다.

간극을 랑비에마디node of Ranvier라고 한다. 신경신호는 랑비에마디 사이들을 뛰어넘으면서 이동하기 때문에 전달 속도가 빨라진다. 신경신호는 세포체에서 시작되어 축삭을 거쳐 신경연접의 축삭종말 방향으로 전도된다.

앞서 전형적인 운동신경세포의 구조를 살펴보았다. 이에 비해 감각신경세포의 경우에는 축삭과 수상돌기가 직접 연결되어 있고, 세포체는 축삭 줄기에서 약간 떨어진 측부collateral에 위치한 세포로 구성되어 있다(그림 2-2). 이러한 세포를 일극성unipolar 세포라고 하는데, 주로 피부 등의 말초기관에서 감지되는 일반감각을 중추신경계로 전달하는 역할을 한다.

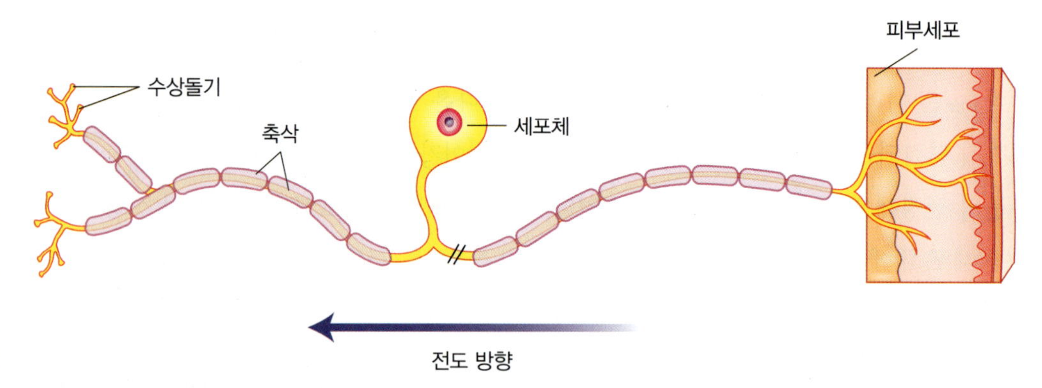

그림 2-2 전형적인 감각신경세포의 구조
감각신경세포는 축삭과 수상돌기가 직접 연결되어 있고, 세포체는 축삭 줄기에서 좀 떨어진 측부에 위치한 세포로 구성되어 있다.

신경세포의 생리

앞서 축삭은 신경신호를 전달하는 역할을 한다고 설명하였다. 그렇다면 축삭 내에서는 신경신호가 어떻게 흐르는 것일까?

신경세포는 세포막membrane으로 둘러싸여 있으며, 이 세포막을 경계로 세포 내부는 음전하, 세포 외부는 양전하를 띠는 전하 차이를 유지한다. 여기서 전하electric charge란 전기의 양을 의미하며, 양성 전하를 양전하, 음성 전하를 음전하라고 한다. 이러한 전하 차이는 세포막 안팎에 이온들이 불균등하게 분포함으로써 생긴다. 여기서 이온ion이란 양전하이든 음전하이든 상관없이 전하를 띤 모든 화학물질을 일컫는다.

세포막 안쪽에는 칼륨(K^+) 이온이 상대적으로 많은 반면에, 세포막 바깥쪽에는 나트륨(N^+) 이온이 더 많이 분포한다. 세포막은 이온에 대하여 선택적 투과성selective permeability을 지닌다. 즉, 세포막 안쪽에 있는 칼륨 이온은 세포막 투과성이 높아 막 바깥으로 쉽게 나갈 수 있는 성질을 갖지만, 세포막 외부의 나트륨 이온은 세포막 투과성이 낮은 까닭에 막 안으로 들어오기가 힘들다.

뿐만 아니라 세포막 내부에는 이미 음전하를 띠는 단백질이 많기 때문에 세포막 안쪽은 음전하(대략 −70mV 수준)를 띠게 되고, 바깥쪽은 양전하를 띤다. 이러한 상태를 분극polarization이라고 하며, 세포막 안팎의 전하 차이에서 나타나는 전기적 상태를 안정(막)전위resting membrane potential라고 한다.

그런데 이러한 분극 상태에서 세포에 자극이 가해지면 세포막의 투과성이 높아지면서 바깥쪽의 나트륨 이온이 나트륨 통로channel를 통해 세포 안으로 다량 유입된다. 이로 인해 세포막의 안팎의 전위가 서로 바뀌는 탈분극depolarization 현상이 일어난다. 탈분극화 전위가 기존의 −70mV 수준에서 점차 상승하여 −55mV 정도에 이르면 활동전위action potential가 생긴다. 이처럼 활동전위가 발생하는 임계지점을 역치threshold라고 한다. 신경세포는 일단 역치에 도달하면 늘 동일한 크기의 활동전위를 생성하고(all), 역치에 미치지 못하면 활동선위를 전혀 일으키지 않는데(none), 이러한 현상을 실무율all-or-none law이라고 부른다.

탈분극 상태에서는 활동전위가 흐르면서 인접한 축삭 부위도 연속적으로 탈분극 상태로 전환되고, 활동전위가 축삭을 따라 이동해 가면서 탈분극 상태에 있었던 부분은 분극상태로 재분극된다. 이러한 탈분극과 재분극이 연속적으로 발생하면서 신경세포 내부(즉, 축삭)에서 전도conduction가 일어나는 것이다. 결론적으로, 전도란 신경세포 내에서 신경의 '전기신호'가 전달되는 것을 뜻한다.

그런데 이처럼 신경세포 내에서 '전기신호'가 전달된다면 한 신경세포에서 다른 신경세포로는 어떤 신호가 전달되는 것일까? 세포 간에 전달되는 신경신호는 전기신호가 아니라 '화학신호'이다. 다음에서 세포 간의 신경신호 전달 과정에 대하여 살펴보자.

신경연접과 신경전달물질

운동신경세포 구조(그림 2-1)를 통해, 신경세포의 축삭 말단은 신경연접으로 이어진다는 것을 알 수 있었다. 신경연접synapse(시냅스)은 한 신경세포의 축삭 말단과 다른 신경세포의 수상돌기 말단이 연결된 부분으로서, 축삭종말axon terminal의 종말단추, 연접틈새, 그리고 연접후 수용기 등으로 구성된다(그림 2-3). 종말단추terminal button는 인접 세포의 수상돌기 가까이에 위치해 있으며, 종말단추의 연접소낭synaptic vesicle에는 신경전달물질이 들어 있다.

신경전달물질neurotransmitter이란 신경연접의 연접틈새synaptic cleft를 건너 인접 세포의 연접후 수용기post-synaptic receptor를 자극하여 수상돌기로 신경신호를 전달하는 화학적 매개물질을 말한다. 신경전달물질은 신경생리학적인 목적에 따라 인접 세포의 활동을 흥분시키거나 억제시킨다. 이때 각각은 흥분성excitatory 혹은 억제성inhibitory의 성격을 띤다고 할 수 있다. 대표적인 신경전달물질의 유형으로는 크게 아미노산류, 아세틸콜린, 모노아민류 등이 있다. 다음에 설명되는 모든 신경전달물질이 동일한 중요성과 분포를 갖는 것은 아니다. 예를 들어, 글루타민산은 가장 많은 수의 신경연접에서 사용되는 대표적인

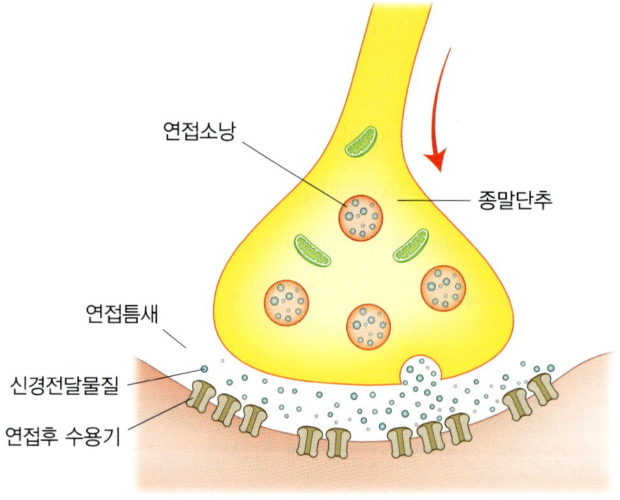

그림 2-3 신경연접

신경연접은 종말단추, 연접틈새, 연접후 수용기로 이루어져 있다. 종말단추에는 신경전달물질로 채워져 있는 연접소낭들이 있다.

흥분성 신경전달물질이라 할 수 있다.

아미노산류amino acids는 단백질을 형성하는 기본 화학물질로서, 뇌와 신체 전반에 걸쳐 찾아볼 수 있으며, 그중 일부가 신경전달물질로서 기능한다. 대표적인 아미노산류인 글루타민산glutamate과 아스파르트산aspartate은 뇌 속에서 활동하는 흥분성 신경전달물질이다. 반면, 감마아미노부티르산gamma-aminobutyric acid[GABA]은 뇌와 척수를 포함한 중추신경계에서 찾아볼 수 있는 대표적인 억제성 신경전달물질이다.

다음으로, 아세틸콜린acetylcholine은 신경근접합부에서 분비되어 신경자극을 근육에 전달하는 화학물질로서, 체성신경계의 운동신경과 자율신경계의 부교감신경에서도 활약한다. 부교감신경에서 기능하는 아세틸콜린이 분비되면, 혈압 감소, 심장수 억제, 위장관 운동 촉진, 골격근 수축 등 다양한 생리작용이 일어난다. 아세틸콜린을 신경전달물질로 활용하는 신경세포는 콜린성cholinergic 신경세포라고 칭한다.

모노아민류monoamines는 크게 카테콜아민류와 세로토닌으로 나뉜다. 카테콜아민류catecholamines에는 도파민, 노르에피네프린(노르아드레날린), 에피네프린(아드레날린)이 포함된다. 도파민dopamine은 중뇌의 흑질, 피개, 시상하부 등에 관여하는 신경전달물질로서, 특히 흑질이 손상되면 도파민이 공급되지 않아 파킨슨병이 유발된다. 노르에피네프

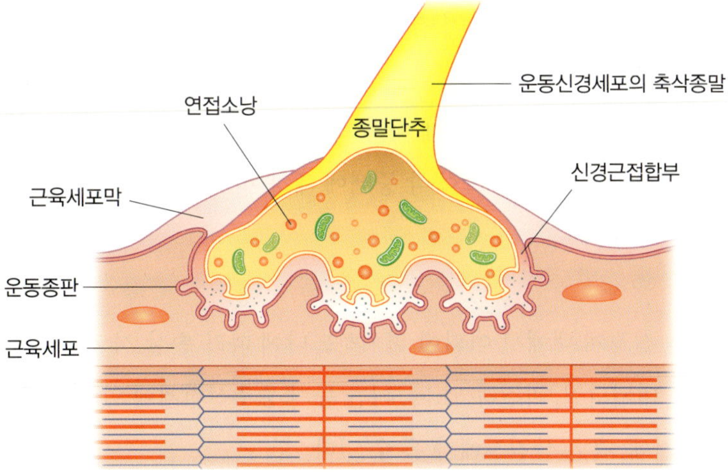

그림 2-4 운동신경세포와 신경근접합부
운동신경세포의 축삭종말에서는 종말단추가 근육세포와 접촉한다. 이 부위를 신경근접합부라고 한다.

린norepinephrine은 뇌간에 분포하는 신경세포에 의해 사용되는 화학물질로서, 제대로 기능을 하지 못하면 기분장애mood disorders나 불안장애 anxiety disorders 등을 유발한다. 에피네프린epinephrine 역시 뇌간 신경세포에 분포하며, 주로 자율신경계의 교감신경에서 작용하여, 심박수 증가, 혈압 상승, 스트레스 반응 등을 유도한다. 한편, 세로토닌serotonin은 뇌에서 생성되어 변연계의 기능인 수면 · 각성 주기, 감정, 기분, 체온 등을 조정하는 역할을 한다. 세로토닌은 신체 활동성을 증가시키고 기분을 항진시키므로, 과잉 공급되면 뇌 기능을 지나치게 자극하고, 부족하면 우울증 등을 유발할 수 있다.

신경연접이 근육세포와 접촉하는 부위를 신경근접합부neuromuscular junction라고 부른다(그림 2-4). 신경근접합부에서는 신경세포와 근육세포 사이에 화학적 전달이 이루어지는데, 신경신호에 의해 자극을 받으면 축삭종말의 연접소낭에서 신경전달물질이 방출된다. 이 신경전달물질이 근육세포막의 수용기와 결합하여 이온 통로가 열리면서 나트륨 이온이 운동종판motor end-plate으로 유입되어 종판전위end-plate potential가 생긴다. 종판전위는 근육세포를 자극하면서 근육을 수축시킨다. 즉, 화학물질인 신경전달물질이 신경세포 사이를 건너가면서 인접한 신경세포에 영향을 준다. 이로써 신경신호는 앞서 설명된 전기신호와 신경전달물질이 생성한 화학신호가 결합된 전기 · 화학적electrochemical 신호임을 알 수 있다.

신경세포의 손상과 언어병리

신경세포의 손상된 세부 위치에 따라 각기 다른 신경질환이 유발되며, 그에 따라 다른 언어병리 현상이 관찰된다. 그럼 각 증세에 대하여 자세히 알아보자.

세포체

세포체는 신경계 내에서 어디에 위치하느냐에 따라 손상 시 각기 다른 증세가 나타난다. 예컨대, 대뇌피질, 피질하, 소뇌, 뇌간 등의 중추신경계에 있는 세포체가 손상되면 언어장애, 말장애, 혹은 삼킴장애가 올 수 있다.

먼저, 대뇌피질이나 대뇌피질하 회백질 영역이 손상되면 언어장애인 실어증aphasia이 나타날 수 있다. 실어증은 뇌손상으로 인하여 언어의 듣기, 읽기, 말하기, 쓰기 등에서 수행력이 저하되는 증세를 말한다. 물론 뇌손상 영역에 따라 다양한 유형의 실어증이 관찰된다. 한편, 말장애로는 말실행증과 마비말장애[마비성 구음장애]를 들 수 있다. 말실행증 apraxia of speech은 후천적인 뇌손상으로 인하여 조음기를 적절히 위치시키는positioning 프로그래밍에 장애가 있거나 연속적인 조음동작sequential movements을 체계적으로 수행하지 못하는 증세이다. 마비말장애[마비성 구음장애]dysarthria는 신경계 손상으로 인하여 신경계가 관장하는 말산출 근육의 근력muscle strength 이나 근긴장muscle tone이 약해지거나 마비되고, 또는 근육들 간에 서로 협응이 어려워져 말산출이 원활하지 못하게 되는 증세를 말한다.

대뇌피질이 손상되어 생기는 마비말장애[마비성 구음장애] 유형으로는 편측 상부운동신경세포형과 경직형이 있다. 편측 상부운동신경세포형unilateral upper motor neuron[UUMN] 마비말장애[마비성 구음장애]는 한쪽 대뇌반구에 위치한 상부운동신경세포가 손상됨으로써 나타날 수 있는데, 부정확한 조음imprecise articulation이 주요 특색이며 대체적으로 증세가 경미하고 빨리 호전되는 편이다. 반면, 양쪽 대뇌반구의 상부운동신경세포가 모두 손상되면 경직형spastic 마비말장애[마비성 구음장애]를 일으키는데, 호흡근의 경직으로 인해 호흡이 짧아 발화를 충분히 길게 내지 못하며 음성의 크기, 즉 음량loudness도 줄어든다. 후두근이 경직되면 쥐어짜는 음성strained-strangled voice을 내게 되고 성대 움직임이 느려지면서 음성의 높낮이, 즉 음도pitch가 전반적으로 떨어지고 단조로워진다. 그 밖에도 과다비성hypernasality이 일시적transient으로 들리며 부정확하고 느린 조음이 동반한다.

피질하의 회백질 영역인 기저핵이 손상되면 운동감소형이나 운동과다형 마비말장애[마비성 구음장애]를 유발한다. 운동감소형hypokinetic의 특징은 다음과 같다. 얕고 불규칙적인 호흡주기로 인하여 발성을 하는 데 충분한 호흡을 공급하지 못한다. 또한 성대가 뻣뻣해지는 경직rigidity으로 인해 발성을 시작하는 데 어려움을 보이며, 일단 시작된 음성이라도 음량이 작아서 잘 알아듣지 못하게 되는 발성부전hypophonia이 관찰된다. 성대가 불안정하여 발화 도중에 갑자기 목소리가 안 나오는 부적절한 쉼inappropriate silences이나 음성떨림voice tremor, 기식적breathy이고 목 쉰 듯한hoarse 음질voice quality이 들린다. 또한 문장 발화에서는 음도나 음량 등의 운율이 둔화되어 상당히 단조로운monotonous 말을 구사한다. 말속도는 비교적 빠른 편으로, 심한 경우에는 음절끼리 서로 뭉쳐져서 발음의 정확한 정도를 가늠하는 조음 정확도articulatory precision와 말을 알아들을 수 있는 정도를 나타내는 말명료도speech intelligibility가 상당히 저하되기도 한다.

한편, 운동과다형hyperkinetic 마비말장애[마비성 구음장애]는 음성의 음도 및 음량이 갑작스럽게 변화하거나 중단voice breaks되고, 무성음을 산출하는 동안 성대가 지나치게 열리면서 기류가 과도하게 흘러 기식음성breathy voice이 들리는 등의 특색을 보인다.

이 밖에도 삼킴장애dysphagia를 보일 수 있는데, 음식덩이를 구강에서 조절하는 능력이나 인두강으로 음식덩이를 넘기는 능력 등이 저하되고, 음식물이 기도로 들어가는 흡인aspiration 등의 여러 증세를 보이는 것이 특징이다.

또한 협응을 담당하는 소뇌나 소뇌제어회로cerebellar control circuit가 손상되면 실조형ataxic 마비말장애[마비성 구음장애]가 발생할 수 있다. 구체적으로는 운동 속도, 범위, 강세, 속도 조절, 운동 방향 등의 협응기능을 저하시켜 말운동의 협응, 계획, 프로그래밍 등에 문제를 일으킨다. 이에 따라 음도나 음량이 갑작스럽게 변화하며, 말속도도 상당히 변이적이고, 조음이 왜곡된다.

다음으로, 뇌간이 손상되더라도 언어장애를 일으키지는 않는데, 뇌간에는 언어를 직접 관장하는 언어중추나 영역이 없기 때문이다. 또한 말실행증도 관찰되지 않는데, 이는 말의 프로그래밍을 담당하는 뇌영역은 뇌간이 아닌 대뇌나 소뇌에 있기 때문이다. 그러나 뇌간 손상은 이완형flaccid 마비말장애[마비성 구음장애]를 일으킨다. 이는 뇌간에 있는 뇌신경 세포체(핵)를 손상시켜 호흡, 발성, 공명, 조음 등을 관장하는 근육을 약하게 만든다든지, 마비가 생기게 한다든지, 움직임 자체에 지장을 주기 때문이다.

이완형 마비말장애[마비성 구음장애]의 특색은 다음과 같다. 먼저, 호흡기능이 저하되면서 발화 길이가 짧아지고 기식음성, 이중음도diplophonia, 그렁거림stridor 등의 발성장애가 관찰된다. 연인두폐쇄가 제대로 되지 않아 과다비성이나 비강누출nasal emission 등의 공명장애를 보인다. 또한 혀, 입술 등의 구강 내 조음기가 원활히 움직이지 않아 조음 정확도나 말명료도가 저하된다.

한편, 뇌간 중에서 뇌교의 손상은 소뇌 손상과 연관된 실조형 마비말장애[마비성 구음장애]를 일으키는데, 이는 뇌교가 소뇌와 기능적으로 연결되어 있기 때문이다(제7장 뇌의 운동신경로 참조). 또한 뇌교나 연수가 손상되면 삼킴에 관련된 여러 가지 뇌신경핵을 손상시켜 삼킴기능 저하를 초래한다. 뇌간과 관련된 삼킴장애에 대한 보다 자세한 설명은 제8장 뇌간과 뇌신경을 참조하기 바란다.

축삭

축삭을 둘러싼 미엘린수초에 병리적 현상이 생기면 미엘린수초가 떨어져 나가는 탈수초화demyelination가 발생한다. 탈수초화의 원인은 자가면역 염증성, 감염성, 유전성 등으로 다양하다. 신경계 질환 중에서 다발성 경화증multiple sclerosis[MS]은 대표적인 탈수초성 질환인데, 중추신경계가 탈수초화되면서 신경신호의 전달속도를 느리게 한다. 이로써 근육의 움직임과 협응이 둔화되고, 말초신경계의 기능에도 영향을 미치면서 경직형과 이완형이 합해진 혼합형mixed 마비말장애[마비성 구음장애]를 일으킬 수 있다.

또한 축삭 자체의 손상으로 실어증이 유발될 수 있다. 즉, 중추신경계에서 축삭은 뇌의 여러 영역 간 연결 섬유다발로서 기능하는데, 뇌의 영역을 이어 주는 섬유다발이 손상되면 특정 유형의 실어증을 유발한다. 예컨대, 측두엽의 베르니케영역과 전두엽의 브로카영역을 이어 주는 활모양섬유다발arcuate fasciculus이 손상되면 언어의 이해 면이나 자발적인 표현 면에서는 문제가 없으나 따라말하기에 어려움을 보이는 전도실어증conduction aphasia이 관찰된다.

그 밖에도 언어중추가 아닌 대뇌피질 연합영역이나 피질과 피질하 사이의 섬유 다발이 손상되면 따라말하기가 상대적으로 보존되면서도 다른 언어기능이 저하되는 연결피질실어증transcortical aphasia을 보일 수 있다(제6장 뇌의 섬유다발 참조). 연결피질실어증은 언어의 이해 문제인지, 산출 문제인지에 따라 각각 연결피질감각실어증transcortical sensory[TS] aphasia 또는 연결피질운동실어증transcortical motor[TM] aphasia으로 나뉜다.

신경연접

신경연접synapse의 기능 이상은 주로 신경전달물질이 제대로 기능하지 않기 때문에 생긴다. 대표적인 예로, 파킨슨병Parkinson's disease[PD]은 중뇌나 시상하부에서 생성되는 신경전달물질인 도파민이 제대로 공급되지 않아 생기는 퇴행성 신경질환이다. 파킨슨병은 발성부전hypophonia, 말가속증tachyphemia, 단음도monopitch, 단음량monoloudness 등을 보이는 운동감소형 마비말장애[마비성 구음장애]를 동반한다. 신경연접 기능 이상으로 인한 또 다른 질환으로서 헌팅턴병Huntington's disease을 들 수 있는데, 이는 무도증chorea과 같이 비정상적인 불수의적이고 과도한 움직임을 특색으로 한다. 헌팅턴병은 신체의 운동장애와 유사하게 말소리의 높낮이(음도), 크기(음량), 말속도 등이 갑자기 변화하는 운동과다형 마비말장애[마비성 구음장애]를 일으킨다.

신경근접합부

신경근접합부의 기능장애에 기인하는 대표적인 질환은 중증근무력증myasthenia gravis[MG]이다. 구체적으로 살펴보면, 연접후 수용기의 세포막에 존재하는 아세틸콜린 수용기의 수가 현저하게 감소되어 활동전위가 발생하기 불충분한 상태가 된다. 눈을 뜨게 하는 근육인 상안검거근levator palpebrae을 비롯하여 인두근, 후두근, 호흡근 등에서 근육 약화가 흔하게 나타나므로 중증근무력증 환자들은 이완형 마비말장애[마비성 구음장애]와 삼킴장애를 호소하게 된다.

근육섬유

축삭종말과 연결되는 근육섬유상의 질환을 일으키는 골격근장애를 통칭하여 근육병증myopathy이라고 한다. 근육병증은 근육에 염증이 발생하는 근염myositis과 유전적 근육 약화 질환인 근이영양증muscular dystrophy을 포함한다. 근육병증의 주요 증상은 근육이 약해지는 근쇠약muscle weakness, 근쇠약이 오랫동안 지속되어 근육이 소실되는 근위축muscle atrophy 등을 들 수 있다. 이러한 근육상의 문제는 말산출에 필요한 호흡, 발성, 공명, 조음 등에 관여하는 근육기능을 저하시켜 이완형 마비말장애[마비성 구음장애]와 흡인 등을 특색으로 하는 삼킴장애를 일으킨다.

교세포

교세포의 구조와 기능

교세포(신경교세포)neuroglia, glial cell, glia는 중추신경계와 말초신경계의 비신경세포이다. 신경세포를 물리적으로 지지하는 역할을 하는 동시에 다양한 대사 및 항상성 유지 기능을 수행한다. 교세포의 크기는 신경세포의 약 10분의 1 정도에 불과하지만 중추신경계 전체 세포 수의 약 90%를 차지한다. 신경세포의 수가 약 1,000억 개 정도임을 고려하면 교세포의 수는 상대적으로 훨씬 많다고 할 수 있다.

> **잠깐!**
>
> **glia**
>
> 교세포(glial cell)에서 'glia'는 그리스어로 '풀(glue)'을 뜻한다.

여러 유형의 교세포들 중에서 별교세포astrocytes는 혈관–뇌 장벽에서 혈액 내 물질을 선택적으로 뇌로 전달하며, 이온 조절과 신경전달물질 대사에도 관여한다. 희돌기교세포oligodendrocyte는 중추신경계에서 미엘린수초를 형성하여 신경전도 속도를 빠르게 한다. 슈반세포Schwann cell는 말초신경계에서 미엘린수초 형성에 관여하면서 손상된 신경을 재생하는 기능을 한다. 미세교세포microglia는 중추신경계의 면역세포 역할을 하며, 뇌손상 부위에서 바이러스, 곰팡이, 세균 등 이물질을 탐색하고 제거한다. 방사형교세포radial glia는 태아 발생기에 신경세포의 이동과 신경세포 돌기의 성장에 관여한다.

교세포의 손상과 언어병리

신경계에서 다양한 대사기능을 수행하는 교세포가 병리 현상으로 인하여 괴사되면 마비말장애[마비성 구음장애], 삼킴장애, 치매 등의 문제를 일으키는 진행성 핵상마비progressive supranuclear palsy[PSP]가 발생할 수 있다. 진행성 핵상마비는 대뇌피질, 기저핵, 뇌간, 소뇌의 치아핵 등에 비정상적인 타우 단백질tau protein이 축적되면서 형성된 신경섬유에 의해 발생한다. 이러한 병리 과정은 신경교세포의 점진적인 괴사 및 신경계 기능 저하로 이어지며, 결과적으로 운동기능 장애, 언어 및 인지 기능 장애를 초래한다.

개념 및 용어 정리

신경세포와 교세포: 신경계를 구성하는 세포

- **신경세포**: 신경계의 기본 단위로서 전기 · 화학적 신경신호를 전달한다.
  - 신경세포 내: 전기신호
  - 신경세포 간: 화학신호

신경세포의 구성요소: 세포체, 돌기, 신경연접 등

세포체: 핵과 핵주위부

- **세포체는 인접한 신경세포로부터 정보를 받아들이고 통합한다.**

돌기: 축삭과 수상돌기

- **축삭**: 1개의 가장 긴 돌기
  - 세포 내에서 신경신호를 전달한다.
  - 신경섬유: 축삭이 모여 형성된 다발
  - 미엘린수초: 축삭을 감싸고 전기절연의 기능을 하며 교세포에 의하여 만들어진다.
  - 랑비에마디: 축삭에서 수초가 없는 무수축삭 틈새
- **수상돌기**: 여러 개의 짧은 돌기로서 인접한 신경세포로부터 신호를 전달받아 세포체로 보낸다.

신경연접: 축삭의 끝과 수상돌기의 말단이 연결된 부분

- **구성요소**: 축삭종말의 종말단추, 연접틈새, 연접후 수용기 등
  - 종말단추의 연접소낭: 신경전달물질로 채워져 있다.
  - 신경전달물질: 화학물질로서 인접 세포의 활동을 흥분시키거나 억제시킨다.
  - 신경연접의 연접틈새를 건너 연접후 수용기를 자극하여 수상돌기로 신경신호를 전달한다.

신경근접합부: 신경연접이 근육세포와 접촉하는 부위

- **신경세포와 근육세포 사이에 화학적 전달이 이루어진다.**
- **신경전달물질이 수용기와 결합하여 생긴 종판전위가 근육세포를 자극하여 근육을 수축시킨다.**

축삭 내 전도: 전기신경신호

- **분극**: 세포막을 경계로 안쪽은 음전하, 바깥쪽은 양전하를 띠는 것
- **안정(막)전위**: 세포막 안팎에서 관찰되는 전하의 차이
- **탈분극**: 세포막 안쪽과 바깥쪽의 전위가 서로 바뀌게 되는 현상
- **활동전위**: 탈분극화가 −55mV 정도에 이르게 되면 생기는 전하
- **역치**: 활동전위가 일어나는 시점
- **실무율**: 일단 역치에 도달하여 활동전위를 일으키게 되면 늘 같은 강도로 존재하며, 역치에 도달하지 않으면 활동전위가 전혀 생성되지 않는 현상
- **전도**: 신경세포 내에서 신경의 전기신호가 전달되는 것

신경세포 손상과 언어병리

- **세포체 손상**: 위치에 따른 다양한 장애
  - 대뇌피질 손상: 실어증, 말실행증, 경직형 마비말장애[마비성 구음장애], 편측 상부운동신경세포형 마비말장애[마비성 구음장애], 삼킴장애 등
  - 대뇌피질하 손상: 운동과다형 마비말장애[마비성 구음장애], 운동감소형 마비말장애[마비성 구음장애], 주로 연결피질실어증
  - 소뇌 손상: 실조형 마비말장애[마비성 구음장애], 삼킴장애
  - 뇌간 손상: 주로 이완형 마비말장애[마비성 구음장애], 실조형 마비말장애[마비성 구음장애], 삼킴장애
- **축삭 손상**: 실어증, 마비말장애[마비성 구음장애], 삼킴장애
  - 전도실어증, 연결피질실어증
  - 혼합형 마비말장애[마비성 구음장애]: 다발성 경화증과 연관된다.
- **대뇌피질하 신경연접장애**: 마비말장애[마비성 구음장애], 삼킴장애
  - 운동감소형 마비말장애[마비성 구음장애]: 파킨슨병에 기인한다.
  - 운동과다형 마비말장애[마비성 구음장애]: 무도병 등에 기인한다.
- **신경근접합부 손상**: 마비말장애[마비성 구음장애], 삼킴장애
  - 이완형 마비말장애[마비성 구음장애]: 중증근무력증과 연관된다.
- **근육섬유 질환**: 마비말장애[마비성 구음장애], 삼킴장애
  - 이완형 마비말장애[마비성 구음장애]: 근육병증과 연관된다.
  - 주요 증상: 근쇠약, 근위축 등

복습문제

1. 운동신경세포의 각 구조에 대한 설명을 지칭하는 알맞은 용어를 쓰시오.

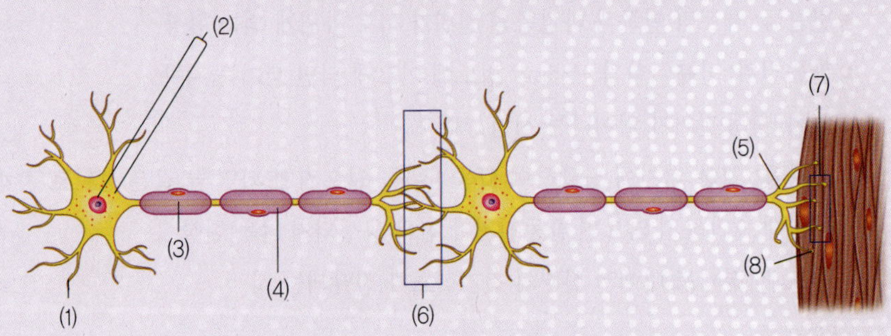

(1) 신경세포를 구성하는 1개 이상의 짧은 가지로서 인접한 신경세포로부터 신호를 전달받는다. ________

(2) 신경세포의 생장이나 신진대사에 관여하며, 인접한 신경세포로부터 받아들인 정보를 통합한다. ________

(3) 신경세포를 구성하는 가지들 중에서 가장 길며, 통합된 신경신호를 전도하는 기능을 한다. ________

(4) 가장 긴 가지를 감싸고 있고, 주위에 다른 신경세포의 전기적 간섭을 효과적으로 차단하는 전기절연의 기능을 한다. ________

(5) 인접 세포에 가까이 위치하는 신경세포의 가장 긴 가지의 말단 부분을 지칭한다. ________

(6) 종말단추, 연접틈새, 연접후 수용기를 합하여 일컫는 용어이다. ________

(7) (6)이 근육세포와 접촉하는 부위를 지칭한다. ________

(8) 이곳의 연접소낭에는 신경전달물질이 채워져 있다. ________

2. 다음의 활동전위에 대한 설명에 알맞은 용어를 쓰시오.

(1) 분극 상태에서 세포에 자극이 주어지면 세포막의 투과성이 커지면서 바깥쪽의 나트륨 이온이 나트륨 통로를 통해 세포 안으로 다량 들어가 세포 막의 안팎의 전위가 서로 바뀌게 되는 현상을 말한다. ________

(2) 신경세포는 역치에 도달하지 않고 활동전위를 전혀 일으키지 않는데, 일단 역치에 도달하여 활동전위를 일으키면 늘 같은 강도로 존재하는 현상을 말한다. ________

(3) 탈분극 상태에서는 활동전위가 흐르면서 인접한 부분이 연속적으로 탈분극 상태로 전환되고, 활동전위가 축삭을 따라 이동해 가면서 탈분극 상태에 있었던 부분은 분극 상태로 재분극된다. 이러한 현상이 연속적으로 발생되는 것을 말한다. ________

3. **다음 보기의 빈칸에 알맞은 용어를 쓰시오.**

신경세포와 근육세포 사이에서 신경신호에 의한 자극을 받으면 (1) ________ 이 방출된다. (1) ________ 이 수용기와 결합하여 통로가 열리면서 (2) ________ 이 운동종판으로 흘러 들어가 (3) ________ 가 생긴다.

4. **다음은 근육세포에 도달하는 운동신경세포의 구성요소이다. 신경신호가 흐르는 방향을 수상돌기부터 시작하여 순서대로 나열하시오.**

가. 축삭	나. 수상돌기	다. 세포체
라. 종말단추	마. 운동종판	바. 축삭종말

5. **신경전달을 위한 전기신호와 화학신호는 각각 어디에서 발생하는지 알맞은 짝을 고르시오.**

(1) 전기신호: 신경세포 내 — 화학신호 : 신경세포 간
(2) 전기신호: 신경세포 내 — 화학신호 : 신경세포 내
(3) 전기신호: 신경세포 간 — 화학신호 : 신경세포 내
(4) 전기신호: 신경세포 간 — 화학신호 : 신경세포 간

6. **다음은 신경교세포에 대한 설명이다. 보기에서 알맞은 것을 찾아 쓰시오.**

가. 별교세포	나. 희돌기교세포
다. 미세교세포	라. 방사형교세포

(1) 중추신경계에서 미엘린수초 형성에 관여하여 신경을 재생하는 기능을 한다. (　　)
(2) 혈액 내 물질을 선택적으로 뇌로 전달한다. (　　)
(3) 태아 발생기에 신경세포의 이동과 신경세포 돌기의 성장에 관여한다. (　　)
(4) 뇌손상 부위에서 바이러스, 곰팡이 등의 이물질을 제거한다. (　　)

7. **신경세포의 손상 부위 · 장애와 관련 신경질환을 바르게 짝지으시오.**

(1) 중추신경계 세포체	ㄱ. 다발성 경화증
(2) 미엘린수초가 떨어져 나가는 탈수초화	ㄴ. 파킨슨병
(3) 신경연접의 장애	ㄷ. 중증근무력증
(4) 신경근접합부의 장애	ㄹ. 진행성 핵상마비
(5) 축삭종말과 연결되는 근육섬유상의 질환	ㅁ. 말실행증
(6) 신경교세포의 병리 현상	ㅂ. 근육병증

8. 신경연접을 나타낸 다음 그림에서 (1)~(5)에 해당하는 용어를 쓰시오.

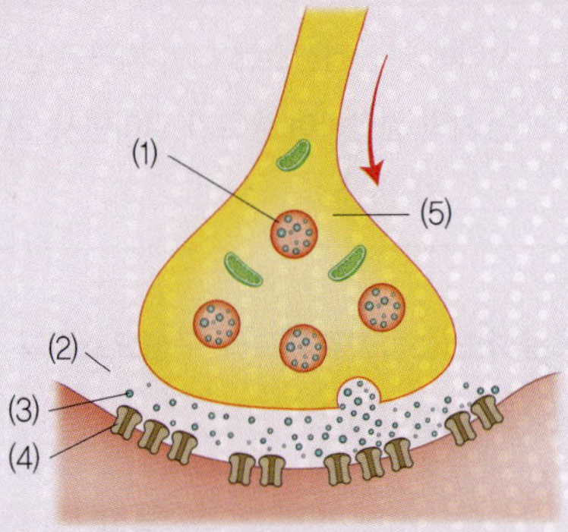

9. 신경연접에서 신경전달물질이 분출되면서 발생하는 신경신호의 유형을 고르시오.

(1) 전기신호
(2) 화학신호
(3) 근육신호
(4) 물질신호

10. 신경계의 세포체 손상으로 인한 언어장애 및 말장애에 대한 설명으로 알맞은 것을 고르시오.

(1) 말초신경계 세포체의 손상은 언어장애를 일으키지 않는다.
(2) 소뇌 세포체의 손상은 상부운동신경세포형 마비말장애[마비성 구음장애]를 유발한다.
(3) 하부운동신경세포의 핵이 손상되면 경직형 마비말장애[마비성 구음장애]가 발생한다.
(4) 좌뇌 세포체의 손상은 양측 상부운동신경세포형 마비말장애[마비성 구음장애]를 유발한다.

11. 다발성 경화증에 대한 설명으로 틀린 것을 고르시오.

(1) 대표적인 탈수초성 질환이다.
(2) 주로 혼합형 마비말장애[마비성 구음장애]를 유발한다.
(3) 중추신경계와 말초신경계의 손상으로 인한 질환이다.
(4) 신경신호의 전달 속도가 비정상적으로 빨라져서 생기는 질환이다.

12. 활모양다발(궁상속)에 대한 설명으로 틀린 것을 고르시오.

(1) 중추신경계의 축삭이다.
(2) 뇌엽 내에서 영역 간을 이어 준다.
(3) 베르니케영역과 브로카영역을 이어 준다.
(4) 손상 시에는 전도실어증을 유발할 수 있다.

13. 신경연접에서 공급되며 부족한 경우에 파킨슨병을 유발하는 신경전달물질을 쓰시오.

14. 중증근무력증에 대한 설명으로 틀린 것을 고르시오.

(1) 도파민의 부족으로 생긴다.

(2) 이완형 마비말장애[마비성 구음장애]를 일으킨다.

(3) 신경근접합부의 기능장애에 기인한다.

(4) 인두근, 후두근, 호흡근 등에서 근육 약화가 관찰된다.

15. 신경전달물질에 대한 설명으로 옳은 것에 ○, 틀린 것에 × 표시를 하시오.

(1) 신경전달물질은 상황에 따라 흥분성 혹은 억제성을 띤다. (　　)

(2) 아세틸콜린은 신경근접합부에서 분비되어 체성신경계의 운동신경에서 활약한다. (　　)

(3) 도파민은 노르에피네프린 등과 함께 모노아민류에 속한다. (　　)

(4) 세로토닌은 수면 · 각성 주기, 감정, 기분, 체온 등을 조정하는 역할을 한다.(　　)

정답

1. (1) 수상돌기 (2) 세포체 (3) 축삭 (4) 미엘린수초 (5) 축삭종말 (6) 신경연접(시냅스) (7) 신경근접합부 (8) 종말단추
2. (1) 탈분극현상 (2) 실무율 (3) 전도
3. (1) 신경전달물질 (2) 나트륨 이온 (3) 종판전위
4. 나 → 다 → 가 → 바 → 라 → 마
5. (1)
6. (1) 나 (2) 가 (3) 라 (4) 다
7. (1) ㅁ (2) ㄱ (3) ㄴ (4) ㄷ (5) ㅂ (6) ㄹ
8. (1) 연접소낭 (2) 연접틈새 (3) 신경전달물질 (4) 연접후 수용기 (5) 종말단추
9. (2)
10. (1)
11. (4) *신경신호의 전달 속도가 비정상적으로 느려져서 생기는 질환임.
12. (2) *뇌엽 간의 영역을 이어 주는 섬유다발임.
13. 도파민
14. (1) *도파민의 부족으로 생기는 질환은 파킨슨병임.
15. (1) × *각각의 신경전달물질은 흥분성 혹은 억제성을 띰.
    (2) ○
    (3) ○
    (4) ○

제 3 장

뇌와 신경계

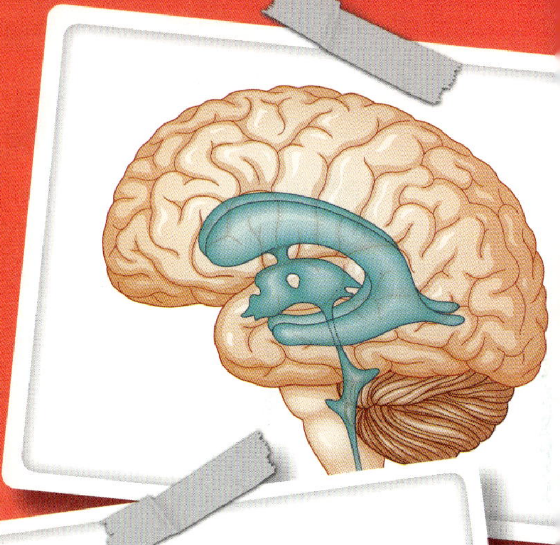

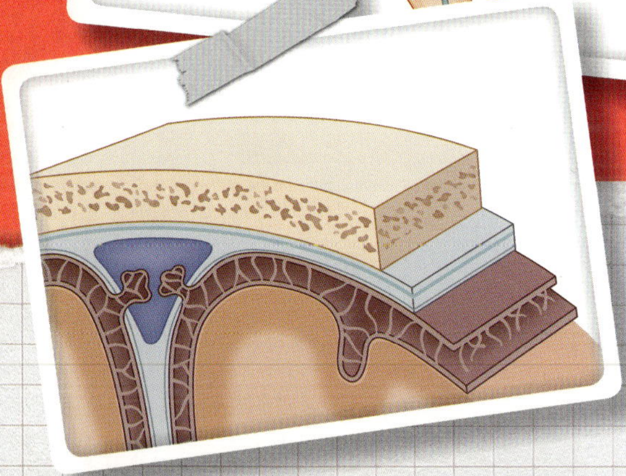

학습목표

- 중추신경계의 구성요소인 뇌와 척수의 구조에 대해 학습한다.
- 기능적 특성에 따라 분류되는 말초신경계의 구성요소인 자율신경계와 체성신경계의 구성성분에 대해 익힌다.
- 두개골과 뇌막의 구조에 대해 알아본다.
- 뇌막(주변)의 질환과 관련 언어병리에 대해 학습한다.
- 뇌실과 뇌척수액에 대해 살펴본다.
- 중추신경계의 방위 및 단면 관련 용어들을 익힌다.

우리 몸의 수많은 신경세포들은 외부 환경과 체내 간, 혹은 체내에 있는 기관들 간에 소통할 수 있는 복잡한 신경계를 형성하고 있다. 신경계는 크게 중추신경계와 말초신경계로 나뉜다(그림 3-1).

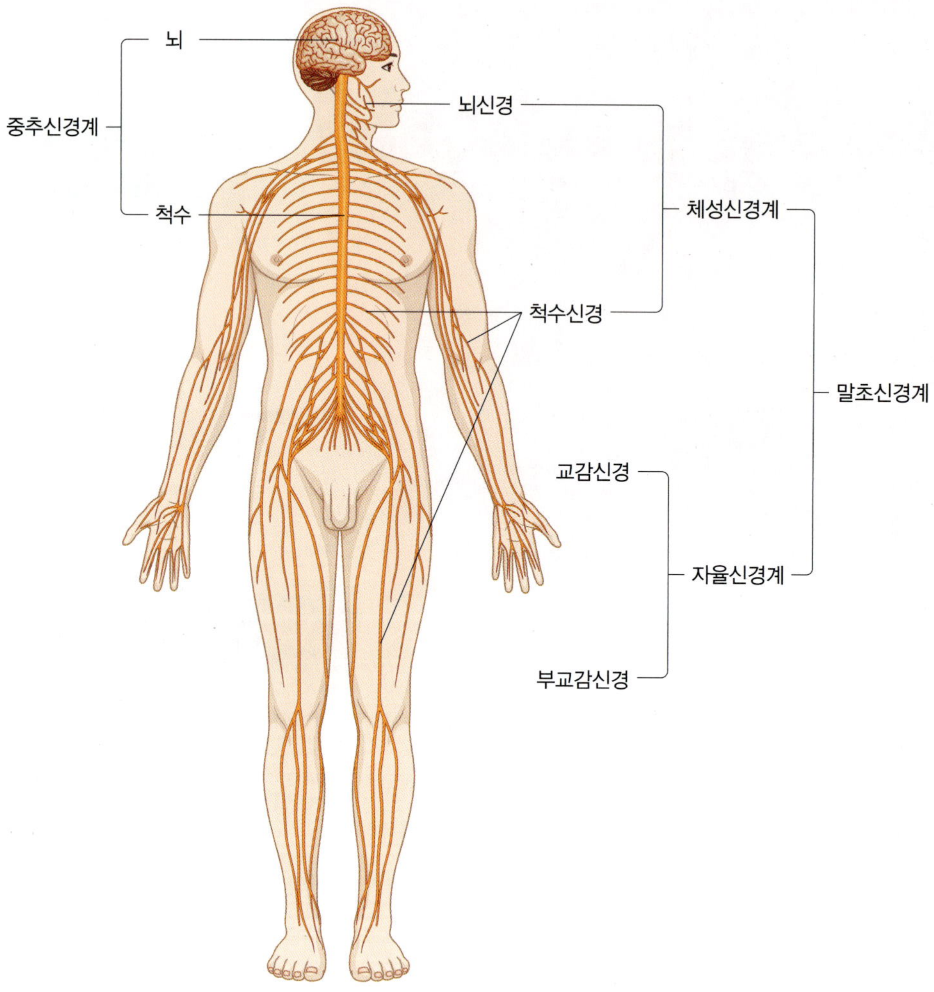

그림 3-1 신경계의 구분

신경계는 크게 중추신경계(뇌와 척수, 주황색으로 표시됨)와 말초신경계(체성신경계와 자율신경계)로 나뉜다. 다시 체성신경계는 뇌신경과 척수신경으로 나뉘고, 자율신경계는 교감신경과 부교감신경으로 구분된다.

중추신경계

중추신경계central nervous system[CNS]는 신경계의 중심 역할을 하며, 뇌brain와 척수spinal cord로 구성된다. 성인의 뇌 무게는 약 1,250~1,450g(성인 평균 몸무게의 2~3%)이고, 척수의 길이는 약 50cm 정도이다. 제2장에서는 신경계를 구성하는 신경세포와 교세포에 대하여 알아보았다. 그런데 이러한 세포들은 중추신경계인 뇌와 척수에 어떻게 분포되어 있을까?

뇌와 척수의 층은 회백질gray matter과 백질white matter로 구분된다. 뇌의 경우에는 회백질이 겉층을, 백질이 속층을 이루지만, 척수의 경우에는 회백질이 속층을, 백질이 겉층을 이룬다(그림 3-2). 물론 뇌의 심층 영역인 피질하에도 커다란 핵군으로 형성된 회백질이 분포되어 있다.

회백질의 구성요소는 주로 세포체(핵과 핵주위부), 수상돌기, 신경연접, 교세포 등이며, 회백질에는 혈관이 많이 분포되어 있다. 회백질 내에 기능이 유사한 신경세포의 세포체

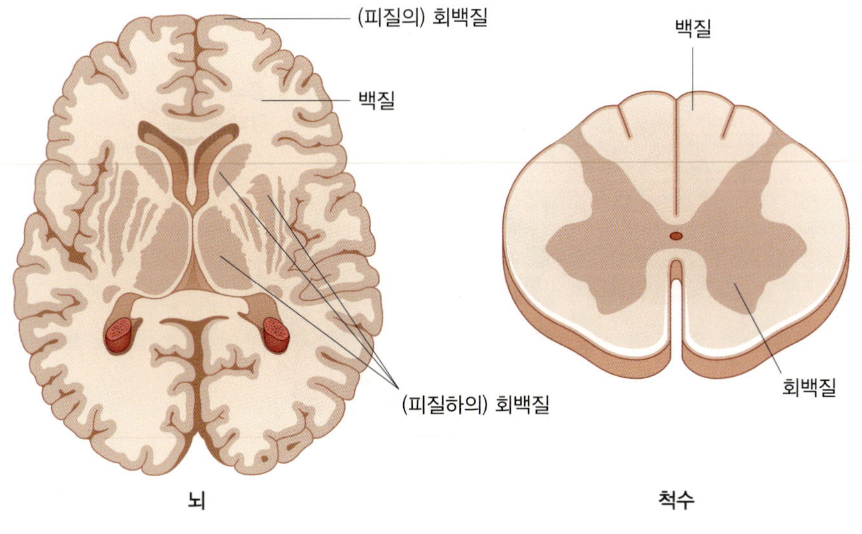

그림 3-2 뇌와 척수의 회백질과 백질
뇌에서는 회백질이 겉층을 형성하고 백질이 속층을 형성하는 반면, 척수에서는 회백질이 속층을 이룬다.

끼리 모여 형성된 집합체를 핵군nuclei이라고 한다. 예컨대, 조음을 하기 위한 혀의 움직임에 관여하는 운동신경세포의 세포체들은 설하핵군hyponucleus, hyponuclei을 이룬다. 이러한 핵군은 대뇌의 피질 아래인 피질하영역이나 소뇌 및 뇌간 등에서 찾아볼 수 있다.

한편, 백질의 구성요소는 축삭과 교세포이다. 축삭을 둘러싼 흰색의 미엘린수초로 인하여 백질은 전반적으로 흰색을 띤다.

뇌

뇌막 아래에는 좌우 대칭 구조의 뇌가 있다. 뇌는 크게 대뇌cerebrum, 뇌간brain stem, 소뇌 cerebellum로 나뉜다(그림 3-3). 대뇌는 위치적으로 가장 앞에 있어서 전뇌forebrain라고도 하는데, 또다시 종뇌와 간뇌로 나뉜다(표 3-1). 종뇌telencephalon는 대뇌피질cerebral cortex, 피질하백질subcortical white matter, 피질하의 회백질 구조인 기저핵basal ganglia을 포함한다. 간뇌diencephalon는 시상thalamus, 시상하부hypothalamus, 시상상부epithalamus, 시상밑부subthalamus로 구성된다. 뇌간은 다시 세 부분, 즉 중뇌mesencephalon, midbrain, 뇌교metencephalon, pons, 연수myelencephalon, medulla oblongata로 나뉜다.

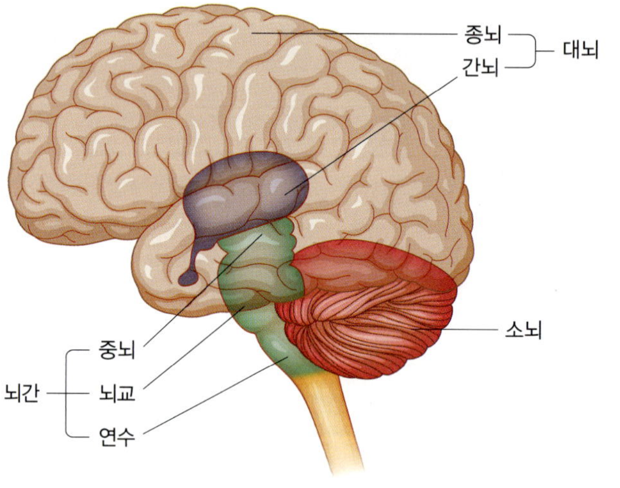

그림 3-3 뇌의 구분
뇌는 대뇌, 뇌간, 소뇌로 나뉜다. 다시 대뇌는 종뇌와 간뇌로, 뇌간은 중뇌, 뇌교, 연수로 구분된다.

표 3-1 **뇌의 주요 구분**

	대분류	소분류	구조
뇌	대뇌	종뇌(telencephalon)	대뇌피질, 피질하백질, 피질하회백질(기저핵)
		간뇌(diencephalon)	시상, 시상하부, 시상상부, 시상밑부
	뇌간	중뇌(mesencephalon, midbrain) 뇌교(metencephalon, pons) 연수(myelencephalon, medulla oblongata, medulla)	
	소뇌		

이러한 뇌구조 중에서 연수는 내장기능이나 호흡기능 등을 포함한 인간의 생명 유지에 필수적인 기능을 조절한다. 반면, 종뇌 등의 상위 구조로 올라갈수록 그 기능은 보다 복잡해지며, 운동이나 감각기능뿐만 아니라 기억, 언어, 사고, 문제 해결 등의 고차원적인 인지 및 정신 기능에 관여하게 된다.

잠깐!

tele…, di…, mes…

'tele-'라는 접두사는 척수에서 '멀다'는 뜻이다. 'di-'는 '두 구조 사이'라는 뜻으로 '간뇌'는 대뇌와 뇌간의 사이라는 것을 의미한다. 'mes-, met-'는 '가운데-'를 뜻한다.

cephalon

'cephalon'은 '뇌(brain)'를 뜻한다. 여기서 '-cephal-'이 들어가는 용어를 몇 가지만 살펴보자.

encephalitis(뇌염), encephalopathy(뇌증), hydrocephalus(뇌수종), anencephaly(무뇌증), microcephaly(소뇌증), acrocephaly(대뇌증), encephalography(뇌파검사)

척수

척수는 연수와 연결되어 있으며, 중추신경계 중 가장 밑에 위치한다. 대후두공에서 시작되어 척추관내를 따라 이어지며, 위쪽은 굵고 아래로 갈수록 점차 가늘어지고, 척추에 의하여 물리적으로 보호된다. 척수는 다섯 부위로 나뉘는데, 경수cervical segment는 목 부위, 흉수thoracic seg.는 가슴 부위, 요수lumbar seg.는 허리 부위, 천수sacral seg.(선수)는 엉치 부위, 마지막으로 미수coccygeal seg.는 척수의 가장 끝 부위를 가리킨다(그림 3-4).

척수의 단면을 살펴보면, 앞서 언급하였듯이 대뇌와는 달리 회백질이 내측에, 백질이 회백질을 둘러싸면서 위치하고 있다(그림 3-5). 회백질은 H자 모양을 하고 있는데, H자형의 날개를 각horn이라 하여 등쪽은 감각신경을 전달하는 후각posterior horn이고 배쪽은 운동신경을 전달하는 전각anterior horn이다. 그런데 후각으로부터는 후근posterior root이, 전

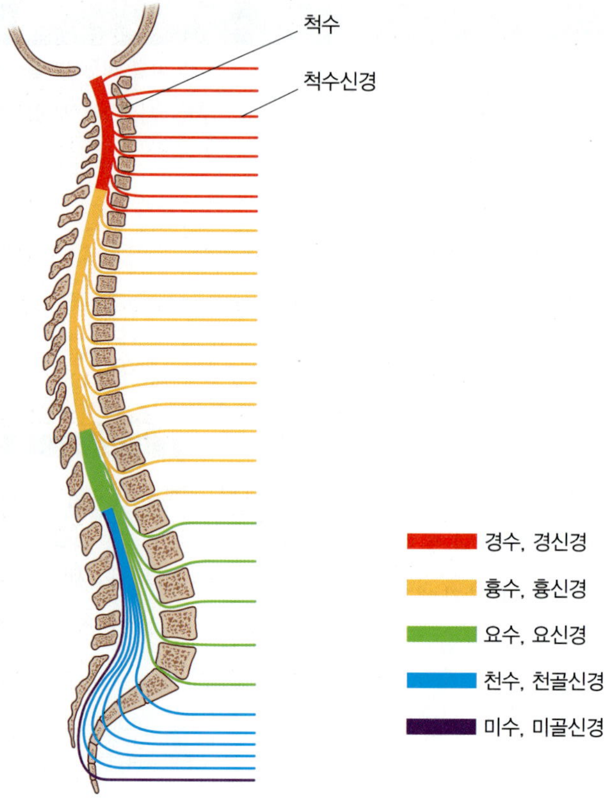

그림 3-4 척수의 종단 부위

척수는 위부터 아래까지 다섯 부위로 나뉜다. 맨 위부터 경수는 목 부위, 흉수는 가슴 부위, 요수는 허리 부위, 천수(혹은 선수)는 그 아래, 마지막으로 미수는 척수의 가장 끝 부위를 가리킨다. 척수의 각 부위에는 8쌍의 경신경, 12쌍의 흉신경, 5쌍의 요신경, 5쌍의 천골신경, 1쌍의 미골신경이 연결되어 있다.

각으로부터는 전근anterior root이 분리되어 나오며, 전근과 후근이 척수 외측에서 합쳐져 하나의 척수신경을 형성하여 척수 밖으로 나온다. 회백질 내부에는 다수의 세포체와 신경연접이 들어 있으며, 회백질의 중심에는 작은 관이 있는데 이를 중심관central canal이라고 한다. 중심관은 위쪽으로 제4뇌실과 연결되어 있다.

한편, 백질은 다시 세 영역으로 나뉘는데, 등쪽을 후주posterior column, 옆쪽을 측주lateral col., 앞쪽을 전주anterior col.로 구분한다. 백질에는 여러 종류의 감각신경로와 운동신경로가 자리 잡고 있다. 신경로에 대해서는 제6장 뇌의 섬유다발, 제7장 뇌의 운동신경로에서 자세히 다룰 것이다.

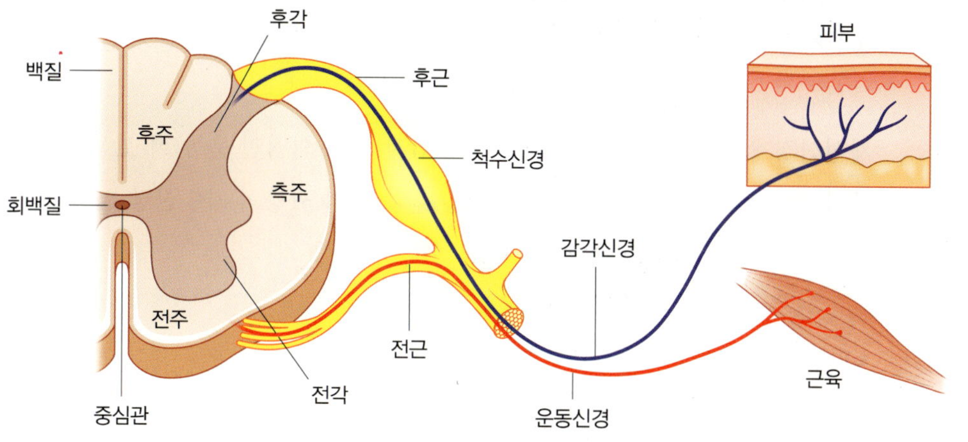

그림 3-5 척수의 단면

척수는 H자형의 회백질과 회백질을 둘러싼 백질로 구성된다. 회백질에는 등쪽으로 감각신경을 전달하는 후각이, 배쪽으로 운동신경을 전달하는 전각이 위치한다. 백질은 다시 세 영역으로 나뉘는데 등쪽부터 후주, 측주, 전주이다.

말초신경계

말초신경계peripheral nervous system[PNS]는 중추신경계 밖에 위치한 신경계로서, 중추신경계를 외부감각수용기(예: 피부), 운동기관, 내분비선 등 다양한 신체 내부 기관들과 연결하여 정보를 전달한다. 말초신경계는 기능적 특성에 따라 자율신경계와 체성신경계로 나뉜다.

자율신경계autonomic nervous system[ANS]는 자신의 의지와는 관계없이 체내 기관이나 조직의 불수의적인 활동(예: 침 분비, 심장박동, 소화기능 등)을 지배하는 신경계이다. 자율신경계에는 15쌍의 교감sympathetic신경과 8쌍의 부교감parasympathetic신경이 있다. 교감신경은 외부의 스트레스성 자극에 반응하여 동공 확대, 심박수 증가, 호흡수 증진, 혈압 상승 등과 같이 우리 신체 대부분의 기능을 촉진시키는 역할을 한다. 이와 대조적으로, 부교감신경은 외부로부터 스트레스성 자극이 오면 신체의 기능을 안정화하고 회복시

잠깐!

길항작용

길항(拮일할 길 抗막을 항)작용은 서로 상반되는 두 가지의 요인이 동시에 작용하여 서로 간에 효과가 없어지는 상쇄 현상을 말한다.

키는 역할을 하는데, 동공 축소, 심박수 감소, 괄약근 이완 등을 일으킨다. 이 두 종류의 자율신경은 서로 길항작용antagonism을 하면서 신체의 여러 장기 활동에 관여하여 신체의 항상성homeostasis을 유지시키도록 작동한다.

체성신경계somatic nervous system는 신체의 감각 및 수의적인 운동(예: 말하기, 걷기)에 관여하며, 말초신경계인 12쌍의 뇌신경cranial nerves[CN]과 31쌍의 척수신경spinal nerves[SN]으로 구성된다.

뇌신경

뇌신경은 뇌와 연결된 말초신경으로서 주로 머리와 목 등에 위치한 기관들의 감각 및 운동에 관여한다. 뇌신경에 대해서는 제8장 뇌간과 뇌신경에서 자세히 다루기로 한다.

척수신경

척수신경은 척수와 우리의 신체기관을 직접적으로 연결하는 말초신경으로서, 사지, 즉 양쪽 팔 · 다리 등의 감각 및 운동과 관련이 있다. 척수신경에서 받아들인 감각 자극은 척수를 통해 뇌로 올라가며, 뇌에서 보내진 운동신호는 척수로 내려와서 척수신경을 통해 온몸으로 전해진다. 척수신경은 척수로부터 일정한 간격으로 뻗어 나와 총 31쌍으로 이루어져 있다. 그림 3-4에서 살펴보았듯이, 31쌍의 척수신경은 경수에서 나오는 8쌍의 경신경cervical nerve, 흉수에서 나오는 12쌍의 흉신경thoracic n., 요수에서 나오는 5쌍의 요신경lumbar n., 천수에서 나오는 5쌍의 천골신경sacral n., 미수에서 나오는 1쌍의 미골신경coccygeal n.으로 나뉜다.

두개골과 뇌막

두개골과 뇌막의 구조

뇌의 역할이 중요한 만큼 뇌를 보호하는 여러 구조들이 있다. 뼈 구조인 두개골skull은

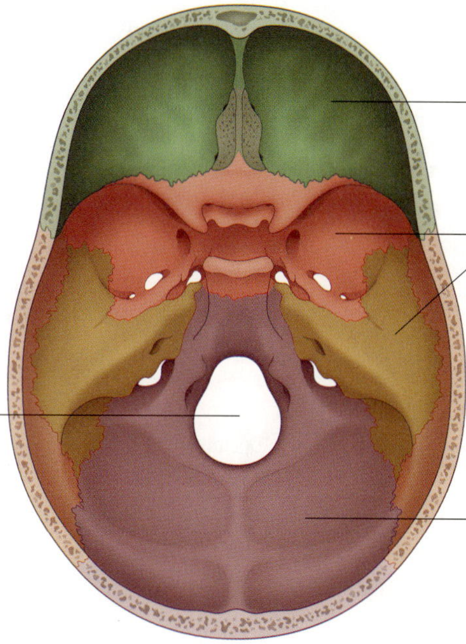

그림 3-6 두개와

두개골의 바닥은 전두개와, 중두개와, 후두개와로 이루어져 있다. 후두개와의 가운데에는 대후두공이 위치해 있다.

가장 단단하게 뇌를 보호한다. 두개골의 바닥을 이루는 두개와cranial fossa 구조는 전두개와anterior cranial fossa, 중두개와 middle c. f., 후두개와posterior c. f.가 각각 전두엽, 측두엽, 소뇌 및 뇌간을 지탱한다(그림 3-6). 후두개와의 중앙에는 대후두공foramen magnum 이라는 커다란 구멍이 있는데, 이곳을 통해 척수가 하방으로 이어진다.

> **잠깐!**
>
> **중추신경계를 보호하는 뼈 구조**
>
> 뇌는 두개골에 의하여, 척수는 척추에 의하여 보호된다.

두개골 안의 뇌(또한 척추 안의 척수)는 세 층의 뇌막cerebral meninges인 경막, 거미막, 연막으로 둘러싸여 있다(그림 3-7). 경막dura mater은 두개강에서 가장 바깥쪽에 위치한다. 대뇌종렬에 위치한 경막을 대뇌낫falx cerebri이라고 하며, 좌우 뇌반구를 공간적으로 분리시킨다. 또한 대뇌의 후두엽과 소뇌를 나누는 소뇌천막tentorium cerebelli도 경막의 일부이며, 소뇌의 위쪽 표면을 덮고 있다. 두개골과 경막 사이를 경막외강epidural space이라고 한다. 경막 아래에는 거미막arachnoid(지주막)이 있으며, 경막과 거미막 사이를 경막하강

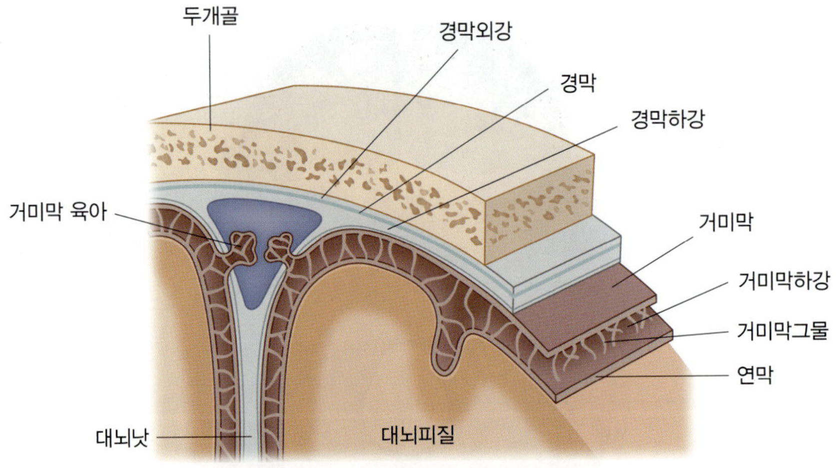

그림 3-7 뇌막의 구조
뇌막은 세 층, 즉 경막, 거미막, 연막으로 구성되어 있다.

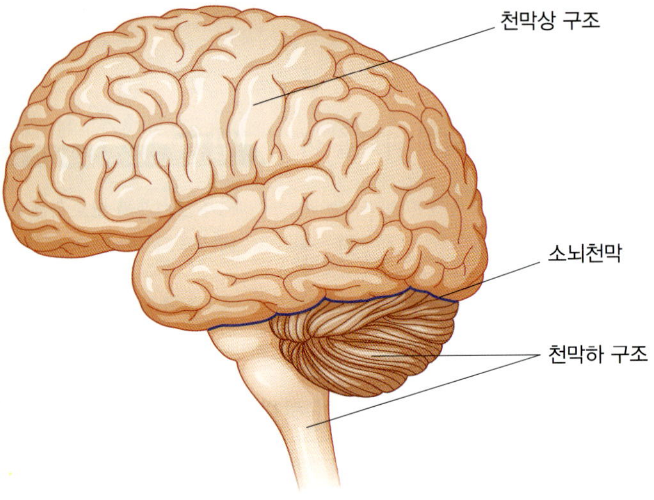

그림 3-8 천막상 구조와 천막하 구조
소뇌천막을 중심으로 위로는 천막상 구조인 대뇌가 위치하고, 아래로는 천막하 구조인 소뇌와 뇌간이 있다.

subdural space이라고 한다. 연막pia mater은 뇌의 가장 안쪽을 덮는 얇은 층의 뇌막으로서, 피질 고랑 안까지 깊숙히 밀착되어 뇌 표면을 감싼다. 거미막과 연막 사이의 공간인 거미막하강subarachnoid space은 거미막그물arachnoid trabecula이 거미막과 연막을 이어 준다. 또한 거미막하강은 뇌실ventricles과 연결되어 뇌 내부와 통하며, 뇌척수액cerebrospinal fluid[CSF]이 순환한다.

한편, 소뇌천막을 중심으로 그 위를 천막상supratentorial 구조, 아래를 천막하infratentorial 구조라고 한다(그림 3-8). 천막상 구조에는 대뇌가, 천막하 구조에는 뇌간과 소뇌가 속한다. 따라서 언어기능은 주로 천막상 구조에서 담당하고, 말기능에서는 천막상 구조뿐만 아니라 천막하 구조의 역할이 중요하다고 할 수 있다.

뇌막(주변) 질환과 언어병리

외상성 뇌손상traumatic brain injury[TBI]은 교통사고, 추락 등의 외부 충격으로 인하여 뇌에 직접적인 상해를 입는 경우를 말한다. 외상성 뇌손상은 두개골 골절이나 두개골 내의 경막 손상이 동반되지 않으면 폐쇄성 두부손상closed head injury[CHI]이라 하고, 동반되면 개방성 두부손상open head injury[OHI]이라 한다. 외상성 뇌손상에 의하여 경막외강이나 경막하강에 피가 고여 혈종이 생성되는데, 이를 각각 경막외 혈종epidural hematoma[EDH], 경막하 혈종subdural hematoma[SDH]이라 한다. 일반적으로 급성 경막하 혈종은 경막외 혈종보다 뇌손상의 정도가 광범위하고 심한 편이어서 혈종을 제거한 후에도 예후가 나쁜 경우가 많다. 경막하 혈종은 직격손상coup injury 또는 반충손상counter-coup injury에 의하여 발생할 수 있는데, 반충손상은 경막외 혈종보다 경막하 혈종에서 더 흔하다. 이 밖에도 거미막하 출혈subarachnoid hemorrhage[SAH]은 혈관이 많이 분포되어 있는 거미막 아래에서 관찰되는 출혈이다.

> **잠깐!**
>
> **폐쇄성 두부손상과 개방성 두부손상**
> 폐쇄성(closed)은 non-penetrating으로, 개방성(open)은 penetrating으로 지칭하기도 한다.
>
> **직격손상과 반충손상**
> 직격손상은 타격받은 쪽의 뇌 표면에 생기는 손상을 말하고, 반충손상은 타격받은 쪽의 반대편에 생긴 뇌 손상이다.

혈종을 제거하기 위해서는 신경외과적 수술로서 두개골 절제술craniectomy 등을 실시하는데, 수술 부위나 손상 정도에 따라 의식 소실, 신체 마비뿐만 아니라 다양한 상태의 언어장애나 인지장애를 동반하기도 한다. 특히 언어중추가 위치하는 뇌영역, 구체적으로

측두엽이나 전두엽의 혈종 제거술은 실어증 등의 언어장애를 유발하기도 한다.

뇌막염meningitis은 뇌를 덮고 있는 막에 생기는 감염을 일컫는다. 뇌막염은 보통 세균에 의하여 발생하는 세균성 뇌막염이 가장 흔하지만 바이러스가 원인인 무균성 뇌막염도 있다. 뇌막염의 합병증으로는 뇌농양brain abscess, 뇌경색cerebral infarction, 뇌수종hydrocephalus(수두증) 등이 있으며, 이러한 합병증은 지능 저하, 학습 능력 저하, 행동 과다, 주의력장애, 뇌성마비, 간질, 언어장애 등을 유발할 수도 있다.

뇌실과 뇌척수액

뇌실ventricle은 뇌 내부에 자리 잡고 있는 연속된 빈 공간으로 뇌척수액으로 채워져 있다. 뇌실은 좌우 1쌍(2개)의 외측뇌실과 중간에 위치한 각 1개씩의 제3뇌실, 제4뇌실을 포함하여 총 4개로 구성되어 있다(그림 3-9).

> **잠깐!**
>
> 뇌실 구조의 위치를 뇌실 주변의 뇌구조와 상대적으로 비교하면서 익혀 보자.

외측뇌실lateral ventricle(측실)은 양쪽 뇌반구에 위치하며 간뇌의 뇌실사이구멍interventricular foramen of Monro을 통하여 제3뇌실과 연결되어 있다. 외측뇌실은 전두엽 내의 전각anterior horn, 두정엽 내의 몸체body, 측두엽 내의 하각inferior horn, 후두엽 내의 후각posterior horn으로 구성된다. 제3뇌실 third v.은 중뇌의 뇌수도관cerebral aqueduct of Sylvius으로 이어지며, 이는 다시 뇌교와 소뇌에 위치하는 제4뇌실과 연결된다. 제4뇌실 fourth v.은 앞쪽은 뇌교, 뒤쪽은 소뇌에 둘러싸여 있으며, 소뇌의 아래쪽에서부터 척수의 아래 끝까지 뻗어 있는 중심관central canal에 연결된다.

뇌실을 채우고 있는 뇌척수액cerebrospinal fluid(csf)은 무색 투명한 액체 성분으로서 대부분이 물이며, 소량의 단백질, 용해성 기체를 비롯하여 포도당 및 소수의 백혈구 등으로 이루어져 있다. 총량은 약 150cc이며 그중 85%는 거미막하강을, 나머지 15% 정도는 뇌실이나 중심관을 채우고 있다. 뇌척수액은 부력을 제공하여 뇌를 뇌척수액 속에 뜨게 함으로써 보호하는 물리적 완충 역할을 한다. 또한 뇌 내 노폐물 제거 및 물질 대사 조절, 그리고 두개내압의 균형 유지에 관여한다. 뇌척수액은 각 뇌실에 있는 맥락얼기choroid plexus에서 하루 약 500~700cc 정도 새로이 만들어지며(그림 3-10), 거미막하강으로 빠져나가 거미막 융아subarachnoid granulation를 통해 정맥혈관계로 흡수되면서 총량이 하루 3번 정도

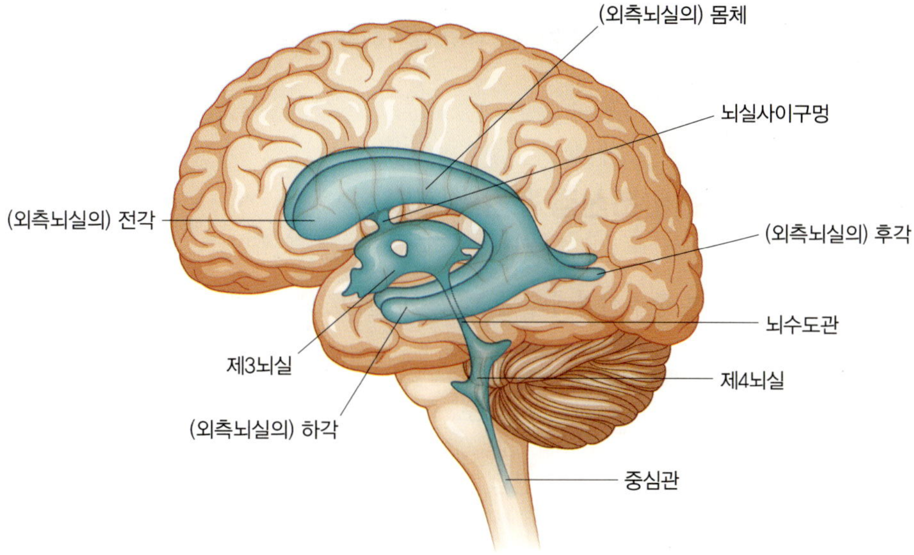

그림 3-9 뇌실의 구조

뇌실은 좌우 1쌍의 외측뇌실, 제3뇌실, 제4뇌실로 구성된다. 제3뇌실과 제4뇌실 사이의 좁은 관을 뇌수도관이라 한다.

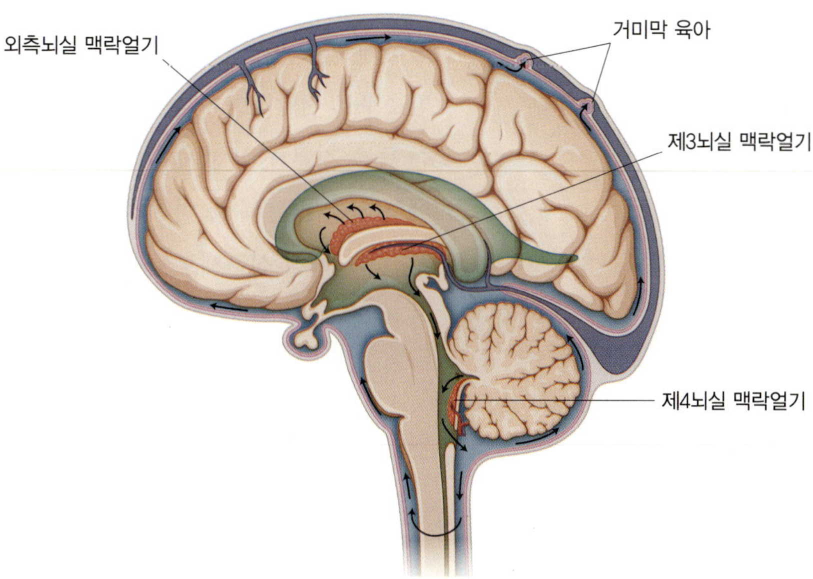

그림 3-10 뇌실과 뇌척수액

뇌실을 순환하는 뇌척수액은 외측뇌실, 제3뇌실, 제4뇌실의 맥락얼기에서 만들어진다.

교체된다. 그런데 특정 원인으로 뇌척수액의 순환로가 막히거나 흡수기능의 이상으로 인해 두개강이나 척추강에 뇌척수액이 과잉 축적되는 뇌수종hydrocephalus이 생길 수 있다.

중추신경계와 말초신경계 간의 소통

지금까지 살펴본 중추신경계와 말초신경계 간의 소통은 어떻게 일어나는 것일까? 신경세포는 그 역할에 따라 감각신경세포, 운동신경세포, 중간신경세포interneuron로 나뉜다.

감각신경세포는 피부 등의 감각기관의 수용기에서 받아들인 자극을 뇌나 척수 등의 중추신경계에 전달하는 역할을 한다. 감각신경세포의 끝 부분은 중추부와 연결되어 있으므로 중심쪽으로 향한다는 뜻을 지닌 구심성afferent 세포라고 할 수 있다. 운동신경세포는 뇌나 척수에서 보내진 명령을 말초부에 있는 근육세포, 선gland 세포 등으로 전달하여 반응하게 한다. 운동신경세포는 정보를 중추부에서 말초부로 전달하여 내보내므로 중심에서 멀어진다는 뜻을 지닌 원심성efferent 세포이다. 신경세포 중에서 가장 많은 수를 차지하는 중간신경세포는 중추신경계에서 신경세포들을 서로 연결시키는 역할을 하는데 감각신경세포나 운동신경세포로부터 전달되는 정보를 처리한다.

잠깐!

afferent와 efferent

구심성을 뜻하는 'afferent'는 중추신경계로 '들어간다(admission)'는 것을 의미하며, 원심성을 뜻하는 'efferent'는 중추신경계에서 '나간다(exit)'는 것을 의미한다.

잠깐!

배쪽과 배측

믿기 어렵겠지만 '배쪽'과 '배측'은 서로 반대 의미를 지닌 용어이다. 배쪽은 '배가 있는 쪽'이란 뜻의 순수 한글어이고, 배측(등 背 곁 側)은 '등이 있는 쪽'이란 뜻의 한자어이다.

중간과 중심쪽

'중간(middle)'과 '중심쪽(medial)'은 서로 의미가 다르므로 혼동하지 말자.

등쪽외측

전두엽이나 뇌간 등의 구조에서 언급되는 'dorsolateral'을 등쪽바깥쪽으로 번역하면 '쪽'이란 말이 두 번 반복되어 어색하므로 이 경우에는 '등쪽외측'으로 표현하는 것이 좋다.

ventral과 dorsal

ventral(우리말 발음: 벤트럴, ㅂ…)= 배, dorsal(우리말 발음: 돌설, ㄷ…)= 등, 이렇게 하면 기억하기 쉽다.

중추신경계의 방위

사람이 서 있는 자세에서 중추신경계, 즉 뇌와 척수가 합해진 모양은 T자를 형성하는 신경축neuraxis

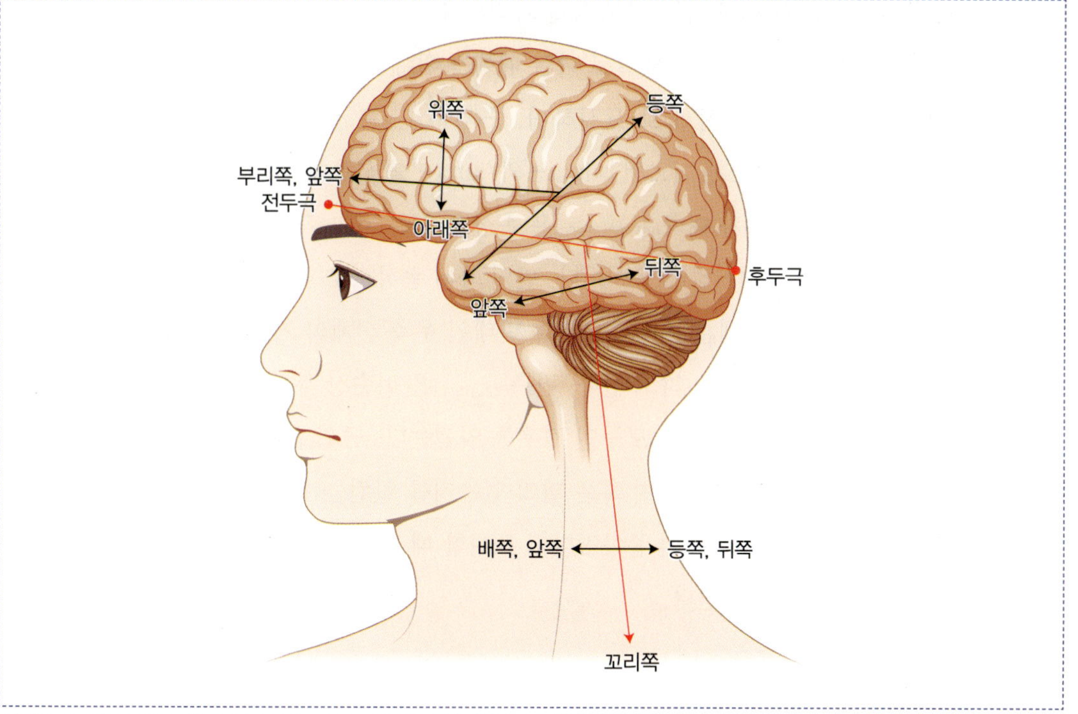

그림 3-11 중추신경계의 방위

뇌와 척수는 T자 형태의 신경축이다. 앞뒤로는 대뇌의 전두극과 후두극을 중심으로, 아래로는 척수의 위치를 중심으로 여러 위치와 방향을 묘사하는 용어들이 있다.

이다. 신경축에서 전두극frontal pole과 후두극occipital pole을 잇는 선을 수평선이라고 한다. 이 신경축 선상에서 뇌의 방위orientation, 즉 방향이나 위치를 지칭하는 여러 용어들이 있다(그림 3-11).

앞과 뒤의 상반된 방향을 나타내는 용어로는 앞(쪽)anterior과 뒤(쪽)posterior, 부리쪽rostral(입쪽)과 꼬리쪽caudal, 배쪽ventral(복측, 腹側)과 등쪽dorsal(배측, 背側)이 있다. 여기서 배쪽과 등쪽은 주로 피질하(예: 시상), 뇌간, 혹은 척수 등에서 방향을 지칭할 때 사용된다. 부리쪽 대신에 두개쪽cranial 또는 두부쪽cephalic이라 하기도 한다.

한편, 구분 방법은 뇌의 각 부분에 따라 달라지므로 부분에 따라 용어를 함께 알아 두는 것이 좋다. 예를 들면, 뇌간의 단면에서 구조를 나눌 때에는 뇌간의 배쪽이나 등쪽으로 구분하지만, 대뇌 단면에서는 주로 앞쪽이나 뒤쪽으로, 외측면에서는 배쪽과 등쪽으로 표현하기도 한다. 내측medial 혹은 mesial(안쪽)과 외측lateral(바깥쪽)은 중앙 혹은 가운데를 중심으로 각각 내부 쪽과 외부 쪽을 가리킨다.

위치적으로 상·하를 크게 둘로 나눌 때에는 위superior와 아래inferior로 혹은 상(부)upper, (상위)과 하(부)lower, (하위)로 표시하며, 중(간)middle은 셋으로 나눌 때 함께 사용된다. 위·아래를 지칭하는 용어로서 'supra–'와 'infra–'를 사용하기도 한다.

또한 동측ipsilateral과 대측contralateral은 손상을 입은 뇌의 좌우와 기능장애를 보이는 신체의 좌우 관계를 명시하는 용어이다. 만일 좌뇌 손상으로 같은 좌측 신체의 기능장애를 보이면 동측 기능장애ipsilateral dysfunction, 반대편 우측 신체의 기능장애를 보이면 대측 기능장애contralateral dysfunction라고 한다. 편측unilateral은 뇌손상 부위나 신체장애 부위가 한쪽일 때를, 양측bilateral은 양쪽 모두인 경우를 일컫는다. 근위proximal와 원위distal는 특정 구조를 기준으로 가깝게 있는지 혹은 멀리 있는지를 일컫는 용어이다. 예컨대, 좌측 원위 내경동맥internal carotid artery이 좁아졌다고 표현할 때 내경동맥의 시작점이 아닌 끝 부분이 좁아졌다는 것을 의미한다.

뇌의 단면

뇌의 단면plane을 보면 절단 방향에 따라 관찰되는 구조가 다르다(그림 3–12). 관상면coronal plane은 어느 위치에서든 상관없이 이마와 평행으로 뇌를 앞뒤로 나눌 때 생기는 단면을 말한다. 시상면sagittal plane은 관상면과는 90° 각도로 위치하며, 뇌를 좌우로 나눌 때 생기는 면이다. 시상면을 통하여 뇌의 중앙면mesial plane을 관찰할 수 있다. 시상면 중에 좌우의 뇌반구를 정대칭으로 나누면 정중시상면midsagittal plane이 생긴다. 수평면horizontal plane은 뇌를 위아래로 나누면서 생기는 단면이다. 한편, 완전 수평이 아니라 어느 정도 각을 기울여서 자른 단면은 축절면axial plane이라고 한다.

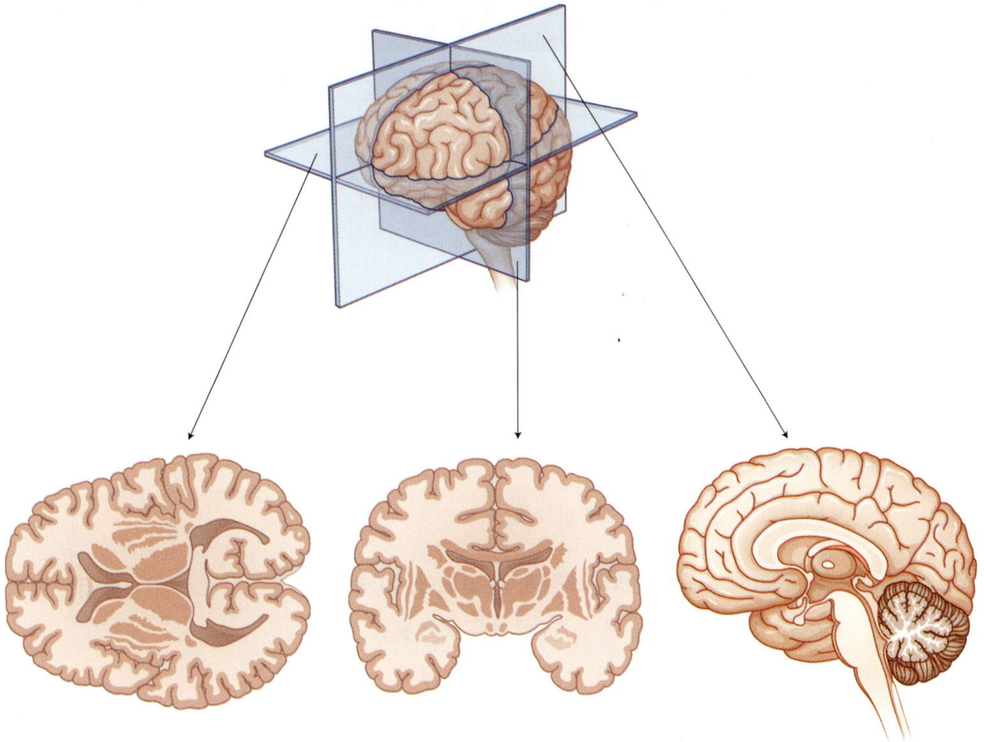

그림 3-12 축절면, 관상면, (정중)시상면

뇌의 절단 방향에 따라 축절면, 관상면, (정중)시상면 등으로 나뉜다. 축절면은 수평면에 각을 둔 단면이다.

개념 및 용어 정리

신경계 구분: 중추신경계와 말초신경계

- **중추신경계**: 뇌와 척수
- **말초신경계**: 체성신경계와 자율신경계
  - 체성신경계: 뇌신경과 척수신경
  - 자율신경계: 교감신경과 부교감신경

뇌와 척수의 층: 회백질과 백질

- **회백질의 구성요소**: 세포체, 수상돌기, 신경연접 등
- **백질의 구성요소**: 축삭과 교세포

뇌의 구분: 대뇌(종뇌, 간뇌), 뇌간(중뇌, 뇌교, 연수), 소뇌

- **종뇌**: 대뇌피질, 피질하 백질, 피질하 회백질
- **간뇌**: 시상, 시상하부, 시상상부, 시상밑부

척수의 구분: 경수, 흉수, 요수, 천수, 미수

척수의 단면

- **H자 모양의 회백질**
  - 등쪽: 후각 / 배쪽: 전각
  - 후각: 감각신경, 후근 / 전각: 운동신경, 전근
- **백질**
  - 등쪽: 후주 / 옆쪽: 측주 / 앞쪽: 전주
  - 여러 종류의 감각신경로와 운동신경로가 지나간다.

자율신경계: 체내 기관이나 조직의 불수의적인 활동을 지배하는 신경계로서, 15쌍의 교감신경과 8쌍의 부교감신경이 있다.

- **교감신경**: 외부의 스트레스성 자극에 의하여 기능을 촉진시킨다.
- **부교감신경**: 신체의 기능을 가라앉힌다.
- 두 자율신경은 서로 길항작용을 하면서 신체의 항상성을 유지시킨다.

체성신경계: 신체의 감각 및 수의적인 운동에 관여하는 12쌍의 뇌신경과 31쌍의 척수신경으로 이루어졌다.

- **31쌍의 척수신경**: 8쌍의 경신경, 12쌍의 흉신경, 5쌍의 요신경, 5쌍의 천골신경, 1쌍의 미골신경

두개와: 두개골의 바닥을 이루는 뼈 구조로서 전두개와, 중두개와, 후두개와로 나뉜다.

대후두공: 후두개와 사이의 커다란 구멍

뇌막: 경막, 거미막, 연막

- **대뇌낫**: 좌뇌반구로부터 우뇌반구를 분리하는 경막
- **거미막하강**: 거미막과 연막 사이의 공간으로서 뇌실과 연결되며 뇌척수액으로 차 있다.
- **소뇌천막**: 소뇌와 뇌간을 대뇌로부터 분리하는 경막
  - 천막상 구조: 소뇌천막 위에 위치한 구조인 대뇌를 가리킨다.
  - 천막하 구조: 소뇌천막 위에 위치한 구조인 뇌간과 소뇌를 가리킨다.
- **뇌막의 손상 여부에 따른 외상성 뇌손상의 분류**
  - 폐쇄성 두부손상
  - 개방성 두부손상

뇌실: 좌우 1쌍의 외측뇌실, 제3뇌실, 제4뇌실을 포함하여 총 4개로 구성된다.

- **외측뇌실**: 전각, 몸체, 하각, 후각
- **제 3뇌실**: 뇌수도관과 이어진다.
- **뇌실사이구멍**: 외측뇌실과 제 3뇌실을 연결한다.
- **제 4뇌실**: 위로 뇌수도관과 연결되며 척수의 아래 끝까지 뻗어 있는 중심관과 이어진다.

뇌척수액: 무색 투명한 액체 성분

- **거미막하강(85%)과 뇌실, 중심관(15%)을 채운다.**
- **맥락얼기**: 뇌척수액이 만들어지는 뇌실 구조
- **거미막 육아**: 뇌강과 척수강을 순환한 뇌척수액은 거미막하강으로 빠져나가 거미막 육아에서 흡수되면서 전체 용량이 대치된다.

✓ **중추신경계와 말초신경계 간의 소통: 감각신경세포(구심성 세포), 운동신경세포(원심성 세포), 중간신경세포에 의하여 이루어진다.**

- **감각신경세포**: 감각기관의 수용기에서 받아들인 자극을 중추신경계에 전달한다.
- **운동신경세포**: 뇌나 척수의 명령을 근육세포, 선세포 등으로 전달하여 반응한다.
- **중간신경세포**: 중추신경계에서 신경세포들을 서로 연결시키는 역할을 한다.

✓ **신경축: 뇌와 척수가 합해진 T자 모양을 형성하며 앞뒤로는 전두극과 후두극을 잇는다.**

- **방향을 나타내는 용어**: 앞쪽–뒤쪽, 부리쪽–꼬리쪽, 배쪽–등쪽, 안쪽–바깥쪽(내측–외측) 등
- **위치적으로 나누는 용어**: 위–아래, 상(부)–하(부), 상–중–하 등
- **뇌손상 부위와 기능장애 간의 양상**: 동측–대측, 편측–양측 등

✓ **뇌의 단면**

- **수평면**: 위아래로 나눈 면
- **축절면**: 수평면에서 각을 기울여 잘라 나눈 면
- **관상면**: 이마와 평행하게 나눈 면
- **시상면**: 좌우로 나눈 면
- **정중시상면**: 좌우 정대칭으로 나눈 면

복습문제

1. 다음은 신경계의 구조에 대한 설명이다. 옳은 것에 ○, 틀린 것에 × 표시를 하시오.

(1) 신경계는 중추신경계(뇌, 척수)와 말초신경계(체성신경계, 자율신경계)로 나뉜다. (　　)

(2) 체성신경계는 교감신경과 부교감신경으로 나뉘고, 자율신경계는 뇌신경과 척수신경으로 나뉜다. (　　)

(3) 뇌의 경우에는 회백질이 겉층을 이루고 백질이 속층을 이룬다. (　　)

(4) 회백질의 구성요소는 축삭과 교세포이다. (　　)

(5) 말초신경계는 중추신경계와 외부감각수용기나 근육, 내분비선 등의 신체 내부 기관들을 연결하여 정보를 전달한다. (　　)

(6) 체성신경계는 자신의 의지와는 상관없이 체내 기관이나 조직의 불수의적인 활동을 지배하는 신경계이다. (　　)

(7) 교감신경은 외부 자극에 의하여 흥분되면 동공 확대, 심박수 증가, 호흡수 증진, 괄약근 수축 등을 일으킨다. (　　)

2. 다음의 각 설명이 지칭하는 용어를 보기에서 찾아 쓰시오.

가. 감각신경세포	나. 운동신경세포	다. 중간신경세포

(1) 원심성 세포로 뇌나 척수에서 보내진 명령을 말초부에 있는 근육세포, 선세포 등으로 전달하여 반응하게 한다. ________

(2) 중추신경계에서 신경세포들을 서로 연결시키는 역할을 하는데, 감각신경세포나 운동신경세포로부터 전달되는 정보를 처리한다. ________

(3) 구심성 세포로 피부 등의 감각기관의 수용기에서 받아들인 자극을 뇌나 척수 등의 중추신경계에 전달하는 역할을 한다. ________

3. 다음 보기의 빈칸에 알맞은 용어를 쓰시오.

두개골 바닥을 이루는 구조를 (1) __________(이)라고 하며, 가장 가운데에는 (2) __________ 이(가) 위치해 있다.

4. 다음의 보기는 두개골 안의 뇌를 둘러싸고 있는 뇌막들이다. 두개강 안에서 가장 바깥쪽부터 순서대로 나열하시오.

가. 경막	나. 연막	다. 경막하강
라. 경막외강	마. 거미막하강	바. 거미막

5. (1) 소뇌천막을 중심으로 천막상 구조에 속하는 뇌구조와 (2) 천막하 구조에 속하는 뇌구조를 각각 쓰시오.

6. 다음 보기의 용어들을 뇌의 구분에 알맞게 찾아 쓰시오.

가. 중뇌	나. 대뇌피질	다. 시상
라. 시상하부	마. 뇌교	바. 피질하백질
사. 시상상부	아. 시상밑부	자. 연수
차. 피질하회백질(기저핵)		

	대분류	소분류	구조
뇌	대뇌	종뇌	(1)
		간뇌	(2)
	뇌간	(3)	
	소뇌		

7. 다음은 척수와 총 31쌍의 척수신경을 나타낸 그림이다. 각 색깔이 지칭하는 영역별로 척수 부분과 척수신경의 명칭을 쓰시오.

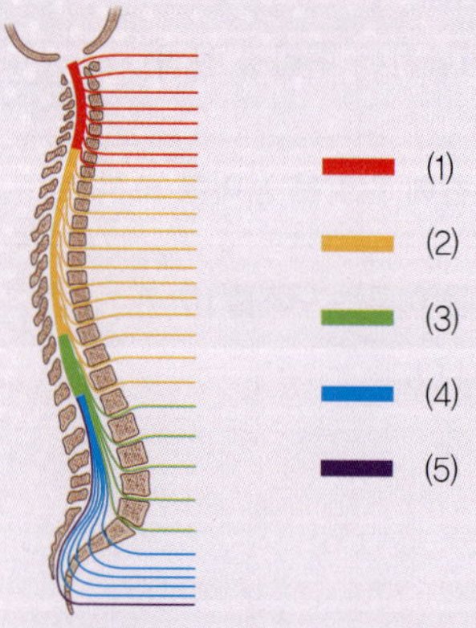

8. 다음 보기에 제시된 뇌실의 명칭을 그림에서 찾으시오.

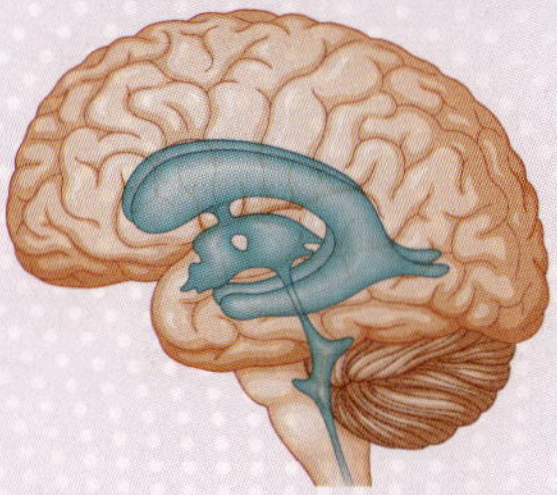

가. 외측뇌실의 전각	나. 외측뇌실의 후각
다. 외측뇌실의 하각	라. 제3뇌실
마. 제4뇌실	바. 뇌수도관
사. 외측뇌실의 몸체	아. 뇌실사이구멍
자. 중심관	

9. 뇌에서 위치를 지칭하는 용어들 중 서로 상반되는 뜻을 지닌 용어를 쓰시오.

(1) rostral (부리쪽) – __________
(2) __________ – dorsal (등쪽)
(3) superior (위) – __________
(4) ipsilateral (동측) – __________
(5) __________ – lateral (바깥쪽, 외측)
(6) frontal pole (전두극) – __________
(7) anterior (앞쪽) – __________
(8) __________ – middle (중) – lower (하)
(9) __________ – distal (원위)

10. 다음은 각각 무슨 단면인지 쓰시오.

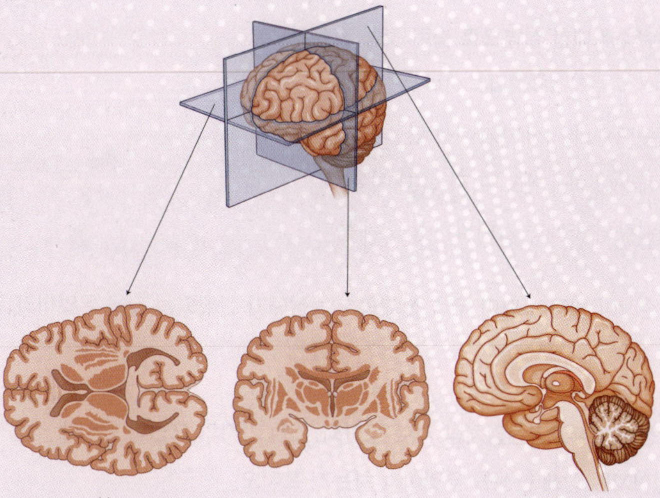

(1) (2) (3)

11. 다음 보기에서 알맞은 용어를 찾아 각 설명의 빈칸에 쓰시오.

가. 배쪽과 등쪽	나. 앞쪽이나 뒤쪽
다. 수평선	라. 동측과 대측

(1) 신경축에서 전두극과 후두극을 잇는 선을 (　　)이라고 한다.

(2) (　　)은 뇌간, 척수 등의 단면에서 방향을 지칭할 때 사용한다.

(3) 뇌간의 단면에서 구조를 나눌 때에는 뇌간의 배쪽이나 등쪽으로 구분하지만, 대뇌를 나눌 때에는 주로 (　　)으로 구분한다.

(4) (　　)은 손상을 입은 뇌의 좌우와 기능장애를 보이는 신체의 좌우 관계를 명시하는 용어이다.

12. 백질이 흰색을 띠는 이유에 대한 설명으로 알맞은 것을 고르시오.

(1) 세포체의 집합이기 때문이다.　(2) 수상돌기로 구성되어 있기 때문이다.

(3) 혈관이 많이 분포되어 있기 때문이다.　(4) 미엘린수초로 구성되어 있기 때문이다.

13. 다음 중 회백질 구조가 아닌 것을 고르시오.

(1) 시상　(2) 기저핵　(3) 척수의 후각　(4) 척수의 후주

14. 두개골 내의 경막이 손상되지 않은 상태의 외상성 뇌손상 유형을 무엇이라 일컫는지 쓰시오.

15. 뇌척수액에 대한 설명으로 틀린 것을 고르시오.

(1) 무색 투명한 액체 성분이다.

(2) 뇌수도관의 맥락얼기에서 만들어진다.

(3) 전체량이 하루에도 여러 번 대치된다.

(4) 전체량의 85%는 거미막하강을 채운다.

16. 좌뇌손상이 원인이 되어 우측 신체의 기능장애가 관찰되는 것을 무엇이라 일컫는지 쓰시오.

17. 교감신경과 부교감신경처럼 서로 상반되는 두 가지의 요인이 동시에 작용하여 서로 간에 효과가 없어지는 상쇄 현상을 무엇이라 하는지 쓰시오.

정답

1. (1) ○ (2) × *체성신경계가 뇌신경과 척수신경으로 나뉨. (3) ○ (4) × *축삭과 교세포는 백질의 구성요소임. (5) ○ (6) × *자율신경계에 대한 설명임. (7) ○
2. (1) 나 (2) 다 (3) 가
3. (1) 두개와 (2) 대후두공
4. 라 → 가 → 다 → 바 → 마 → 나
5. (1) 대뇌 (2) 뇌간, 소뇌
6. (1) 나, 바, 차 (2) 다, 라, 사, 아 (3) 가, 마, 자
7. (1) 경수, 경신경 (2) 흉수, 흉신경 (3) 요수, 요신경 (4) 천수, 천골신경 (5) 미수, 미골신경
8.

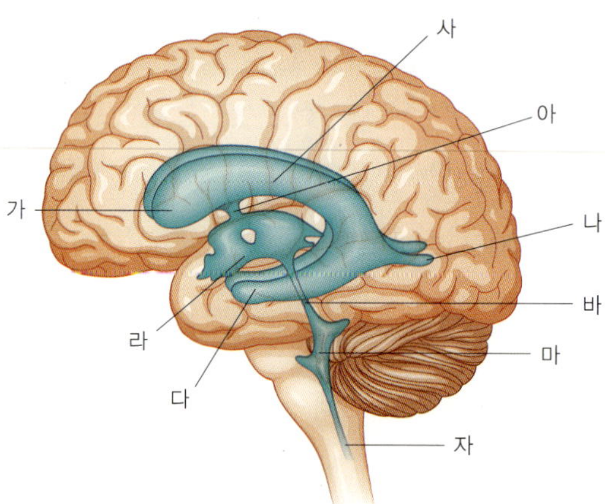

9. (1) caudal(꼬리쪽) (2) ventral(배쪽) (3) inferior(아래) (4) contralateral(대측) (5) medial(안쪽, 내측) (6) occipital pole(후두극) (7) posterior(뒤쪽) (8) upper(상) (9) proximal(근위)
10. (1) 축절면(수평면) (2) 관상면 (3) (정중)시상면
11. (1) 다 (2) 가 (3) 나 (4) 라
12. (4)
13. (4) *척수의 후주는 백질 구조임.
14. 폐쇄성 두부손상
15. (2) *뇌수도관에는 맥락얼기가 없음. 뇌실의 맥락얼기에서 만들어짐.
16. 대측 기능장애
17. 길항작용

제 4 장

대뇌의 해부학적 구조

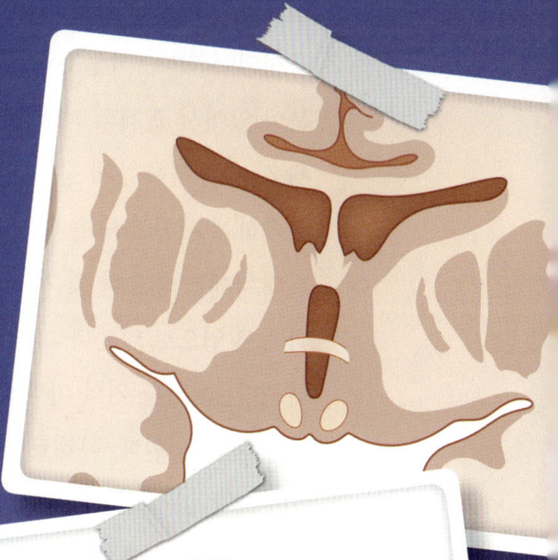

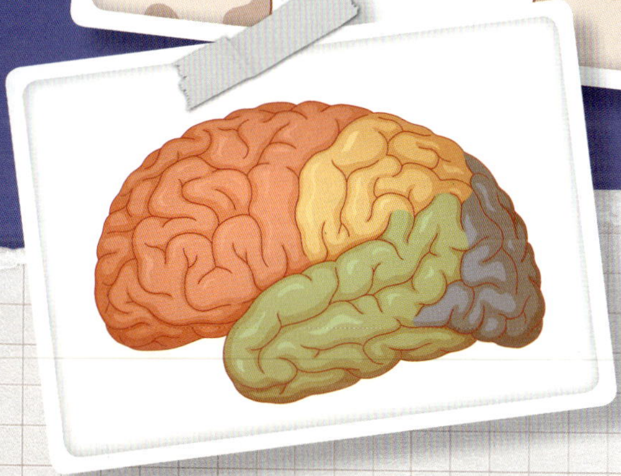

학습목표

- 대뇌피질의 구조와 4개의 뇌엽(전두엽, 측두엽, 두정엽, 후두엽)에 대해 학습한다.
- 대뇌피질의 기저면에 대해 살펴본다.
- 대뇌피질하 영역(뇌량, 내포, 기저핵, 시상 등)에 대해 학습한다.
- 대뇌 내측면의 구조를 익힌다.
- 대뇌 관상면의 구조를 익힌다.
- 정상 성인 남자의 B-MRI를 통해 뇌구조를 복습한다.

대뇌피질

뇌의 표면에서 관찰되는 것은 약 1.5~5.0mm 두께의 회백질층으로 이루어진 대뇌피질cerebral cortex이다. 대뇌피질은 마치 호두의 속살과 같이 울퉁불퉁한 이랑과 고랑으로 구성되어 있다. 이렇듯 대뇌피질이 울퉁불퉁하다는 것은 안쪽으로 접혀 들어간 피질 부분이 있어서 실제의 피질 표면적이 겉보기보다 넓다는 것을 의미한다. 이랑gyrus[gy.]은 틈새 사이에 볼록하게 올라온 능선이다. 고랑sulcus은 이랑 사이의 좁은 틈새를 말하는데, 깊숙하게 패인 고랑을 열fissure이라고 한다.

대뇌에는 중요한 몇 가지 고랑이 있다. 중심고랑central sulcus of Rolando은 대뇌를 전두엽과 두정엽으로 나눈다(그림 4-1). 대뇌종렬 longitudinal fissure은 대뇌를 좌반구와 우반구로 나눈다. 대뇌를 위와 아래로 나누는 고랑은 실비안종렬Sylvian fissure 혹은 외측고랑lateral sulcus of Sylvius인데, 아래로는 측두엽이, 위로는 전두엽과 두정엽이 위치해 있다. 또한 두정후두고랑parieto-occipital sulcus의 앞에는 두정엽이, 뒤에는 후두엽이 위치한다. 후두앞패임pre-occipital notch은 측두엽과 후두엽의 경계를 정의할 때 기준이 되는 지점이다.

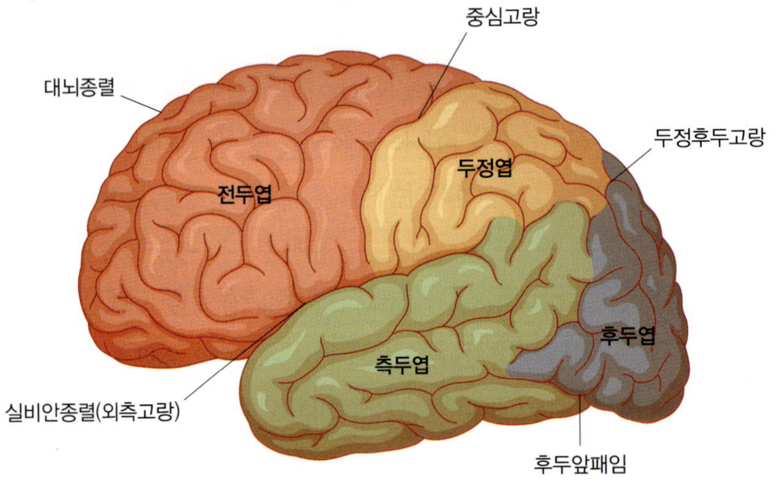

그림 4-1 대뇌의 외측면
대뇌피질은 중심고랑을 기준으로 전두엽과 두정엽으로 나뉜다. 또한 실비안종렬을 중심으로 측두엽이 전두엽과 두정엽으로부터 분리된다. 두정후두고랑과 후두앞패임이 후두엽을 다른 엽들로부터 분리시킨다.

대뇌피질에서 주요 고랑 간의 영역은 크게 4개의 뇌엽lobe인 전두엽, 두정엽, 측두엽, 후두엽으로 나뉜다. 이제 각각의 뇌엽에 대하여 자세히 살펴보자.

전두엽

전두엽frontal lobe은 대뇌의 가장 앞쪽에 위치하며, 전두엽의 맨 앞부분을 전두극frontal pole이라 한다(그림 4-2). 전두엽은 뇌엽 중에서 가장 넓은 면적을 차지하는데, 대뇌의 기저면에서도 전두엽의 영역이 상당 부분을 차지한다. 전두엽은 중심고랑에 의하여 뒤쪽에 위치한 두정엽으로부터 분리된다. 중심고랑 바로 앞쪽에는 중심앞이랑precentral gy.이, 그 앞에는 수평으로 나란히 세 이랑, 즉 상전두이랑superior frontal gy., 중전두이랑middle frontal gy., 하전두이랑inferior frontal gy.이 위치해 있다. 기저면에서 관찰되는 안와전두피질orbitofrontal cortex은 곧은이랑rectal gy.과 안와이랑orbital gy.으로 구성된다(그림 4-9).

하전두이랑은 세 부분으로 구성되는데, 앞으로부터 안와부pars orbitalis, 삼각부pars triangularis, 전두덮개부pars opercularis로 나뉜다(그림 4-3). 전두덮개부와 삼각부를 합하여 브로카영역이라고도 한다. 한편, 중심고랑과 실비안종렬이 만나는 지점의 주변에 위치

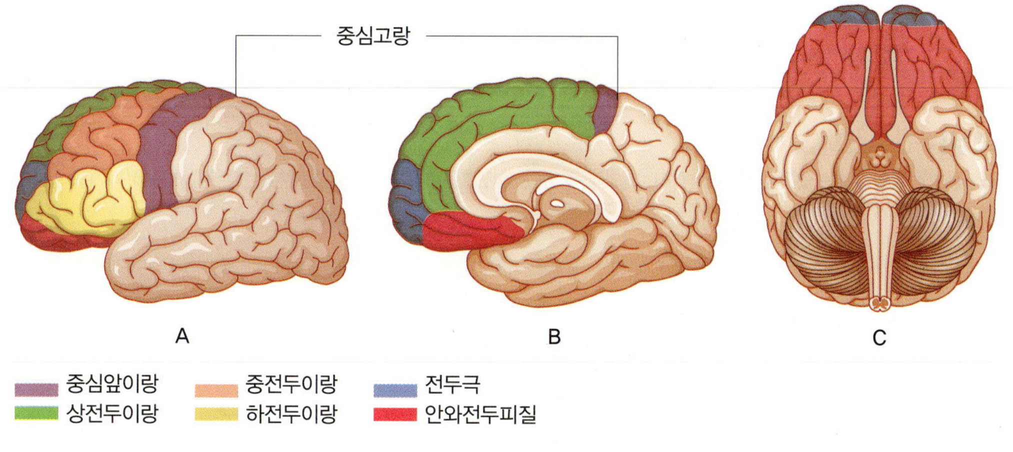

그림 4-2 전두엽

중심고랑의 바로 앞에 전두엽의 중심앞이랑이 위치해 있으며 상전두이랑, 중전두이랑, 하전두이랑으로 나뉜다(외측면 : A). 전두엽의 각 영역은 내측면(B)으로도 이어진다. 또한 기저면(C)에서는 전두극과 안와전두피질이 잘 관찰된다.

잠깐!

덮개부

'operculum(덮개부)'는 라틴어로 '작은 뚜껑'을 의미한다. 뇌섬을 덮고 있다는 뜻으로 붙여진 이름인 듯하다.

한 피질을 실비우스 주위피질perisylvian cortex이라고 한다. 실비우스 주위피질에는 여러 엽에 걸쳐서 덮개부가 있는데, 전두덮개부 이외에도 두정덮개부parietal operculum와 측두덮개부temporal operculum가 있다.

전두엽의 여러 영역들은 내측면으로도 이어지는데(그림 4-2의 B), 전두극과 안와전두피질을 관찰할 수 있다. 그리고 내측면의 중심고랑 주변 영역을 중심곁소엽paracentral lobule이라고 한다. 대뇌의 기저면과 내측면은 각각 76쪽과 84쪽에서 자세히 살펴보도록 하자.

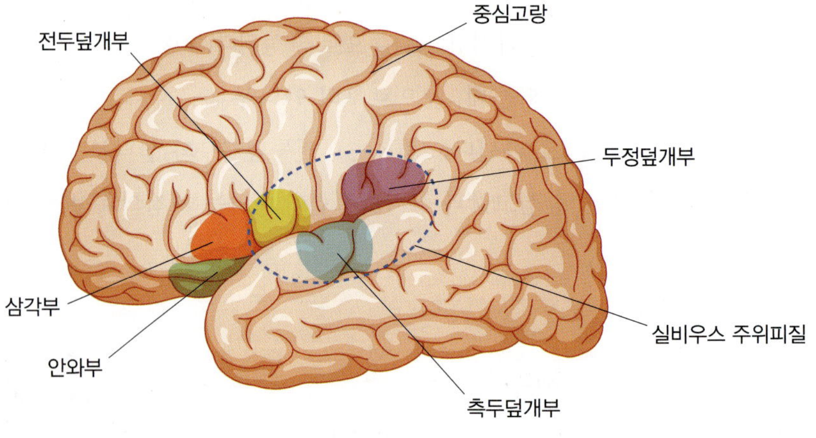

그림 4-3 하전두이랑과 덮개부
전두엽의 하전두이랑에는 전두덮개부, 삼각부, 안와부가 있다. 한편, 실비우스 주위피질에서는 전두덮개부 이외에도 두정덮개부와 측두덮개부가 관찰된다.

두정엽

두정엽parietal lobe은 중심고랑 바로 뒷부분부터 두정후두고랑까지 걸쳐 있는 뇌엽이다(그림 4-4). 중심고랑 바로 뒤에는 중심뒤이랑postcentral gy.이 있으며, 그 뒤로는 수평으로 상두정소엽superior parietal lobule과 하두정소엽inferior parietal lobule이 있다. 하두정소엽은 모서리위이랑supramarginal gy.과 각이랑angular gy.으로 구성되며, 이 두 이랑은 서로 인접해 있다.

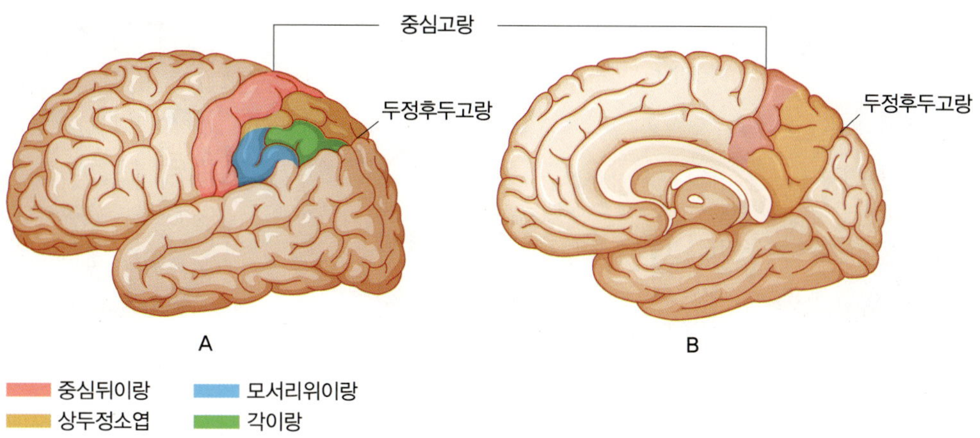

그림 4-4 두정엽
두정엽에서는 외측면(A)과 내측면(B) 모두에서 중심고랑 뒤에 중심뒤이랑이 있고, 그 뒤로 상두정소엽과 하두정소엽이 있다. 하두정소엽에는 모서리위이랑과 각이랑이 있다.

모서리위이랑은 실비안종렬이 끝나는 지점의 바로 위에 위치하며, 두정덮개부와 일치되는 영역이기도 하다. 각이랑은 모서리위이랑의 바로 뒤에 있다. 중심곁소엽은 전두엽과 두정엽의 경계에 걸쳐 있으며, 두정엽의 내측면에서도 일부 관찰된다.

측두엽

측두엽temporal lobe은 실비안종렬에 의하여 전두엽과 두정엽으로부터 분리되며, 후두앞패임pre-occipital notch에 의하여 후두엽과 나뉜다(그림 4-5). 측두엽의 맨 앞을 측두극temporal pole이라 한다. 측두엽은 위로부터 세 이랑, 즉 상측두이랑superior temporal gy., 중측두이랑middle temporal gy., 하측두이랑inferior temporal gy.으로 구성된다. 헤쉴이랑Heschl's gy.은 상측두이랑 안쪽 실비안종렬 바닥에 위치한 가로측두이랑transverse temporal gy.의 일부로서 일차청각피질을 포함한다. 측두엽의 내측면에는 측면고랑collateral sulcus 아래쪽에 하측두이랑, 위쪽에 해마곁이랑parahippocampal gy.이 관찰된다. 기저면에서 보면 양쪽 측두엽이 상당히 큰 면적을 차지하는 것을 알 수 있다.

잠깐!

측두극
측두극이 있는 쪽이 대뇌의 앞이다.

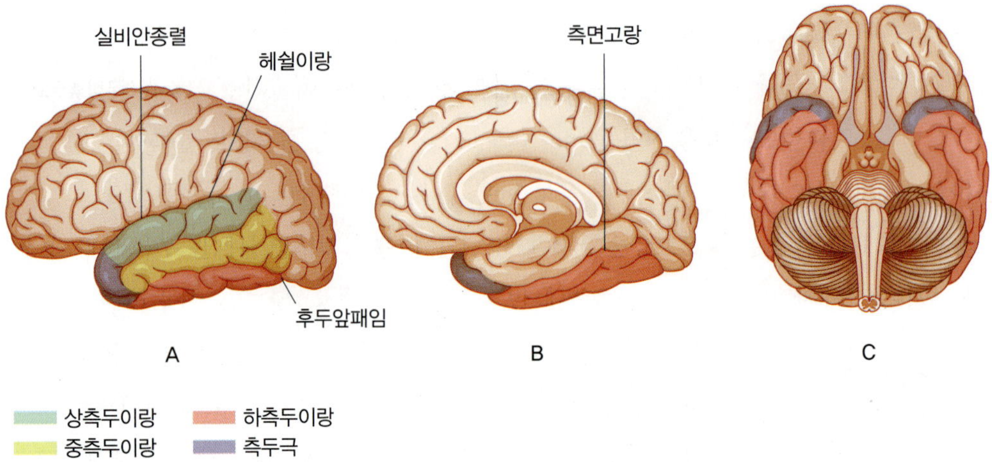

그림 4-5 측두엽
측두엽은 외측면(A)에서 볼 때 실비안종렬을 중심으로 아래에 위치한 뇌엽이다. 상측두이랑의 가장 위쪽에는 실비안종렬 안쪽으로 헤쉴이랑이 있다. 하측두이랑은 내측면(B)에서 측면고랑 아래에 있으며, 기저면(C)에서도 잘 관찰된다.

후두엽

후두엽occipital lobe은 대뇌의 가장 뒤쪽에 위치하며, 두정엽과는 두정후두고랑parieto-occipital sulcus으로, 측두엽과는 후두앞패임pre-occipital notch으로 경계된다(그림 4-6). 새발톱

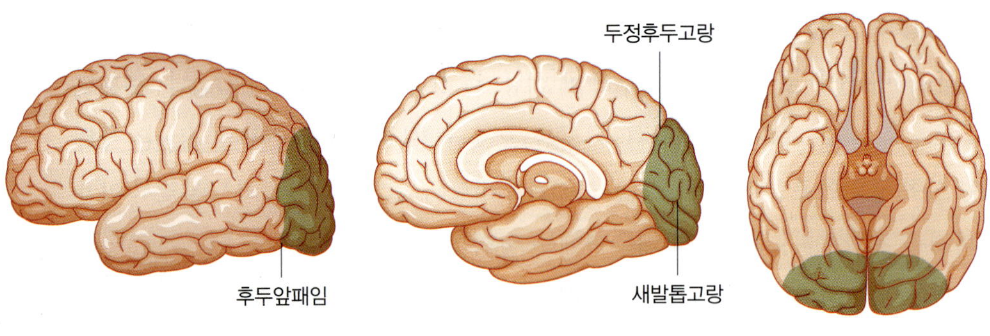

그림 4-6 후두엽
후두엽은 후두앞패임과 두정후두고랑을 중심으로 각각 측두엽과 두정엽으로부터 분리된다.

고랑calcarine fissure은 후두엽의 내측면 중심에 위치하며, 일차시각피질이 이 고랑을 중심으로 분포한다. 후두엽의 내측면 구조는 이후 대뇌의 정중시상면에서 좀 더 자세히 살펴보기로 한다.

뇌섬

네 엽 이외에도 실비우스 주위피질의 전두엽, 두정엽 및 측두엽의 덮개부 안쪽으로 뇌섬insula, insular cortex, island of Reil(뇌섬엽)이라 부르는 대뇌피질이 있다(그림 4-7). 뇌섬은 전두엽, 두정엽, 측두엽의 덮개부operculum 안쪽 깊숙이 위치하므로 대뇌 외측면에서 직접 관찰되지는 않으며, 덮개부를 벌려야 확인 가능하다. 뇌섬은 대뇌의 변연계와 연접한 곁변연계paralimbic system의 일환으로 기능적 · 해부학적으로 분류된다.

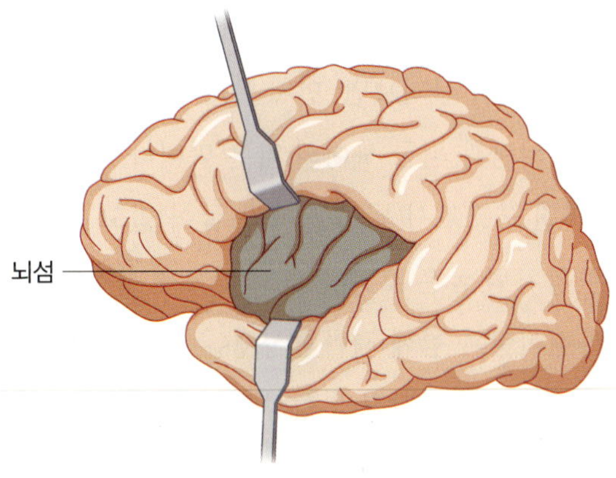

그림 4-7 뇌섬
실비우스 주위피질을 중심으로 한 덮개부 안쪽에 뇌섬이 위치해 있다. 뇌섬은 외측면에서 직접 관찰할 수 없다.

변연계

변연계limbic system, limbic lobe(변연엽)는 뇌 안쪽 깊숙이 자리 잡고 있으므로 내측면에서만 관찰될 수 있는 구조이다. 변연계의 경계는 측두엽에서는 측면고랑collateral sulcus, 전두엽에서는 대상고랑cingulate sulcus, 두정엽에서는 두정밑고랑subparietal sulcus이다(그림 4-8).

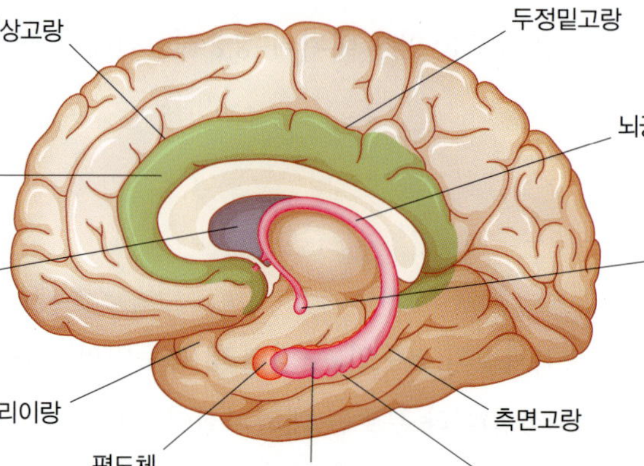

그림 4-8 변연계
변연계는 뇌 안쪽 깊숙이 자리 잡고 있으며, 유두체, 편도체, 해마, 갈고리이랑, 중격, 뇌궁, 대상이랑 등으로 구성되어 있다.

변연계를 구성하는 구조로는 유두체, 중격, 대상이랑, 뇌궁, 해마, 갈고리이랑, 편도체 등이 있다. 뇌의 앞쪽부터 살펴보면, 먼저 유두체mammillary body는 뇌궁의 앞쪽 끝에 붙어 있다. 중격septum은 뇌량과 뇌궁 사이의 얇은 막이다. 대상이랑cingulate gyrus은 뇌량 위에 놓여 있는 내측 피질 구조로서 뇌량을 따라 굽어 있고, 뒤쪽으로는 해마곁이랑과 연결된다. 뇌궁fornix은 활처럼 굽은 모양을 하고 있으며 유두체와 해마를 연결해 준다. 해마hippocampus는 해마곁이랑과 함께 해마형성체hippocampal formation를 이룬다. 갈고리이랑uncus은 해마곁이랑 끝 부분에서 갈고리 형상을 한 구조이다. 편도체amygdala는 측두엽의 측두극 쪽으로 해마와 함께 위치해 있다.

변연계 이외에 곁변연엽paralimbic cortex에는 측두극, 해마곁이랑parahippocampal gy., 앞쪽 뇌섬, 꼬리쪽 안와전두피질 등이 포함되며, 변연계 및 다양한 감각 양식의 통합을 담당하는 고차원적 이질양식 연합영역heteromodal association areas에 연결되어 있다.

대뇌피질의 기저면

뇌를 아래쪽에서 올려다보면(그림 4-9) 대뇌의 기저면, 뇌간(뇌교, 연수), 소뇌가 관찰되며, 대뇌의 경우에 전두엽과 측두엽의 기저면basal surface, ventral surface(배쪽면)이 보인다.

먼저, 전두엽의 기저면을 살펴보자.

정가운데의 대뇌종렬을 중심으로 양옆으로 곧은이랑rectal gy.이 있다. 곧은이랑과 나란히 있는 후각고랑olfactory sulcus에 후각로olfactory tract와 후각망울olfactory bulb이 위치해 있다. 그 옆으로는 안와이랑orbital gy.과 안와고랑orbital sulcus이 나란히 위치하기 때문에 전두엽의 기저면 피질 부분을 통칭하여 안와전두피질orbitofrontal cortex이라고 한다(그림 4-2의 C).

측두엽의 기저면에는 하측두고랑 밑으로 하측두이랑이 위치한다. 또한 해마곁이랑parahippocampal gy.의 옆으로 작은 갈고리이랑이 있다. 또한 소뇌를 제거하면 측두엽과 후두엽 사이에 위치한 방추형이랑fusiform gy.이 드러나 관찰된다. 대뇌의 기저면(그림 4-9의 A)에서 측두엽을 제거하면 그림 4-9의 B와 같이 시신경이 교차하는 지점인 시신경 교차optic chiasm와 시각로optic tract, 그 아래로는 회백융기tuber cinereum, 1쌍의 유두체mammillary body, 대뇌각cerebral peduncle이 위치함을 알 수 있다.

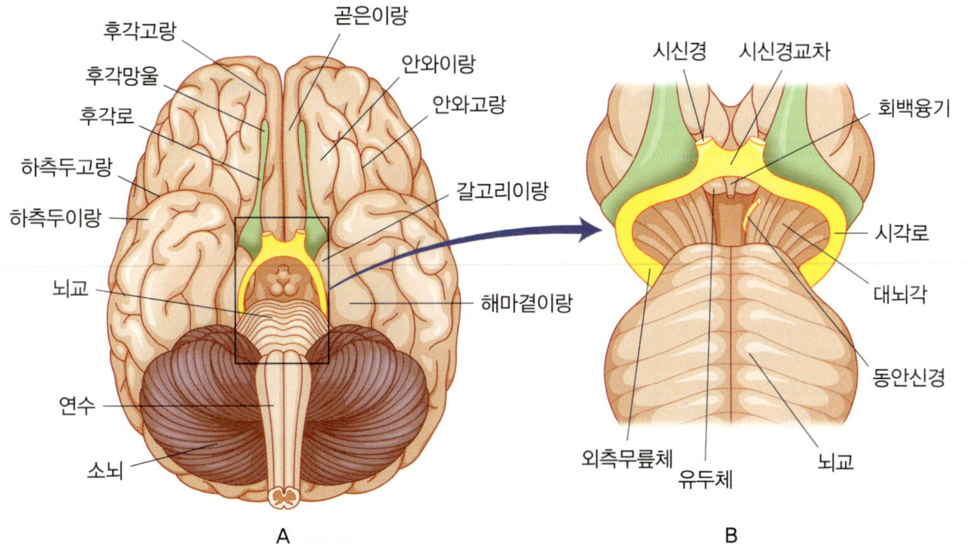

그림 4-9 대뇌의 기저면
좌우 대칭으로 전두엽, 측두엽의 기저면 구조가 관찰되며, 뇌교, 연수, 소뇌가 있다(A). 기저면의 가운데 부분을 좀 더 자세히 살펴보면 B와 같다.

대뇌피질하

대뇌를 수평으로 자르면 피질 아랫부분, 즉 피질하영역subcortical area의 백질과 회백질 층을 관찰할 수 있다(그림 4-10). 백질은 신경세포의 축삭으로 이루어져 있으며 축삭의 수초로 인하여 하얗게 보인다. 백질에 분포하는 신경섬유는 주로 신경신호의 전도 역할을 하며, 대표적인 신경섬유로는 뇌량, 내포, 외포, 극포 등을 들 수 있다. 피질하에는 기저핵, 시상 등 신경세포체가 밀집된 회백질 구조가 분포한다.

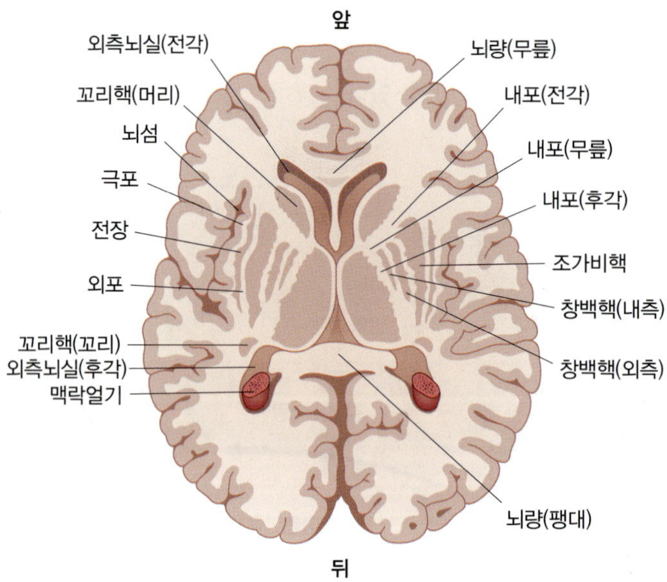

그림 4-10 대뇌의 수평면
뇌의 수평면에서는 회백질층을 형성하는 피질과 백질 및 회백질층의 피질하 구조들이 관찰된다.

한편, 뇌의 수평면은 어떤 각도로 자르는가, 그리고 어떤 높이에서 자르는가에 따라 관찰되는 구조가 다르다. 예컨대, 수평면은 뇌의 윗부분에서 자르면 단면의 후방은 두정엽이고, 뇌의 아래에서 자른 단면의 후방은 후두엽이다.

뇌량

단면의 앞쪽에서는 양쪽 대뇌반구를 연결시켜 주는 뇌량corpus callosum의 무릎genu이, 뒤쪽에서는 뇌량의 팽대splenium가 관찰된다(제6장 뇌의 섬유다발의 147쪽 그림 6-1, 그림 6-2 참조). 뇌실의 구조인 외측뇌실lateral ventricle은 1쌍을 이루고 있으며 전각, 후각, 하각, 몸체로 구성된다. 제3뇌실은 전각과 후각 사이 중심부에 길게 위치한다(제3장 뇌와 신경계의 54~55쪽 뇌실과 뇌척수액 참조).

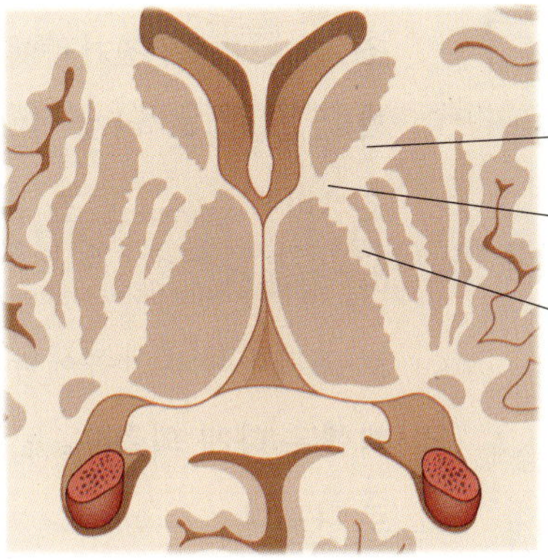

그림 4-11 내포의 부위별 대응 조직
내포의 무릎은 구성얼굴(buccofacial)영역을 담당하고, 내포의 후각은 신체의 몸통과 사지를 담당한다.

내포

내포internal capsule는 V자 모양의 유수섬유myelinated fiber로서 백질을 형성한다. 내포는 전각anterior limb, 무릎genu, 후각posterior limb으로 나뉜다(그림 4-11). 내포의 무릎은 대뇌피질로부터 뇌간까지 이어지는 피질뇌간섬유corticobulbar f., corticonuclear f.로서 신체의 얼굴 부위를 담당한다. 후각은 대뇌피질로부터 척수까지 이어지는 운동섬유인 피질척수섬유corticospinal f.와 감각섬유인 시상피질섬유thalamocortical f.로 구성되며 몸통과 사지를 담당한다. 전각은 전두엽으로부터 뇌교까지 이어지는 피질뇌교섬유corticopontine f. 등으로 이루어져 있다.

기저핵과 주변 구조

수평면에서 관찰되는 구조들을 단면의 바깥쪽에서 안쪽으로 들어가면서 살펴보자(그림 4-10). 먼저, 가장 바깥쪽에 뇌엽의 덮개부 안쪽으로 뇌섬이 보인다. 뇌섬과 평행하게 극포extreme capsule, 그 안쪽으로 전장claustrum, 그리고 외포external capsule가 있다. 외포는 기저핵을 사이에 두고 내포와 분리된다.

외포와 내포 사이에 위치한 기저핵basal ganglia은 피질하에 있는 커다란 핵군nuclei 구조로서 회백질로 이루어져 있다. 기저핵에는 적어도 세 가지 구조, 즉 꼬리핵, 조가비핵, 창백핵이 포함된다. 꼬리핵caudate nu.은 머리, 몸체, 꼬리로 이루어져 있다. 조가비핵putamen은 조가비 모양의 커다란 핵조직이다. 창백핵globus pallidus, pallidum은 브라질넛 모양으로 조가비핵의 안쪽에 위치하며 엷은 색을 띤다. 창백핵은 다시 외측부external part와 내측부internal part로 나뉜다.

> **잠깐!**
>
> **기저핵의 구조**
>
> 피질하에 있는 커다란 세포핵 구조인 기저핵은 꼬리핵, 조가비핵, 창백핵으로 구성된다. 조가비핵과 창백핵을 합하여 '렌즈핵'이라 하고, 꼬리핵과 조가비핵을 합하여 '줄무늬핵'이라 하며, 꼬리핵, 조가비핵, 창백핵 모두를 합하여 '줄무늬체'라 한다.
>
> **줄무늬포 경색**
>
> 줄무늬체, 극포, 내포, 외포 등에 전반적 혹은 국소적으로 뇌경색이 발생하는 경우를 줄무늬포 경색(striatocapsular infarction)이라 한다.

꼬리핵과 조가비핵을 합하여 줄무늬핵striatum(선조핵)이라 칭하는데, 현미경으로 들여다보면 줄선이 그어진striped 모양을 갖고 있다고 해서 붙은 이름이다. 조가비핵과 창백핵은 그 둘을 합한 모양이 렌즈와 같기 때문에 렌즈핵lenticular nu., lentiform nu.이라고 한다. 꼬리핵, 조가비핵, 창백핵의 세 구조를 모두 합하여 줄무늬체corpus striatum(선조체)라고 한다.

그런데 기저핵의 구조인 꼬리핵, 조가비핵, 창백핵은 중뇌의 흑질substantia nigra 그리고 시상의 시상밑부핵subthalamic nu.과 기능적으로 연결되어 있다. 이들은 서로 연결되어 운동 기능에 영향을 주는 기저핵 회로를 형성한다(제7장 뇌의 운동신경로의 168쪽 그림 7-3 참조).

시상

시상thalamus(그림 4-12)은 시상상부, 시상밑부, 시상하부와 함께 간뇌에 속한다. 시상은 약 4cm의 길이로 간뇌 중에서 가장 큰데, 대뇌피질 바로 아래에 제3뇌실을 가운데 두

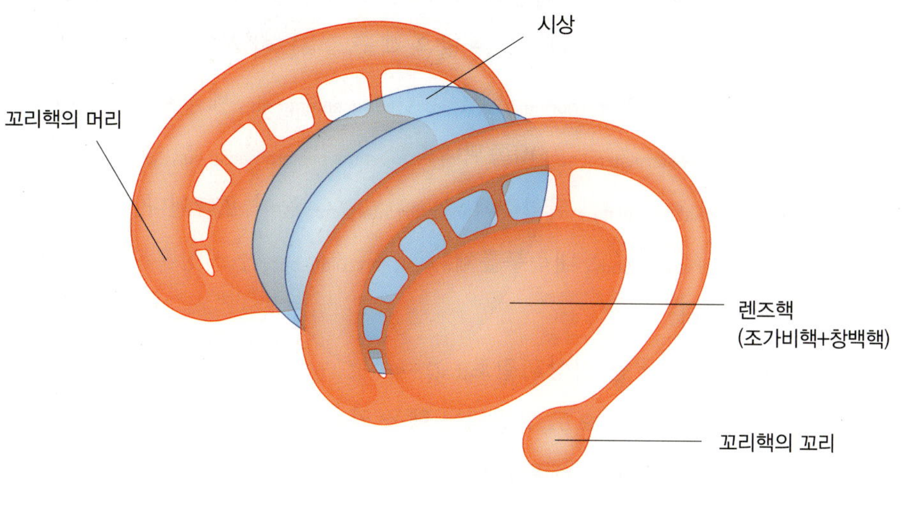

그림 4-12 시상과 주변 구조

시상은 4cm 정도의 길이로 꼬리핵 등의 기저핵 구조를 접하고 있다.

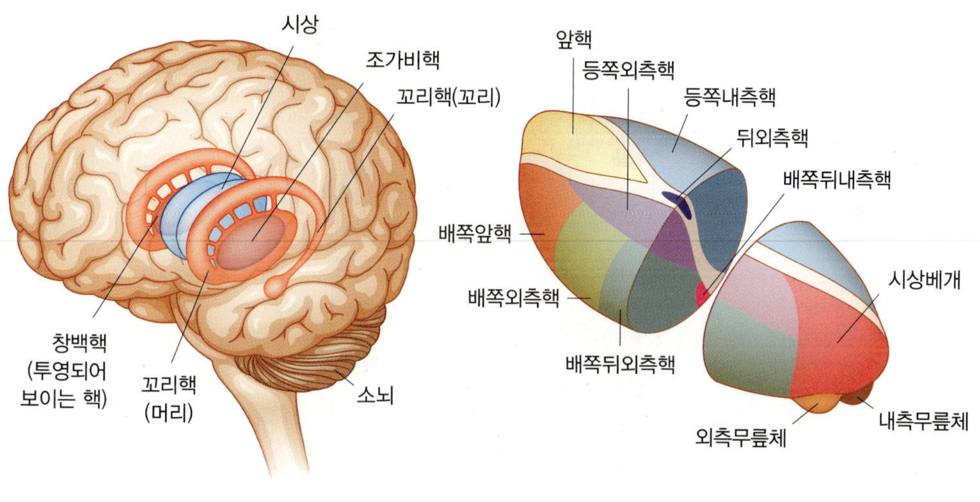

그림 4-13 시상과 핵군

시상은 여러 핵군으로 구성된다. 앞핵, 배쪽앞핵, 배쪽외측핵, 배쪽뒤외측핵, 배쪽뒤내측핵, 등쪽외측핵, 등쪽내측핵, 뒤외측핵, 시상베개, 외측무릎체, 내측무릎체 등이 있다.

고 1쌍이 위치한다. 시상은 다양한 감각정보나 운동정보를 대뇌피질로 연결시키는 중계 역할을 하기 때문에 이를 담당하는 많은 핵군nuclei들이 시상에서 관찰된다(그림 4-13). 시상의 핵군에는 앞핵anterior nu., 배쪽앞핵ventral anterior nu., 배쪽외측핵ventral lateral nu., 배쪽뒤외측핵ventral posterolateral nu., 배쪽뒤내측핵ventral posteromedial nu., 등쪽외측핵dorsal lateral nu., 등쪽내측핵dorsal medial nu., 뒤외측핵posterior lateral nu. 등이 포함된다. 시상베개pulvinar, 외측무릎체lateral geniculate body, 내측무릎체medial geniculate body는 시상후부핵군metathalamic nuclear group을 형성한다.

시상의 여러 핵군은 시상피질로thalamocortical tract를 통하여 피질과 연결되는데(그림 4-14), 먼저, 감각 영역으로 연결되는 핵을 알아보자. 얼굴을 제외한 우리 신체의 일반 감각을 중계해 주는 핵은 배쪽뒤외측핵으로서 내포를 거쳐 대뇌피질의 일차체감각영역으로 연결되며, 등쪽외측핵으로부터는 체감각연합영역으로 연결된다. 시상핵까지 연

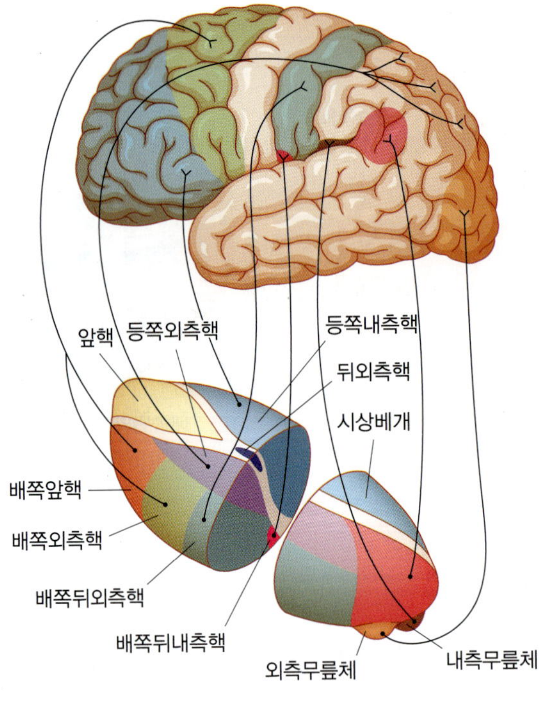

그림 4-14 시상과 대뇌피질 간의 시상피질로
시상의 여러 핵군은 시상피질로를 통하여 피질의 여러 구조와 연결된다.

결되는 감각신경로는 내측섬유띠medial lemniscus, 척수시상로spinothalamic tract, 삼차시상로trigeminothalamic tract 등이 있다.

또한 배쪽뒤내측핵을 통하여 대뇌피질 일차체감각영역의 배쪽 영역에 위치한 미각중추로 미각정보가 전달된다. 시상베개는 하두정엽의 이질양식 연합영역과 연결된다. 내측무릎체는 청각정보를 이어 주는 역할을 하여 청각중추인 헤쉴이랑과 연결된다. 외측무릎체는 시각정보를 대뇌피질의 시각중추에 전하는 역할을 한다.

이번에는 운동영역으로 연결되는 핵을 살펴보자. 등쪽내측핵은 주로 전전두피질prefrontal cortex로 연결되어 감정emotion에 관여하며, 배쪽앞핵과 배쪽외측핵은 소뇌나 기저핵으로부터 연결되는 운동신경로를 전운동영역premotor area과 보충운동영역supplementary motor area으로 연결시켜 운동기능에 관여한다.

시상은 감각정보를 연계하는 역할을 하기 때문에 시상이 손상되면 신체 부위에서 전달되는 감각에 대한 정보를 왜곡, 즉 증가시키거나 감소시킨다. 또한 소뇌나 기저핵으로부터 오는 운동정보를 대뇌피질에 전달하지 못하면서 운동장애를 유발하기도 한다. 그리고 무엇보다도 전운동영역이나 보충운동영역과 같이 말생성에 밀접한 관련이 있는 대뇌피질로 운동정보가 제대로 전달되지 못하면 말장애를 일으키고, 시상핵 자체가 손상되면 언어장애를 유발할 수도 있다.

시상상부epithalamus는 시상의 위쪽에 위치하며 고삐핵, 송과체 등으로 구성되어 있다. 고삐핵habenular nu.은 후각의 중추로 기능하고, 송과체pineal body는 내분비기관으로서 생식기능 및 수면에 관여한다. 그리고 시상밑부subthalamus는 중뇌의 피개tegmentum와 등쪽 시상 사이에 위치한다. 시상밑부는 시상밑부핵subthalamic nu.을 통해 기저핵과 기능적으로 연결되어 있다. 시상 아래쪽에 위치한 시상하부hypothalamus는 중뇌의 위쪽에 위치하고, 제3뇌실의 외측벽을 형성하며 변연계의 일부이기도 하다. 시상하부 중 가장 아랫부분에는 뇌하수체hypophysis가 있어 체온, 혈관 운동, 신진대사, 수면, 소화관 운동 등의 내분비endocrine 기능을 조절한다.

잠깐!

시상하부와 시상밑부

시상하부(hypothalamus)와 시상밑부(subthalamus)의 우리말 용어는 혼동이 된다. 시상하부(hypothalamus, 하이포-)만을 먼저 외워 보자.

잠깐!

시상밑부핵과 흑질

시상밑부핵과 흑질은 구조적으로는 각각 간뇌와 중뇌에 속하나 기능적으로는 기저핵에 속한다. 기능적 연관성에 대한 정보는 '제7장 뇌의 운동신경로'를 참조하기 바란다.

대뇌의 내측면

대뇌의 양반구가 맞닿는 내측면에서 앞쪽으로는 상전두이랑이 있으며, 중심고랑 주변으로는 중심곁소엽paracentral lobule이 있다(그림 4-15). 뇌량에 업혀 있는 회백질 구조는 대상이랑cingulate gy.인데, 뇌량과 마찬가지로 뇌의 앞뒤로 길게 걸쳐져 있다. 새발톱고랑calcarine fissure은 후두엽의 가운데 위치한 고랑이다. 새발톱고랑을 중심으로 위에는 쐐기소엽cuneus, 아래에는 설상이랑lingual gy.이 위치해 있다. 중격septum은 뇌의 내측면에서 관찰되는 중간막이다. 활처럼 휘어진 뇌궁fornix은 해마에 연결되는 신경섬유다발이다.

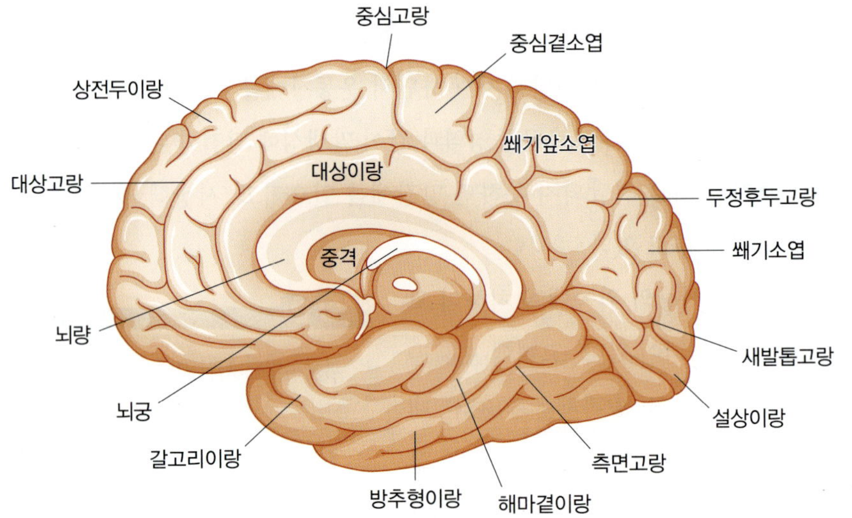

그림 4-15 대뇌의 내측면
내측면에서는 가장 중심부에 위치한 뇌량을 중심으로 여러 주요 구조들이 관찰된다.

대뇌의 관상면

관상면에서는 뇌를 앞뒤의 어느 지점에서 자르는가에 따라 관찰될 수 있는 구조가 다르다. 그림 4-16에서는 먼저 양쪽 뇌반구를 연결해 주는 뇌량을 쉽게 찾아볼 수 있다. 외측뇌실은 대칭을 이루는 구조이다. 양쪽 외측뇌실 사이에 중격이 보인다. 전교련anterior commissure은 좌우 대뇌반구의 동일한 부분을 연결하는 교련섬유의 일종이다. 편도핵amygdaloid nu.은 기저핵의 꼬리핵 꼬리 부분에 이어져 있는데, 기능적으로는 변연계에 속한다. 앞서 수평면에서 관찰했던 꼬리핵의 머리, 내포의 전각, 뇌섬, 조가비핵, 극포, 전장, 외포, 창백핵 등도 관찰할 수 있다.

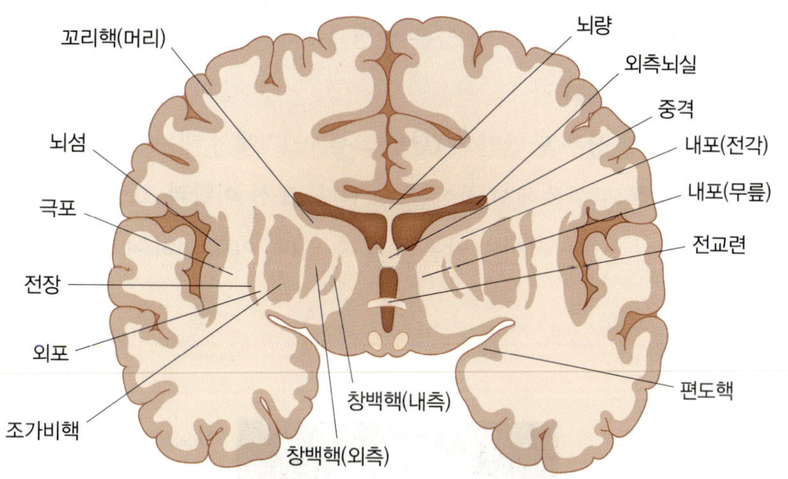

그림 4-16 대뇌의 관상면
관상면에서는 외측뇌실, 뇌량, 중격, 전교련 등의 구조를 관찰할 수 있다.

뇌 자기공명영상(B-MRI)

언어 임상 현장에서 뇌 자기공명영상brain-magnetic resonance imaging[B-MRI] 정보를 확인하고

언어병리 현상과의 관련성을 알아보는 것은 환자를 평가하고 예후를 예측하는 데 매우 중요하다. 따라서, 지금까지 공부한 뇌의 수평면 혹은 축절면의 구조를 B-MRI 단면에서 정확하게 학습하기 위하여 정상인 남자의 B-MRI를 통하여 다시금 복습해 보자.

축절면

뇌의 축절면은 어떤 각도로 어느 정도의 두께로 촬영하는가에 따라 관찰되는 구조가 다소 다를 수 있다. 또한 좌우의 뇌구조가 정확하게 대칭이 되지 않을 수도 있기 때문에 어떤 구조는 좌측 뇌반구에서, 또 다른 구조는 우측 뇌반구에서 좀 더 쉽게 관찰될 수 있다. 여기에서는 B-MRI의 총 11개 축절면에 대하여 알아보자.

뇌의 위쪽 부분부터 순서대로 숫자를 붙여 제1단면, 제2단면, 제3단면, …, 제11단면이라고 부르자. 각 단면마다 특이성을 지니므로 구조를 잘 익히도록 한다. 한편, 지금부터 제시되는 B-MRI 단면의 구조들은 신경해부학 책 등에서 흔히 제시되는 그림을 180° 회전한 모양임을 기억하자.

먼저, 뇌의 가장 상부 단면인 제1단면(그림 4-17)에서 대뇌종렬을 중심으로 좌뇌와 우뇌를 각각 오른쪽과 왼쪽에서 찾아볼 수 있다. 또한 이랑과 고랑들을 잘 살펴보면 좌·우뇌의 구조들이 정대칭적이지 않음을 알 수 있다. 이로 인하여 양측 중심고랑이 대뇌종

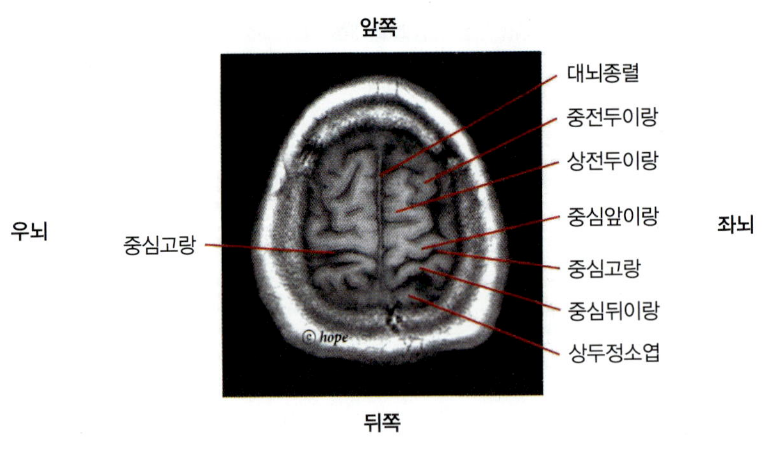

그림 4-17 B-MRI 축절면 제1단면

렬에서 서로 정확하게 만나지는 않는다. 또한 제1단면에서 뇌의 뒤쪽은 후두엽이 아니라 두정엽이다. 후두엽은 뇌의 하부 뒤쪽에 위치하기 때문에 이처럼 뇌의 가장 상부를 자른 단면에서는 후두엽이 관찰되지 않는다. 중심고랑을 중심으로 바로 앞에는 중심앞이랑이, 그리고 중심앞이랑과 이어지면서 대뇌종렬과 평행하게 자리 잡은 상전두이랑과 중전두이랑이 있다. 중심고랑의 바로 뒤에는 중심뒤이랑이 있으며 그 뒤로 두정엽의 상두정소엽이 있다.

제2단면(그림 4-18)은 그림 4-17의 단면보다 뇌 면적이 증가한다. 중심고랑 바로 앞에는 중심앞이랑이 있고, 상전두이랑과 중전두이랑 사이에서 상전두고랑을 찾아볼 수 있다. 중심고랑 뒤쪽으로는 차례대로 중심뒤이랑, 상두정소엽, 각이랑, 후두엽이 있다. 제 2단면에서는 대뇌종렬의 내측에서 회백질의 피질을 관찰할 수 있는데, 대표적으로 대상이랑cingulate gy., 중심곁소엽paracentral lobule, 쐐기앞소엽precuneus 등을 들 수 있다.

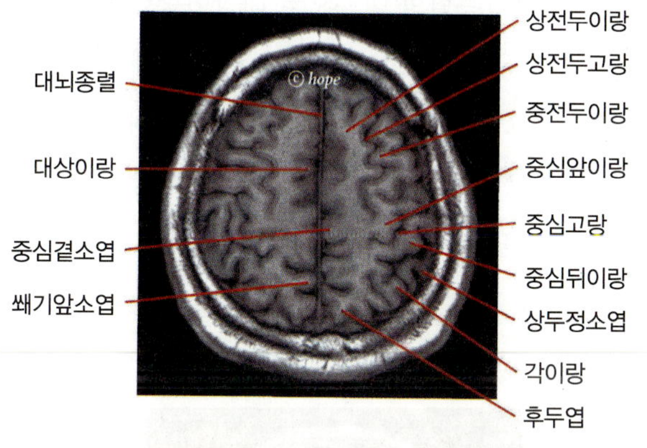

그림 4-18 B-MRI 축절면 제2단면

제3단면(그림 4-19)에서는 피질 표면의 고랑 길이들이 많이 짧아졌음을 알 수 있다. 중심고랑을 중심으로 앞쪽으로 중심앞이랑, 중전두이랑과 상전두이랑이 있다. 상전두이랑에서부터 대뇌종렬 내측으로 돌아서 들어가면 대상이랑이 있다. 또한 대뇌종렬의 내측 구조로서 중심곁소엽과 쐐기앞소엽이 관찰된다. 중심고랑을 중심으로 뒤쪽으로는 차례대로 중심뒤이랑, 상두정소엽, 모서리위이랑, 각이랑, 후두엽이 있다.

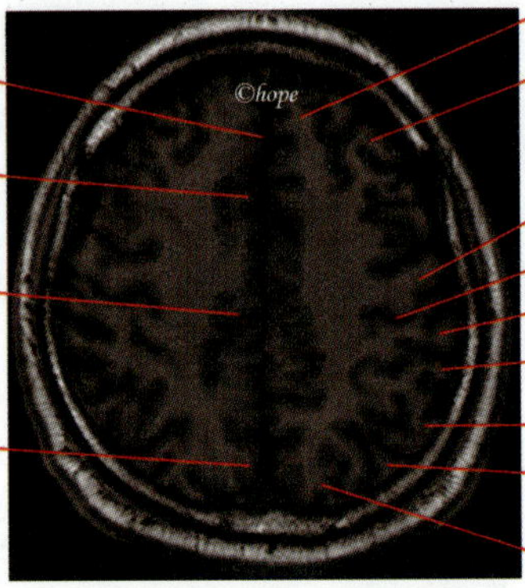

그림 4-19 B-MRI 축절면 제3단면

제4단면(그림 4-20)의 가장 큰 특징은 1쌍의 외측뇌실이 '八 여덟 팔'자 모양으로 보이기 시작한다는 점이다. 대뇌종렬의 내측으로 대상이랑이 앞쪽, 뒤쪽에 모두 있다. 좌뇌와 우뇌를 이어 주는 뇌량은 외측뇌실을 기준으로 앞쪽에는 뇌량의 무릎이, 뒤쪽에는 뇌량의 팽대가 위치한다. 그리고 제3단면과 마찬가지로 상전두이랑, 중전두이랑, 하전두이랑, 중심앞이랑, 중심고랑, 중심뒤이랑, 모서리위이랑, 각이랑, 후두엽 등이 관찰된다. 이 중 특히 모서리위이랑과 각이랑을 포함한 하두정소엽 구조들은 이 제4단면을 끝으로

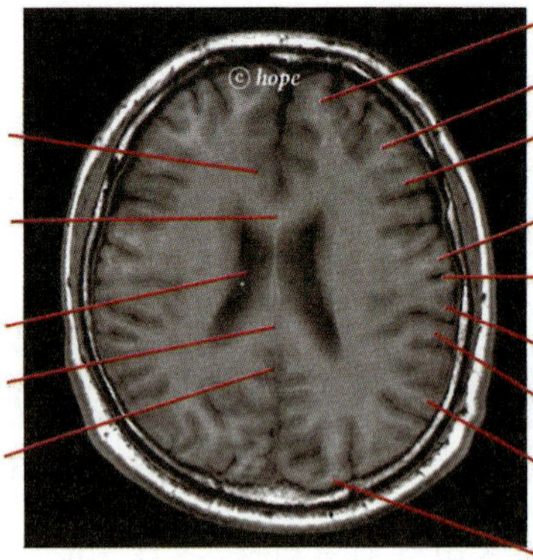

그림 4-20 B-MRI 축절면 제4단면

더 이상 관찰되지 않는다. 즉, 이로부터 더 내려간 뇌 단면에서는 이 위치가 두정엽이 아니라 측두엽이다.

제5단면(그림 4-21)은 앞에 제시된 그림 4-10(뇌의 수평면)과 흡사한 B-MRI 단면이다. 제5단면에서는 제 4단면에서 '八'자 모양으로 관찰되었던 외측뇌실이 전각과 후각으로 뚜렷이 구별되어 '쌍八'자 모양으로 나타난다는 것을 잘 기억하자. 또한 앞서 관찰할 수 없었던 피질하 구조들을 찾아볼 수 있는데, 꼬리핵의 머리, 조가비핵, 시상, 그리고 내포의 세 부분인 전각, 무릎, 후각 등이 관찰된다. 제5단면에서는 뇌섬을 쉽게 찾아볼 수 있으며 뇌섬의 앞뒤로 하전두이랑에는 브로카영역이, 상측두이랑에는 베르니케영역이 있으므로 언어병리학에서 잘 알아 두어야 하는 단면이다.

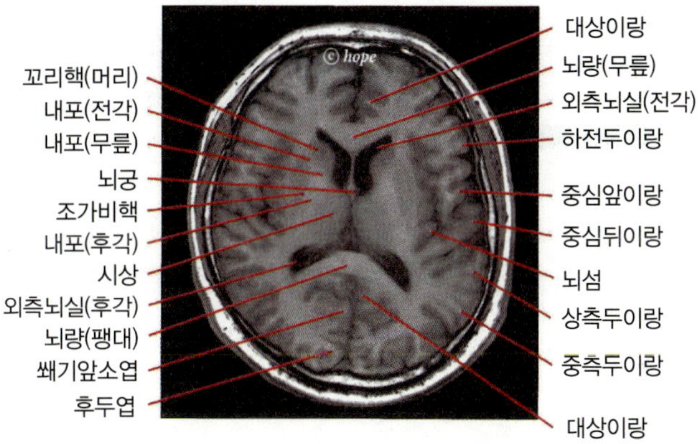

그림 4-21 B-MRI 축절면 제5단면

제6단면(그림 4-22)에서 가장 중요한 구조는 개구리 뒷다리 형상을 한 측두엽으로, 특히 상측두이랑에 제5단면에 언급하였던 베르니케영역이 있다. 또한 해마와 해마곁이랑, 방추형이랑 등의 변연계 구조들이 잘 관찰된다. 그 밖에도 꼬리핵, 조가비핵, 창백핵을 포함하는 기저핵이 보이며 시상도 관찰된다.

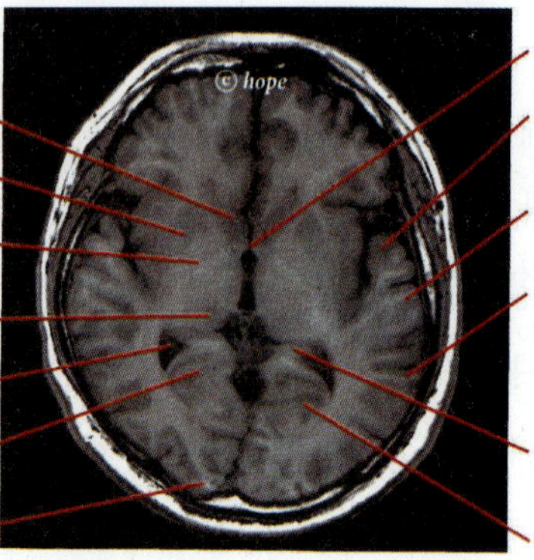

그림 4-22 B-MRI 축절면 제6단면

제7단면(그림 4-23)에는 다른 단면과 구분되는 몇 가지 특징이 있다. 먼저, 앞쪽으로 대뇌종렬과 대칭으로 곧은이랑, 후각고랑, 안와이랑 등의 전전두엽 구조들이 있다. 그리고 그 뒤쪽으로 시각로, 중뇌, 소뇌가 차례로 보인다. 또한 해마, 편도체, 방추형이랑 등의 변연계 구조가 있다. 뒤쪽으로는 쐐기소엽cuneate과 새발톱고랑이 관찰된다.

잠깐!

중뇌

중뇌는 미키 마우스 형상을 하고 있다.

midbrain = micky mouse

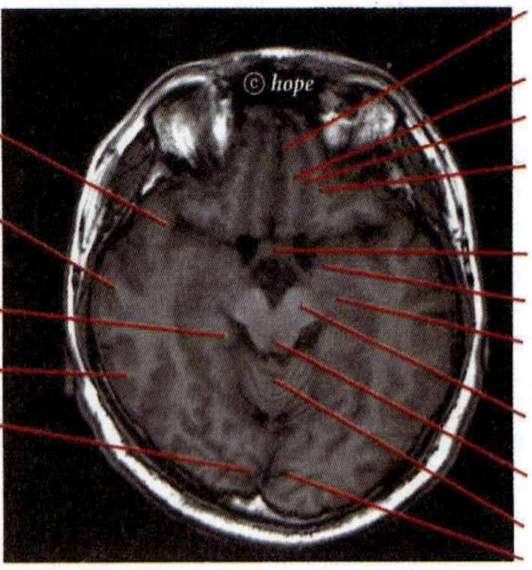

그림 4-23 B-MRI 축절면 제7단면

가장 가운데에 위치한 중뇌는 미키 마우스와 같은 모양인데 미키 마우스의 입 부분에 해당되는 곳에 뇌수도관이 보인다.

제8단면(그림 4-24)에서는 가운데에 뇌교가 보인다. 뇌교의 등쪽으로는 제4뇌실 입구가 있다. 소뇌 단면에서 소뇌벌레가 보인다. 측두엽 내측으로 편도체, 해마, 해마곁이랑, 방추형이랑 등을 포함한 변연계 구조가 관찰된다.

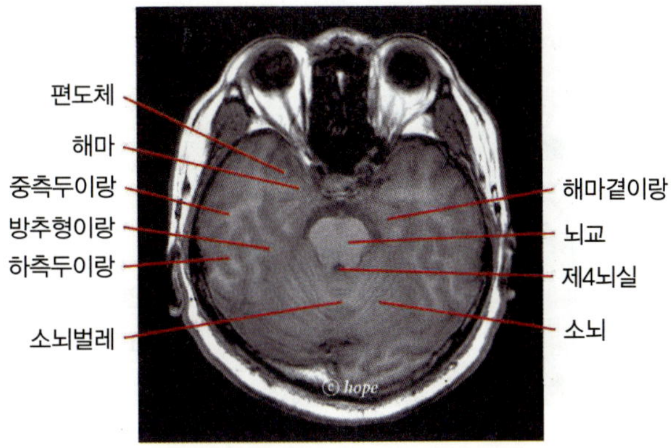

그림 4-24 B-MRI 축절면 제8단면

제 9단면(그림 4-25)에서는 중측두이랑과 하측두이랑을 포함한 대뇌 구조가 마지막으로

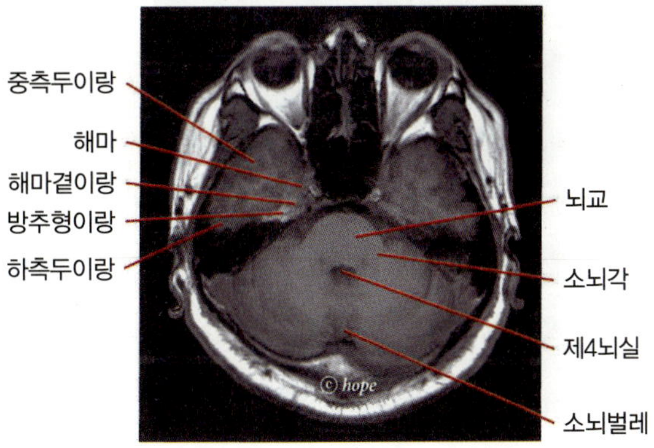

그림 4-25 B-MRI 축절면 제9단면

관찰되는데, 해마, 해마결이랑, 방추형이랑 등의 변연계가 포함된다. 뒤쪽으로는 뇌교와 소뇌가 연결되는 섬유질인 소뇌각이 보이고, 뇌교의 등쪽으로는 제4뇌실이 있다. 또한 소뇌 단면에서 소뇌벌레가 잘 관찰된다.

제10단면(그림 4-26)에서는 뇌구조 중에서 대뇌 구조는 더 이상 관찰되지 않으며, 상부 연수upper medulla와 소뇌만이 보인다.

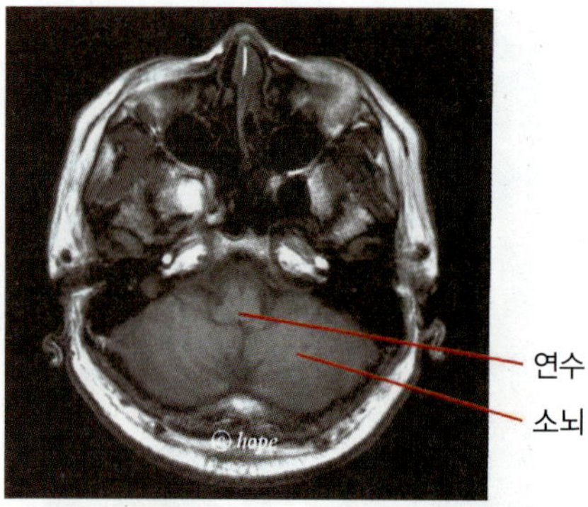

그림 4-26 B-MRI 축절면 제10단면

마지막으로, 제11단면(그림 4-27)에서도 하부 연수lower medulla와 소뇌가 잘 관찰된다.

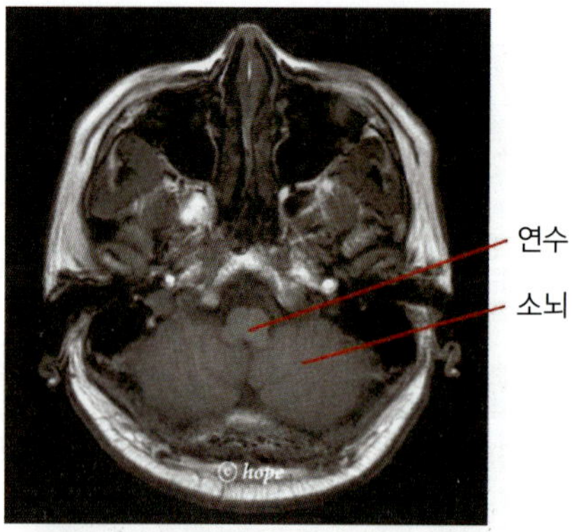

그림 4-27 B-MRI 축절면 제11단면

정중시상면

좌우 대뇌반구를 중앙에서 잘랐을 때 관찰되는 부분을 내측면이라고 한다. 그런데 B-MRI상에서 좌·우반구 가장 중앙으로 자른 단면을 정중시상면midsagittal plane이라고 지칭하기도 한다. 내측면을 B-MRI의 정중시상면으로 관찰하면 그림 4-28과 같이 대뇌뿐만 아니라 뇌간 및 소뇌와 그 주변 구조들이 잘 관찰된다. 여기서 특히 뇌간과 소뇌의 상대적 위치를 잘 기억하자. 또한 뇌실의 각 구조가 어디에 위치해 있는지 살펴보자.

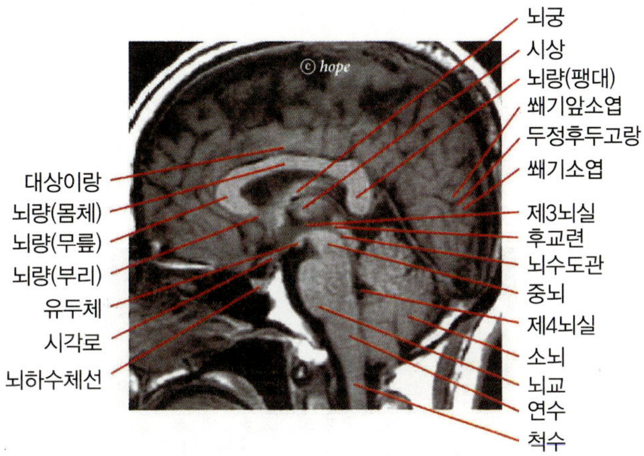

그림 4-28 **B-MRI의 정중시상면**
B-MRI의 정중시상면에서는 대뇌, 소뇌, 뇌간 등 구조들의 상대적인 위치가 잘 파악된다.

관상면

도식화된 관상면에서 관찰될 수 있는 구조들을 B-MRI에서 다시 살펴보자. 여기서는 총 7개의 관상면을 제시해 놓았다. 제1단면(그림 4-29)은 뇌의 가장 앞부분의 관상면으로서 세 전두이랑인 상·중·하전두이랑이 모두 관찰된다. 또한 전두엽의 기저면에 있는 곧은이랑과 안와이랑이 관찰된다.

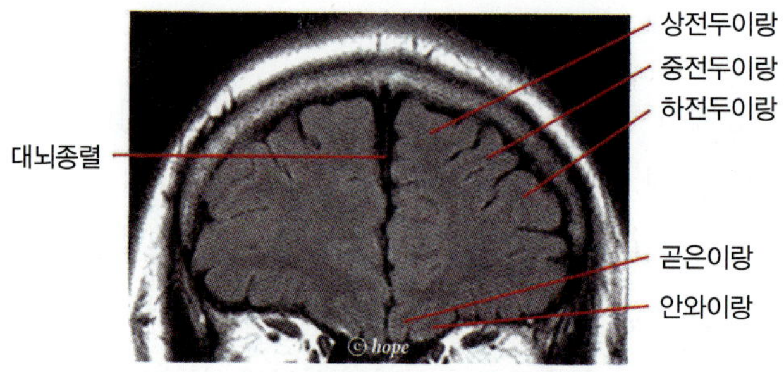

그림 4-29 B-MRI 관상면 제1단면

제2단면(그림 4-30)에서는 안쪽으로 외측뇌실(전각)과 제3뇌실이 보인다. 또한 곧은이랑과 안와이랑이 관찰된다. 그 아래에는 측두엽의 가장 앞부분인 측두극이 보인다.

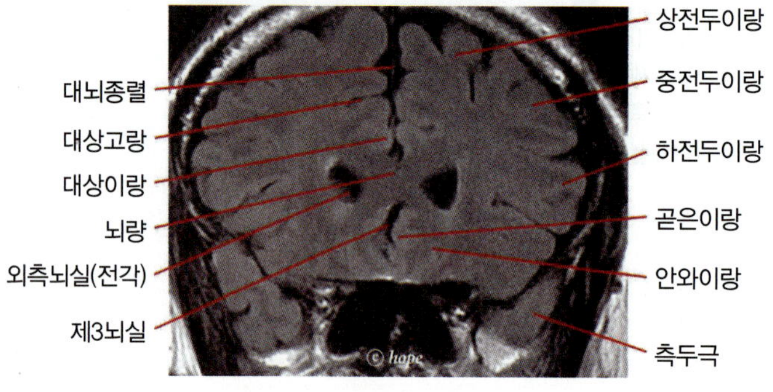

그림 4-30 B-MRI 관상면 제2단면

제3단면(그림 4-31)에서는 피질하 구조들, 즉 꼬리핵의 머리, 조가비핵, 창백핵, 내포 등이 잘 관찰된다. 뇌 중심에는 위로부터 대상이랑, 뇌량의 몸체, 중격을 사이에 두고 1쌍의 외측뇌실, 제3뇌실, 전교련이 자리 잡고 있다. 변연계 구조인 해마와 편도체도 관찰된다. 또한 외측에는 상·중·하전두이랑과 전두덮개부 및 측두덮개부가 뇌섬을 덮고 있다.

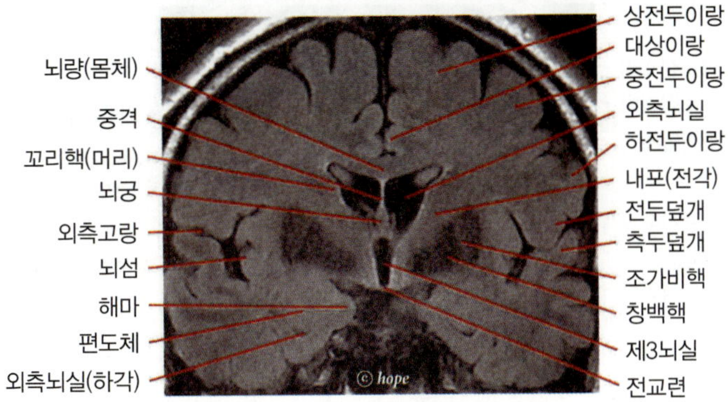

그림 4-31 B-MRI 관상면 제3단면

제4단면(그림 4-32)에서는 외측뇌실의 크기가 작아지며, 아래에는 뇌교가 관찰되고 전두이랑들과 측두이랑들도 보인다. 특히 측두이랑 안쪽으로 해마곁이랑, 방추이랑, 해마 등의 변연계가 관찰된다. 전두덮개부와 측두덮개부가 뇌섬을 덮고 있다.

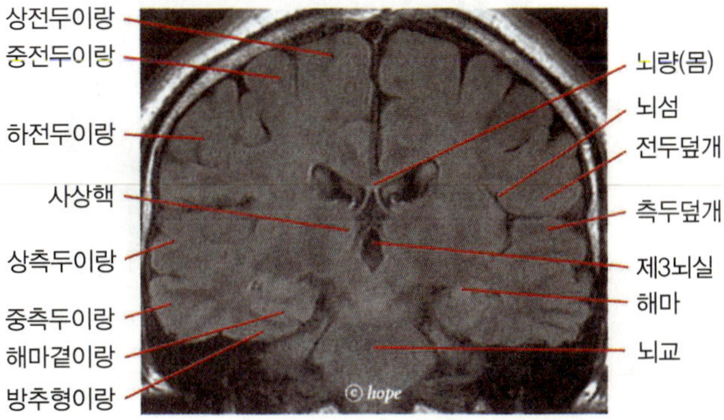

그림 4-32 B-MRI 관상면 제4단면

제5단면(그림 4-33)에서는 상두정소엽, 각이랑, 쐐기앞소엽 등이 관찰된다. 또한 후두엽 구조인 쐐기소엽, 하설상이랑, 방추형이랑, 새발톱고랑 등이 보이고, 가장 아래쪽으로 소뇌가 보인다.

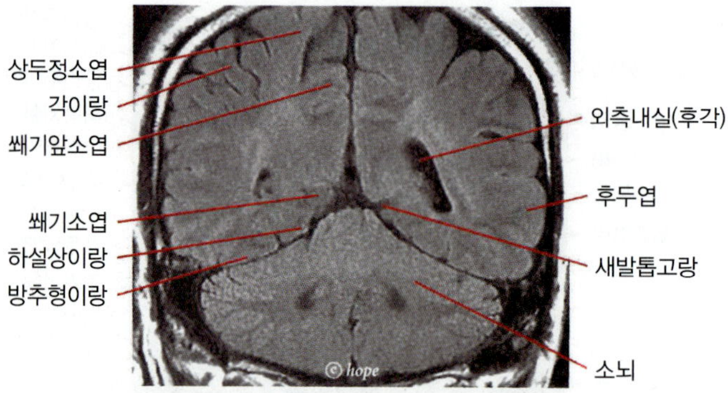

그림 4-33 B-MRI 관상면 제5단면

제6단면(그림 4-34)에서는 상두정소엽, 각이랑, 쐐기소엽, 새발톱고랑, 하설상이랑, 하후두이랑 등을 관찰할 수 있다. 여기서도 소뇌가 보인다.

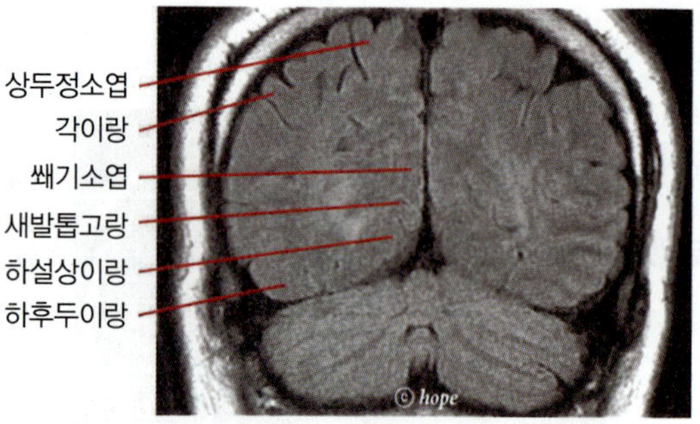

그림 4-34 B-MRI 관상면 제6단면

마지막으로, 제7단면(그림 4-35)에서는 상두정소엽, 쐐기앞소엽, 쐐기소엽, 각이랑, 후두엽 등을 관찰할 수 있다.

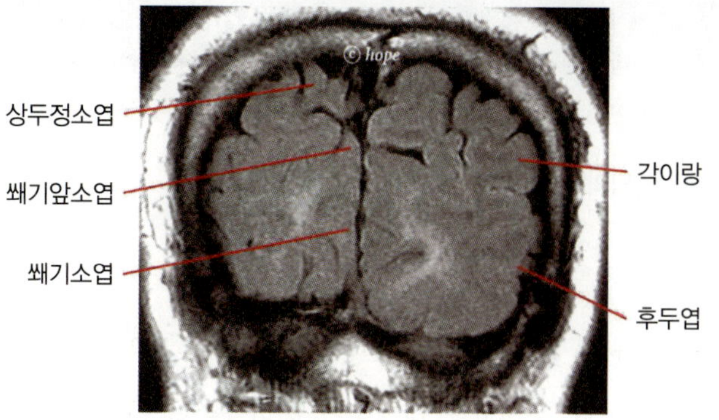

그림 4-35 B-MRI 관상면 제7단면

개념 및 용어 정리

대뇌피질: 대뇌의 회백질층

- **이랑**: 틈새 사이에 볼록하게 올라온 능선
- **고랑**: 이랑 사이의 좁은 틈새
  - 열: 깊숙하게 패인 고랑
  - 그 밖의 고랑: 중심고랑, 대뇌종렬, 실비안종렬(외측고랑), 두정후두고랑, 후두앞패임
- **주요 4개 뇌엽**: 전두엽, 두정엽, 측두엽, 후두엽

전두엽: 대뇌의 가장 앞쪽에 위치하며 중심고랑에 의하여 두정엽과 분리된다.

- **전두극**: 전두엽의 맨 앞부분
- **전두엽의 주요 이랑**: 중심앞이랑, 상전두이랑, 중전두이랑, 하전두이랑
  - 하전두이랑: 안와부, 삼각부, 전두덮개부
  - 브로카영역: 삼각부와 전두덮개부를 합한 부분
- **실비우스 주위피질**: 중심고랑과 실비안종렬 접경의 주변 피질
  - 실비우스 주위피질의 구성 영역: 전두덮개부, 두정덮개부, 측두덮개부
- **기저면 구조**: 전두극, 안와전두피질
- **내측면 구조**: 중심고랑 주변의 중심곁소엽

두정엽: 중심고랑 뒷부분부터 두정후두고랑까지 걸쳐 있는 뇌엽

- **두정엽의 주요 이랑**: 중심뒤이랑, 상두정소엽, 하두정소엽
  - 하두정소엽: 모서리위이랑, 각이랑
- **내측면 구조**: 중심곁소엽

측두엽: 실비안종렬에 의하여 전두엽과 두정엽으로부터 분리되며, 후두앞패임에 의하여 후두엽과 나뉜다.

- **측두극**: 측두엽의 맨 앞
- **측두엽의 주요 이랑**: 상측두이랑, 중측두이랑, 하측두이랑
- **헤쉴이랑**: 실비안종렬 안쪽의 가로측두이랑에서 관찰된다.

후두엽: 두정후두고랑과 후두앞패임 뒤, 대뇌의 가장 뒤쪽에 위치한다.

- **새발톱고랑**: 후두엽의 내측면에서만 관찰된다.

뇌섬: 실비우스 주위피질의 전두엽, 두정엽, 측두엽의 덮개부 안쪽에 있는 대뇌피질

- 결변연계 구조에 속한다.

변연계: 뇌의 내측면에서 관찰된다.

- **경계**: 측면고랑, 대상고랑, 두정밑고랑 등
- **구조**: 유두체, 중격, 대상이랑, 뇌궁, 해마, 갈고리이랑, 편도체, 측두극, 해마곁이랑, 앞쪽 뇌섬, 꼬리쪽 안와전두피질

대뇌피질의 기저면

- **전두엽의 기저면**
  - 구조: 곧은이랑, 후각고랑, 후각로, 후각망울, 안와이랑, 안와고랑
  - 안와전두피질: 전두엽의 기저면 피질 부분을 통칭한다.
- **측두엽의 기저면**
  - 구조: 하측두고랑, 하측두이랑, 해마곁이랑, 갈고리이랑, 방추형이랑
- **그 밖의 기저면 구조**: 시신경 교차, 시각로, 회백융기, 유두체, 대뇌각

대뇌피질하

- **피질하 백질**: 신경세포의 축삭으로 이루어져 있다.
  - 신경신호의 전도 역할을 한다.
  - 구조: 뇌량(부리, 무릎, 몸체, 팽대), 내포(전각, 무릎, 후각), 외포, 극포
- **피질하 회백질**: 여러 가지 신경세포의 핵이 분포한다.
  - 구조: 기저핵, 시상

기저핵과 주변 구조

- **기저핵**: 피질하에 있는 커다란 핵군 구조
- **기저핵의 구성요소**: 꼬리핵, 조가비핵, 창백핵
  - 꼬리핵: 머리, 몸체, 꼬리로 이루어졌다.
  - 창백핵: 외측부와 내측부로 나뉜다.
  - 줄무늬핵: 꼬리핵과 조가비핵을 합한 구조
  - 렌즈핵: 조가비핵과 창백핵을 합한 구조

- 줄무늬체: 꼬리핵, 조가비핵, 창백핵을 합한 구조로서 흑질 및 시상밑부핵과 기저핵 고리회로를 형성한다.

■ **그 밖의 구조**: 뇌섬, 전장

시상: 시상상부, 시상밑부, 시상하부와 함께 간뇌에 속한다.

■ **제3뇌실을 가운데에 두고 1쌍이 위치한다.**

■ **다양한 감각정보나 운동정보를 대뇌피질로 연결시키는 중계 역할을 한다.**

- 구성 핵군: 앞핵, 배쪽앞핵, 배쪽외측핵, 배쪽뒤외측핵, 배쪽뒤내측핵, 등쪽외측핵, 등쪽내측핵, 뒤외측핵, 시상베개, 외측무릎체, 내측무릎체

■ **시상 손상**

- 소뇌나 기저핵, 전운동영역이나 보충운동영역 등의 대뇌피질에 운동정보가 제대로 전달되지 못하면서 (말)운동장애를 유발한다.
- 시상핵 자체가 손상되면 언어장애를 유발할 수도 있다.

■ **시상상부**: 시상의 위쪽에 위치하며, 고삐핵, 송과체 등으로 구성되어 있다.

■ **시상밑부**: 시상밑부핵을 통해 기저핵과 기능적으로 연결되어 있다.

■ **시상하부**: 중뇌의 위쪽 제3뇌실의 외측벽을 형성하며 변연계의 일부이다.

대뇌의 내측면

■ **대상이랑**: 뇌량에 업혀 있는 회백질 구조

■ **새발톱고랑**: 후두엽 가운데에 위치한 고랑이며 내측면에서만 관찰된다.

■ **중격**: 뇌의 내측면에서 관찰되는 중간막

■ **뇌궁**: 활처럼 휘어 있고 해마에 연결되는 신경섬유다발

■ **그 밖의 구조**: 쐐기소엽, 설상이랑

대뇌의 관상면

■ **관찰 구조**: 뇌량, 외측뇌실, 전교련, 꼬리핵의 머리, 내포의 전각, 조가비핵, 전장, 극포, 뇌섬, 창백핵

대뇌의 자기공명영상

축절면

- 어떤 각도로 어느 정도의 두께로 자르느냐에 따라 관찰될 수 있는 구조가 다르다.
- 후두엽은 뇌의 하부 뒤쪽에 위치하므로 뇌의 가장 상부 단면에서는 관찰되지 않는다.
- 뇌섬의 앞뒤로 브로카영역과 베르니케영역을 볼 수 있다.
- 중뇌는 미키 마우스와 같은 모양이며, 미키 마우스의 입 부분에 해당되는 곳에 뇌수도관이 보인다.
- 가장 아래쪽 단면에서는 대뇌 구조가 더 이상 관찰되지 않으며 연수와 소뇌만이 보인다.

정중시상면: 뇌간, 뇌실, 뇌량, 소뇌 등이 관찰된다.

관상면: 대상이랑, 뇌량의 몸체, 중격, 외측뇌실, 제3뇌실, 전교련, 뇌섬 등이 관찰된다.

복습문제

1. 대뇌피질의 고랑에 대한 설명으로 옳은 것에 ○, 틀린 것에 × 표시를 하시오.

(1) 고랑은 틈새 사이에 볼록하게 올라온 능선이다. (　　)

(2) 대뇌종렬은 대뇌를 좌반구와 우반구로 나눈다. (　　)

(3) 후두앞패임은 두정엽과 후두엽을 나눈다. (　　)

(4) 새발톱고랑은 후두엽의 내측면에서만 관찰된다. (　　)

2. 전두엽, 두정엽, 측두엽의 덮개부 안쪽으로 위치하여 겉에서는 관찰되지 않는 대뇌피질은 무엇인가?

3. 다음의 각 설명에 해당하는 구조를 보기에서 골라 쓰시오.

가. 상전두이랑	나. 삼각부	다. 중두이랑
라. 두정덮개부	마. 하전두이랑	바. 측두덮개부
사. 실비우스 주위피질	아. 안와부	자. 중심곁소엽
차. 전두덮개부		

(1) 브로카영역에 해당하는 2개의 구조이다. ________ + ________

(2) 중심고랑과 실비안종렬이 만나는 지점의 주변에 위치한 피질이다. ________

(3) 브로카영역이 위치하는 이랑이다. ________

(4) 내측면의 중심고랑 주변의 영역을 지칭한다. ________

4. 두정엽을 나타낸 다음 그림에서 모서리위이랑과 각이랑에 해당하는 구조에 표시하시오.

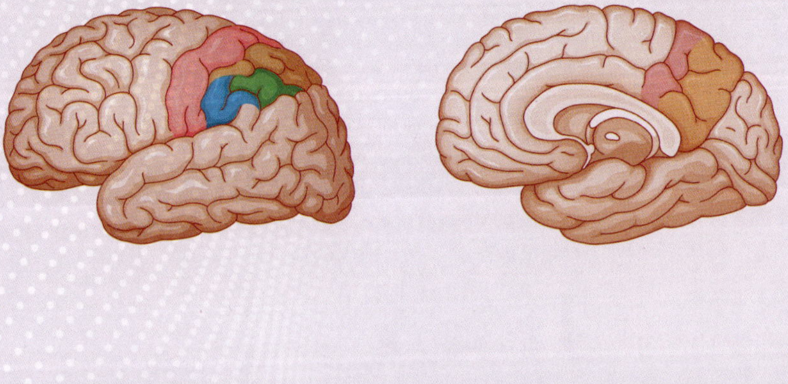

5. 다음 보기는 측두엽의 어떤 구조에 대한 설명인가?

상측두이랑의 가장 윗부분에 위치한 구조로서, 실비안종렬 안쪽 바닥인 횡이랑에서 관찰된다.

6. 대뇌의 기저면에서 관찰할 수 있는 것을 보기에서 모두 찾아 그림에 표시하시오.

가. 곧은이랑	나. 해마곁이랑	다. 하측두고랑
라. 기저핵	마. 뇌량	바. 안와이랑

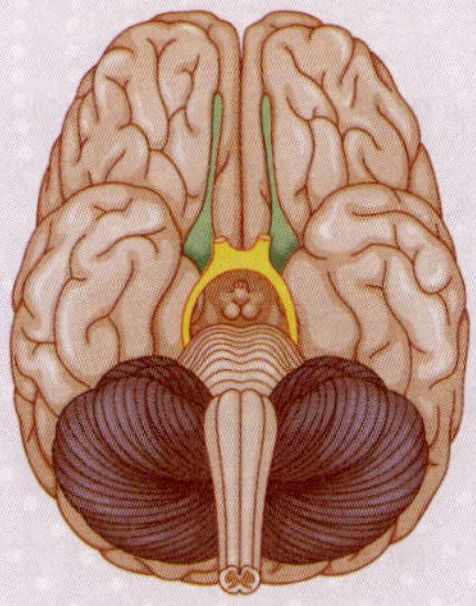

7. 다음 보기는 수평면에서 관찰되는 뇌구조들이다. 바깥쪽에서 안쪽의 순서대로 나열하시오.

가. 뇌섬	나. 전장	다. 외포
라. 극포	마. 기저핵	바. 내포

8. 다음 중 내포의 무릎을 형성하는 백질섬유를 고르시오.

(1) 피질척수섬유
(2) 피질뇌간섬유
(3) 피질시상섬유
(4) 피질원심섬유

9. 다음 중 백질을 구성하는 신경섬유가 아닌 것을 고르시오.

(1) 뇌량
(2) 내포
(3) 방사관
(4) 뇌섬

10. 다음 그림에서 각 번호에 해당하는 명칭을 쓰시오.

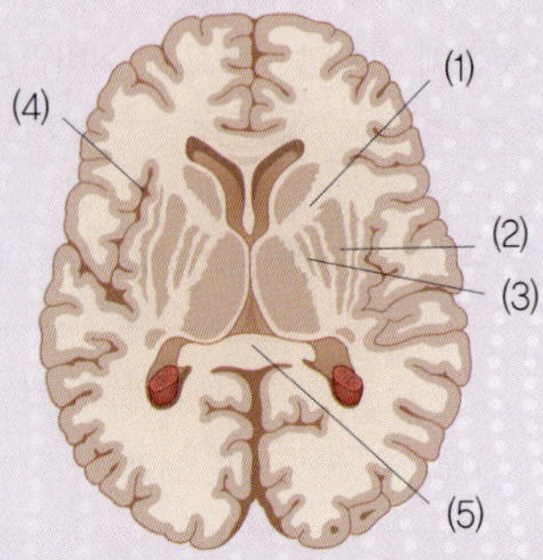

11. 다음의 기저핵에 대한 설명에 알맞은 용어를 쓰시오.

(1) 조가비핵과 창백핵을 합한 구조이다. ________________

(2) 꼬리핵과 조가비핵을 합한 구조이다. ________________

(3) 꼬리핵, 조가비핵, 창백핵을 합한 구조이다. ________________

12. 시상에 대한 설명으로 옳은 것에 ○, 틀린 것에 × 표시를 하시오.

(1) 간뇌에 속한다. (　　)

(2) 운동정보와 감각정보를 통합하는 역할을 한다. (　　)

(3) 시상과 관련된 대표적인 감각경로로는 척수시상로를 들 수 있다. (　　)

(4) 내측무릎체는 시각정보를, 외측무릎체는 청각정보를 대뇌피질로 전달하는 역할을 한다. (　　)

13. 다음 보기는 변연계를 구성하는 어떤 구조에 대한 설명인가?

뇌량 위에 놓여 있는 내측 피질 구조로서 뇌량을 따라 굽어 있고, 뒤쪽으로는 해마곁이랑과 연결된다.

14. 다음 그림에서 좌우의 뇌반구를 이어 주는 뇌량을 찾아 표시하시오.

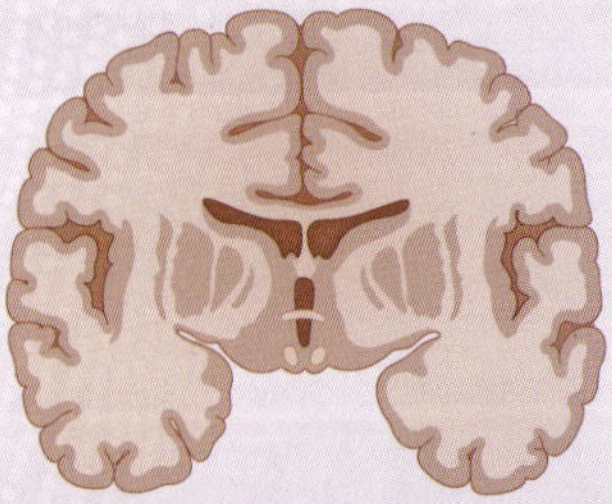

15. 다음의 B-MRI 단면들에서 관찰될 수 있는 언어중추를 표시하고, 그 명칭을 쓰시오.

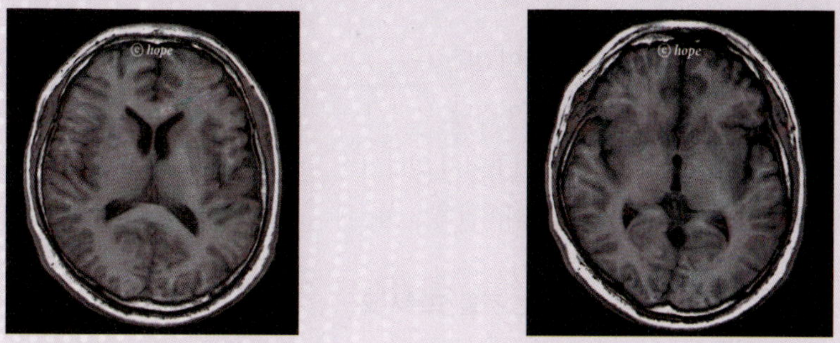

16. 측두엽에서 헤쉴이랑에 해당하는 구조를 고르시오.

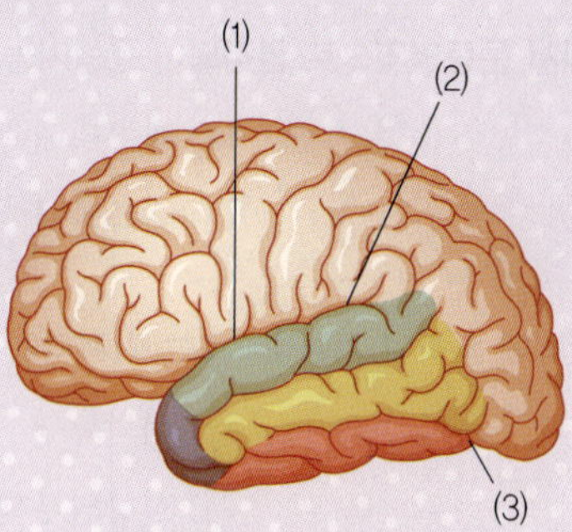

17. 후두엽에서 새발톱고랑에 해당하는 구조를 고르시오.

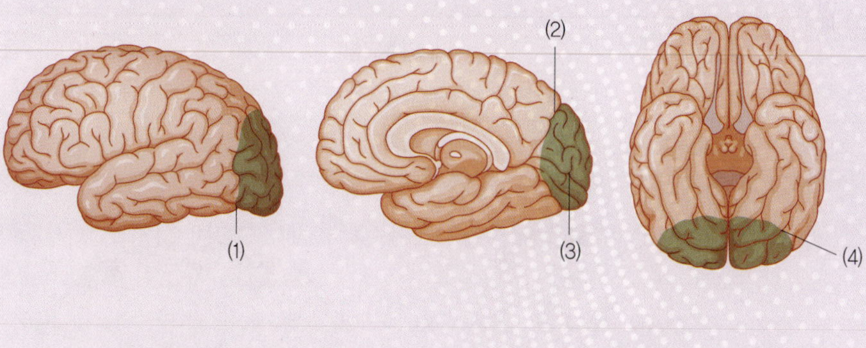

18. 다음 보기의 뇌구조들 중 외측면에서 직접 관찰할 수 없는 것을 모두 고르시오.

가. 뇌섬	나. 실비우스 주위피질	다. 새발톱고랑
라. 후두앞패임	마. 중심곁소엽	바. 대상이랑
사. 뇌량		

19. 내포에 대한 설명으로 옳은 것에 ○, 틀린 것에 × 표시를 하시오.

(1) 백질을 형성한다. (　　)

(2) 대뇌피질부터 척수까지 이어진다. (　　)

(3) 대뇌피질부터 뇌간까지 이어진다. (　　)

(4) 부리, 무릎, 몸체, 팽대로 이루어져 있다. (　　)

(5) 기저핵의 바깥쪽(외측)에 위치한다. (　　)

20. 다음 중 간뇌에 해당하지 않는 것을 고르시오.

(1) 시상상부　　(2) 시상중부

(3) 시상하부　　(4) 시상밑부

21. 다음 중 시상의 핵들 중에서 운동영역으로 연결되어 운동기능에 관여하는 핵을 고르시오.

(1) 등쪽내측핵　　(2) 배쪽뒤내측핵

(3) 배쪽뒤외측핵　　(4) 배쪽앞핵

22. 다음 중 구조적으로는 간뇌에 속하나 기능적으로는 기저핵에 속하는 핵을 고르시오.

(1) 고삐핵　　(2) 뒤외측핵

(3) 시상베개　　(4) 시상밑부핵

23. 다음 보기에서 대뇌 수평면(A)과 관상면(B)에서 공통적으로 관찰되는 구조를 모두 고르고 뇌단면(A와 B)에 표시하시오.

가. 전교련	나. 외측뇌실	다. 내포의 무릎
라. 후두엽	마. 뇌섬	바. 조가비핵
사. 측두엽	아. 뇌량	

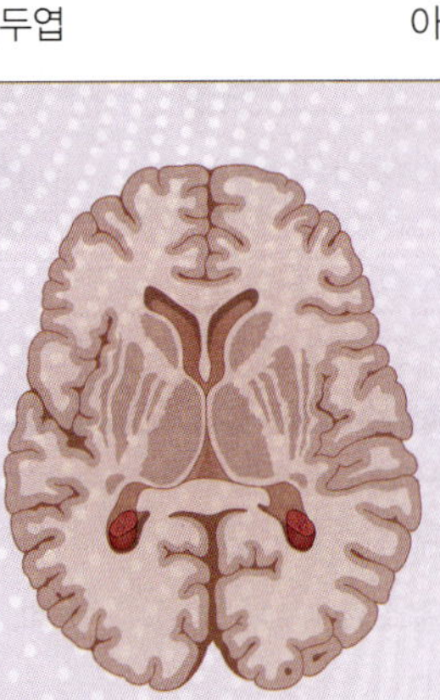

A

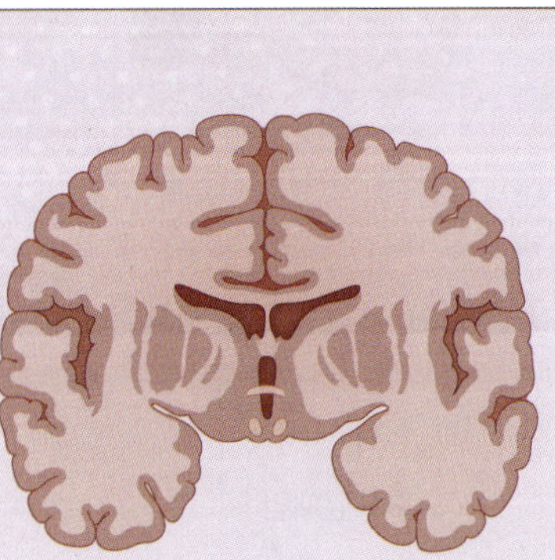

B

24. 다음 그림에서 뇌량과 대상이랑을 가리키는 번호를 각각 고르시오.

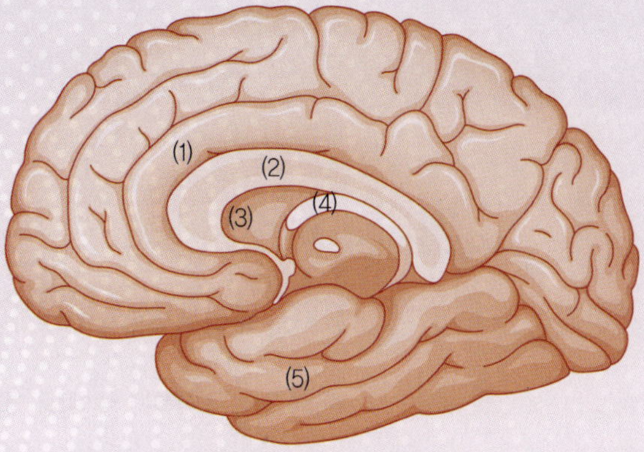

25. 다음 보기의 각 설명에 해당하는 구조를 B-MRI에서 찾고 그 명칭을 쓰시오.

가. 좌우 대뇌반구를 연결시키는 커다란 백질섬유 나. 뇌간 구조 다. 제3뇌실과 제4뇌실을 연결시키는 구조 라. 천막하 구조

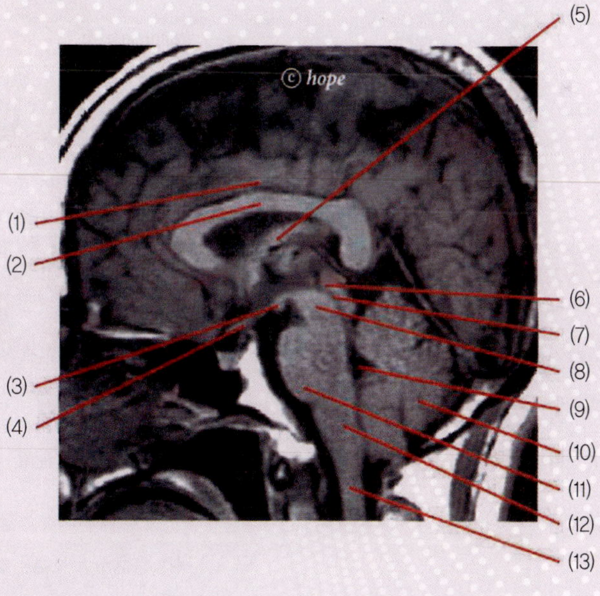

정답

1. (1) × *볼록하게 올라온 능선은 이랑이라고 함.
  (2) ○
  (3) × *후두앞패임은 측두엽과 후두엽을 나눔.
  (4) ○
2. 뇌섬
3. (1) 차, 나 (2) 사 (3) 마 (4) 자
4.

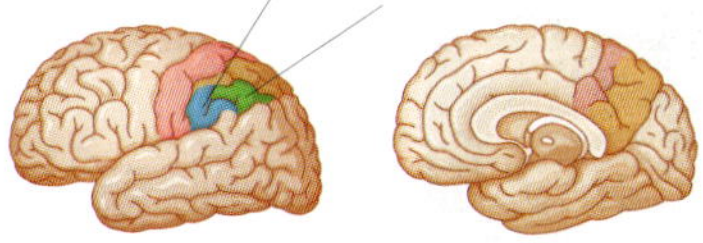

5. 헤쉴이랑
6.

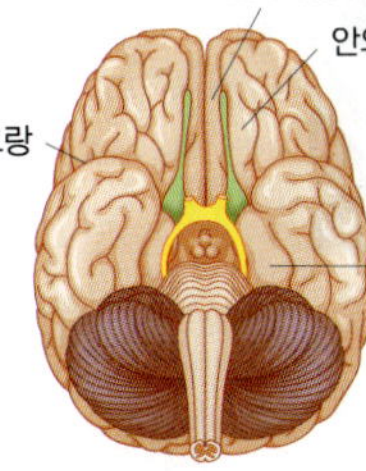

7. 가 → 라 → 나 → 다 → 마 → 바
8. (2)
9. (4)
10. (1) 내포의 전각 (2) 조가비핵 (3) 창백핵 (4) 뇌섬 (5) 뇌량(팽대)
11. (1) 렌즈핵 (2) 줄무늬핵 (3) 줄무늬체
12. (1) ○
  (2) × *내측무릎체는 청각정보에, 외측무릎체는 시각정보에 관여함.
  (3) ○
  (4) × *시상은 감각정보를 연계하는 역할을 함.
13. 대상이랑
14.

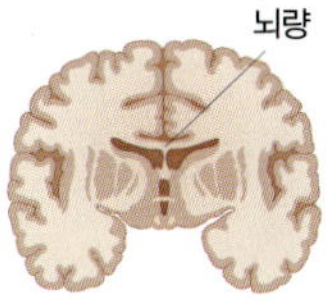

정답

15.

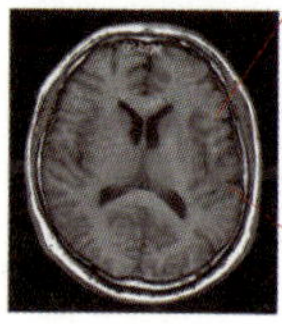

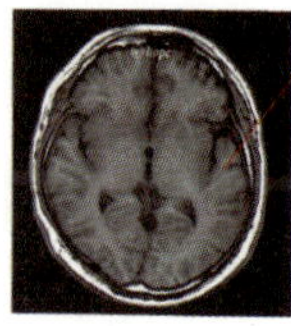

16. (2)
17. (3)
18. 가, 다, 마, 바, 사
19. (1) ○ (2) ○ (3) ○
    (4) × *부리, 무릎, 몸체, 팽대로 이루어져 있는 것은 뇌량임.
    (5) × *기저핵의 안쪽(내측)에 위치함.
20. (2)
21. (4)
22. (4)
23.

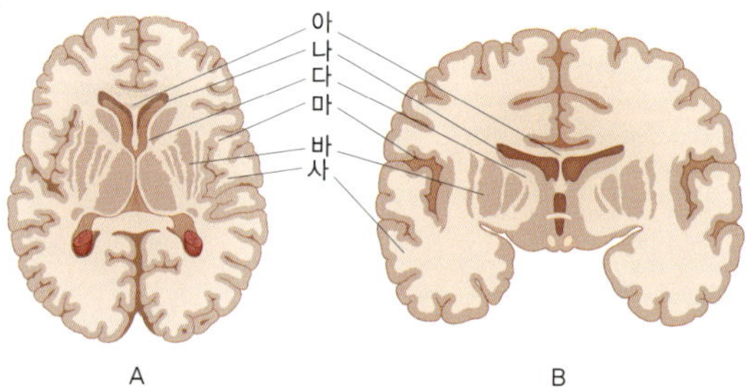

24. 뇌량: (2) 대상이랑: (1)
25. 가. (2) 뇌량
    나. (8) 중뇌, (11) 뇌교, (12) 연수
    다. (7) 뇌수도관
    라. (8) 중뇌, (11) 뇌교, (12) 연수, (10) 소뇌

제 5 장

대뇌의 기능적 구조

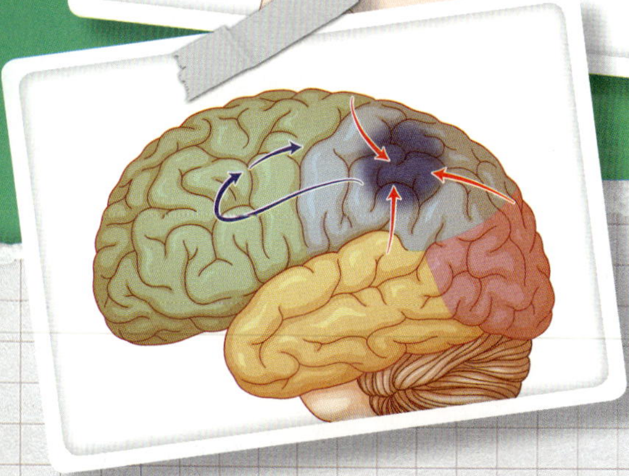

학습목표

- 골상학과 브로드만영역 지도에 대해 살펴본다.
- 기능별로 구분된 대뇌피질영역에 대해 학습한다.
- 청각처리와 관련된 언어병리에 대해 알아본다.
- 기억처리와 관련된 언어병리에 대해 알아본다.
- 시각처리와 관련된 언어병리에 대해 알아본다.
- 체감각처리와 관련된 언어병리에 대해 알아본다.
- 미각 및 후각과 관련된 언어병리에 대해 알아본다.
- 감정처리에 대해 이해한다.

제4장 '대뇌의 해부학적 구조'에서는 뇌영역을 지칭하는 용어들을 살펴보았다. 이 장에서는 중추신경계의 영역들이 어떠한 기능적 역할을 수행하는지에 대하여 알아볼 것이다.

뇌의 영역별 역할에 대한 고찰은 크게 다음의 세 가지 방법을 통하여 이루어진다. 첫째, 특정한 뇌영역이 구조적으로 손상된 환자가 어떠한 행동적 장애를 보이는지를 관찰하여 병소 부위와 기능 간의 관계를 규명한다. 뇌손상은 사후부검을 하거나, 살아 있는 in-vivo 인체의 뇌에 대하여 전산화단층촬영술computerized tomography[CT] 혹은 자기 공명영상술magnetic resonance imaging[MRI] 등을 통하여 정확하고 객관적인 병소 부위를 밝힌다. 둘째, 뇌파측정electroencephalography[EEG]이나 뇌자극법electrical stimulation 등의 전기생리학적 도구로써 정상인 혹은 환자의 뇌영역의 역할을 밝히기도 한다. 셋째, 기능적 자기공명영상술functional MRI[fMRI], 양전자방출단층촬영술positron emission tomography[PET], 단일광자방출전산화단층촬영술single-photon emission computed tomography[SPECT] 등의 비침습적non-invasive 뇌영상술을 통하여 갖가지 실험 환경에서 특정 행동을 할 때 어떤 뇌영역이 실제로 활성화activation되는지를 관찰한다. 여기서 둘째와 셋째 방법을 통하여 뇌의 기능적 역할을 알아볼 수 있다.

골상학

뇌의 기능적 역할에 대한 생각의 시발점은 19세기 초반의 골상학phrenology(여기서 'phrenos'는 그리스어로 '의식, 마음' 등을 의미함)까지 거슬러 올라간다. 오스트리아의 신경해부학자 갈Franz Joseph Gall, 1758~1826이 주창한 골상학에서는 두개골의 모양이나 크기가 두개골 안의 뇌와 거의 일치하므로 그에 따라 사람의 성격이나 지적 능력 등의 수행력이 추정될 수 있다고 하였다. 또한 뇌영역의 크기가 커지면 그 영역이 담당하는 기능도 증가한다고 믿었다. 이러한 믿음에 따라 그림 5-1과 같은 골상학 지도가 완성되었다.

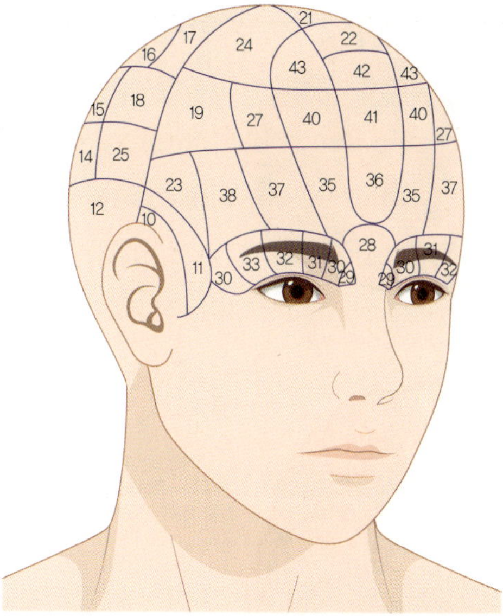

그림 5-1 19세기의 골상학 지도
독일 태생의 신경해부학자 Gall에 의하여 주창된 골상학은 두개골의 모양이나 크기에 따라 사람의 성격이나 지적 능력 등의 수행력이 결정된다고 믿는 학문이다. 골상학 지도의 번호들은 지도마다 다를 수 있다.

골상학은 갈Gall의 제자였던 슈푸르츠하임Johann Gasper Spurzheim, 1776~1832에 의하여 학문으로 정리되었다. 그러나 과학적 검증이 이루어지지 않은 채 과도하게 일반화된 골상학은 과학계에서 배척을 받아 왔다.

브로드만영역 지도

갈이 두개골의 크기나 모양에 초점을 맞춘 학문인 골상학을 주창한 반면에, 독일의 신경학자였던 브로드만Korbinian Brodmann, 1868~1918은 대뇌피질영역에 대한 연구를 수행하였다. 그는 뇌세포와 섬유질의 유형, 즉 세포구축(학)cytoarchitecture, cellular organization에 근거하여 대뇌피질의 조직학적 차이를 연구하였다. 그 결과를 기준으로 20세기 초인 1909년에 피질영역을 47개 부위로 구분한 브로드만의 지도체제Brodmann's 47 cytoarchitectural map of the human brain인 브로드만영역Brodmann's area[BA] 지도가 완성되기에 이른다(그림 5-2). 브로드

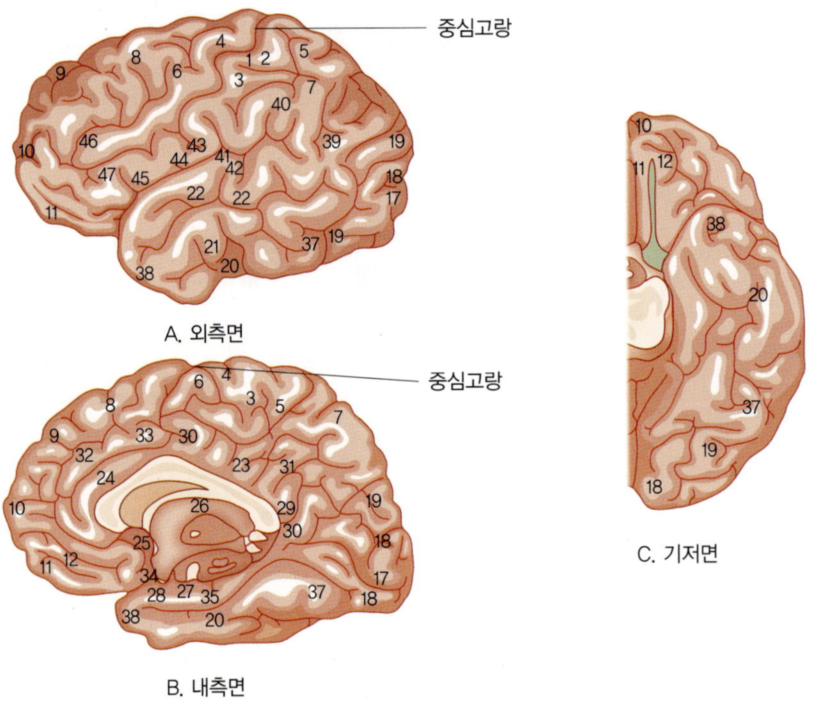

그림 5-2 브로드만영역 지도
브로드만은 1909년에 뇌세포와 섬유질의 유형, 즉 세포구축(학)에 근거한 조직학적 차이를 기준으로 대뇌피질영역을 47개 부위로 구분한 브로드만영역 지도를 완성하였다.

만영역은 숫자로 체계화되어 있으므로 현재까지도 기능적 영상기법을 사용하는 연구를 포함하여 대뇌의 기능에 관련된 연구의 결과 보고에서 많이 인용되고 있다.

그림 5-2는 제4장 대뇌의 해부학적 구조에서 제시된 그림들에 브로드만영역을 표시한 것이다. 뇌엽별로 브로드만영역 번호를 알아보자.

먼저, 전두엽의 경우에 외측면에서는 중심앞이랑이 BA4이고, 그 바로 앞이 BA6과 BA8이다. 중심고랑과 실비안종렬이 이어지는 지점에는 BA43이 있으며, 그 앞쪽에는 BA44, BA45, BA47이 있다. 전두엽의 가장 앞쪽은 BA9, BA10, BA11, BA46 등으로 표기된다. 전두엽의 내측면에는 외측면에서 관찰된 BA4, BA6, BA8, BA9, BA10, BA11 외에도 대상이랑과 관련된 BA25, BA24, BA32, BA33, BA30 등이 있다. 전두엽의 기저면에는 전두극인 BA10, 곧은이랑에 BA11, 안와이랑에 BA12 등이 있다.

측두엽의 경우에 외측면에는 상측두이랑인 BA41, BA42, BA22와 중측두이랑인 BA21,

하측두이랑인 BA20, 측두극인 BA38, 그리고 측두엽과 후두엽 사이인 방추형이랑에는 BA37이 있다. 내측면에는 BA20, BA38 이외에도 해마인 BA27, 해마곁이랑인 BA28, BA35, BA36이 있다. 측두엽의 기저면에는 측두극인 BA38과 하측두이랑인 BA20 등이 있다.

두정엽의 경우에는 외측면에 중심뒤이랑이 BA3, BA1, BA2이고, 상두정소엽이 BA5, BA7, 모서리위이랑이 BA40, 각이랑이 BA39이다. 내측면에는 대상이랑의 뒷부분을 차지하는 BA23, BA31과 뇌량의 팽대를 감싸는 부분인 BA29, BA30이 있다.

후두엽의 경우에는 외측면과 내측면에 모두 BA17, BA18, BA19가 있다. 이 밖에도 그림 5-2에는 표기되지 않았지만 뇌섬이 BA13, BA14이고, 뇌섬에 맞닿는 측두엽 안쪽 부분이 BA15이다.

기능별 대뇌피질의 영역 구분

대뇌피질은 받아들인 자극을 언제, 그리고 어떻게 처리하는가에 따라 일차영역, 단양식 연합영역, 이질양식 연합영역으로 구분된다. 대뇌피질은 담당하는 기능에 따라 감각영역, 운동영역, 혹은 연합영역으로 나뉜다. 이에 대해 좀 더 구체적으로 살펴보자(표 5-1).

먼저, 일차영역primary area은 감각정보의 경우에 신체의 감각수용기sensory receptor에서 받아들인 감각정보를 가장 먼저(즉, 일차적으로) 감지하여 처리하는 뇌피질영역이다. 감각정보에 관여하는 일차영역은 그 활동이 체감각, 청각, 시각, 미각, 후각 중에서 어떠한 양식modality에 해당하느냐에 따라 일차체감각영역(일차체감각피질)primary somatosensory area, S1, 에스원, 일차청각영역primary auditory area, A1, 에이원, 일차시각영역primary visual area, V1, 브이원, 일차미각영역primary gustatory area, 일차후각영역primary olfactory area 등으로 다시 나뉜다. 운동에 관여하는 일차영역은 일차운동영역(일차운동피질)primary motor area, M1, 엠원이라 하는데, 운동 명령을 각 신체의 기관이나 근육으로 직접 내려보내는 역할을 하는 대뇌피질이다.

그런데 한 가지 양식의 감각정보가 대뇌피질의 일차영역에서 받아들여진 후에는 또다시 그 감각정보에 대한 구체적인 분석이나 처리가 이루어지는 영역, 즉 단양식 연합영역unimodal association area으로 옮겨진다. 단양식 연합영역에서는 받아들인 정보에 특정한 의미를 부여하기 위하여 과거에 경험했던 기억흔적engram과 비교·분석하는 과정이 이루

표 5-1 대뇌피질 일차영역의 역할 및 브로드만영역 번호

일차피질영역	역할	브로드만영역 번호
일차운동영역(primary motor cortex, M1), 운동 호먼큘러스	신체의 수의적 운동을 조절함	BA4
일차체감각영역(primary somatosensory cortex, S1), 감각 호먼큘러스	신체의 촉각, 압력, 온도, 통증 등의 감각 정보를 받아들여 처리함	BA 3, 1, 2
일차청각영역(primary auditory cortex, A1)	소리의 주파수(음의 높낮이), 강도 등을 분석함	BA 41, 42
일차시각영역(primary visual cortex, V1)	망막으로부터의 시각 정보를 처리하여 기본 형태, 색, 움직임 등을 감지함	BA 17
일차미각영역(primary gustatory cortex)	미각(단맛, 짠맛, 쓴맛, 신맛, 감칠맛)을 감지하고 처리함	BA43
일차후각영역(primary olfactory cortex)	냄새 등의 후각 정보를 감지하고 처리함	BA 28, 27, 34, 35, 36

어진다.

마지막으로, 일차감각영역과 단양식 연합영역을 거친 감각정보와 운동정보가 함께 통합되어 해석되는 과정을 일컬어 '이질양식연합'이라고 하는데, 이를 담당하는 영역은 이질양식 연합영역heteromodal association area이다. 이질양식 연합영역에서는 여러 종류의 감각과 운동정보가 통합되면서 과거의 경험뿐만 아니라 학습, 기억, 판단, 성격 등의 다양한 정보를 활용한다.

이렇게 일차영역, 단양식 연합영역, 이질양식 연합영역으로 나누어진 대뇌피질은 BA 번호에 따라 특정한 기능적 역할을 수행한다. 지금부터 주요 기능processing(처리)별(청각처리, 기억처리, 시각처리, 체감각처리, 운동처리, 미각 및 후각 처리, 감정처리)로 담당하는 영역과 구체적인 BA 번호들을 알아보고, 연관된 언어병리에 대하여 상세히 설명하고자 한다.

청각처리와 관련 언어병리

정상적으로 듣는 것은 말을 습득하고 바른 조음을 내는 데 필수적인 조건이다. 듣는 경로는 크게 말초청각로peripheral auditory pathway와 중추청각로central auditory pathway로 나눌 수

있다. 다음에서 살펴보듯이 소리신호가 바깥귀를 통하여 청각수용기까지 이르는 과정은 말초청각로인데, 이에 대한 자세한 설명은 이 책에서는 다루지 않는다. 중추청각로는 청각수용기를 통해 전해진 신경신호가 뇌간의 청각로를 통해 대뇌피질의 청각중추까지 이르는 경로이다. 이 경로 중 어느 부위가 손상되었는가에 따라 나타나는 언어병리 현상이 다양하다. 대뇌피질 안에서는 여러 가지 청각적 신호(예: 소리, 말소리, 단어, 문장)의 유형과 복잡성에 따라 처리 방식과 장애가 다르다.

청력과 청력장애

청력hearing acuity은 소리신호sound signal를 귀를 통하여 받아들이는 능력으로서, 넓은 의미에서는 듣는 감각인 청각auditory sensation에 속한다. 소리는 공기 중의 진동을 통하여 말초청각 기관인 귀로 전달되며 청각수용기인 양측 코르티기관organ of corti으로 전해진다.

코르티기관을 포함한 이 부위(외이~중이 또는 내이)의 손상은 전도성 청력소실conduction hearing loss 또는 감각성 청력소실sensory hearing loss 등의 청력장애를 일으킨다. 감각성 청력소실과 더불어 코르티기관을 지나 뇌간까지 이르는 와우신경이나 뇌간의 손상에 따른 신경성 청각장애를 통칭하여 감각신경성 청각장애sensorineural hearing loss라고 한다.

한편, 뇌손상으로 인하여 중추청각로가 손상되는 경우에는 소리를 듣는 청력에 문제가 없다. 그러나 청각실인증을 비롯한 다음에 설명되는 다양한 청각 관련 장애가 초래될 수 있다. 이에 대하여 자세히 살펴보자.

소리감지와 청각실인증

청각수용기로 받아들여진 소리신호는 뇌간(와우핵/상올리브복합체/하구)과 시상(내측무릎체)을 통해 청각적 처리auditory processing에 관련된 대뇌피질영역인 측두엽, 특히 일차청각영역으로 전해진다. 일차청각영역은 대뇌피질에서 소리를 가장 먼저 받아들이는, 즉 감지detection하는 역할을 하는 곳이다. 일차청각영역은 헤쉴이랑Heschl's gyrus이라고도 부르며,

> **잠깐!**
>
> **헤쉴이랑의 크기와 (말)소리 습득**
>
> 노스웨스턴대학의 웡(P. Wong) 박사 팀의 연구(2007)에 따르면, 헤쉴이랑의 크기가 소리 습득을 하는 데 있어서 감각역량(sensory capacity of sound acquisition)에 영향을 미친다고 한다. 그러나 '말소리' 습득에 대한 감각에는 영향이 없다고 주장하였다.

양측 측두엽의 상측두이랑 안쪽으로 가로로 놓인 이랑(즉, 가로측두이랑)에 위치하고, 브로드만영역으로는 BA41과 BA42에 해당한다. 가로측두이랑은 대부분 3개 정도가 있는데, 앞쪽을 헤쉴이랑으로 간주하고, 뒤쪽은 측두평면planum temporale이라 한다. 한편, 헤쉴이랑은 소리의 주파수(즉, 높낮이)에 따라 서로 다른 부분이 활성화되는 주파수별 구조tonotopical organization로 이루어져 있다.

그런데 일차청각영역인 헤쉴이랑이 손상되면 어떠한 병리 현상이 나타날까? 헤쉴이랑 또는 헤쉴이랑과 청각연합영역 사이의 연합섬유가 절단되면 청각실인증auditory agnosia이 나타난다. 청각실인증이란 청력 자체에는 이상이 없으나 청각수용기로 받아들여진 청각정보 자극을 뇌에서 감지하지 못하는 상태이다. 청각실인증은 자극의 종류에 따라 구어성, 비구어성, 혹은 범발성 청각실인증으로 구분된다.

먼저, 구어성 청각실인증verbal auditory agnosia은 순수어농pure word deafness이라고도 하며, 주로 좌반구나 양반구의 헤쉴이랑 손상으로 생길 수 있다. 사람의 말소리를 동물 소리, 벨 소리, 휘파람 소리 등의 환경음과 구별해 내지 못하며, 따라 말하지도 못하고, 여러 목소리 중에서 동일한 사람의 목소리를 가려내지도 못한다. 그러나 읽고 쓰기에는 문제가 없으므로 실어증과는 구별된다.

비구어성 청각실인증non-verbal auditory agnosia은 청각실인증이 환경음에 국한하여 나타나는 현상이다. 예컨대, 강아지 소리와 기차 소리를 구별하지 못한다. 손상 부위는 주로 우반구나 양반구의 청각연합영역auditory association area에서 찾아볼 수 있다. 청각연합영역에 대한 자세한 내용은 다음 절 '청각적 지각과 청각적 지각결손'을 참조한다.

범발성 청각실인증global auditory agnosia은 구어성과 비구어성 청각실인증이 동시에 나타나는 것을 말한다. 따라서 사람의 말소리와 환경음 모두를 감지하지 못한다. 손상 부위는 주로 양반구의 일차청각영역과 청각연합영역에서 찾아볼 수 있다.

청각적 지각과 청각적 지각결손

앞에서 소리신호에 대한 감지를 알아보았다. 감지된 소리신호는 좀 더 세밀한 분석과정을 거쳐 세부적인 특징에 대한 처리가 이루어져 청각정보로서의 역할을 수행해야 하는데, 이러한 처리과정을 청각적 지각auditory perception이라고 한다. 소리신호에 대한 지각은 양반구에 위치한 청각연합영역인 BA22, 즉 실비안종렬의 안쪽 바닥인 측두평면

planum temporale을 포함한 영역에서 이루어진다. 측두평면은 가로측두이랑 중에서 헤쉴이랑 바로 뒤쪽으로부터 실비안종렬의 끝 지점까지를 일컫는다. 오른손잡이의 경우에 대개 좌반구의 측두평면이 더 큰 것으로 관찰된다.

> **잠깐!**
>
> **성별에 따른 측두평면의 크기 차이**
>
> 좌반구 측두평면의 크기는 여성이 남성보다 30% 정도 더 크다고 보고된 바 있다. 이러한 차이는 여성의 언어 우월성을 설명할 수 있을지도 모른다.

좌반구의 BA22가 손상되면 말소리에 대한 청각적 지각결손auditory perception deficits이 생기는데, 예컨대 /카/와 /가/의 미세한 차이를 알지 못한다. 청각적 지각이 원활하게 이루어지지 못하면 언어이해력 장애를 일으킬 수도 있다. 우반구의 BA22가 손상되면 음악의 멜로디를 잘 지각하지 못하는 감각실음증sensory amusia, 말의 운율을 잘 파악하지 못하는 감각실율증sensory aprosodia, 환경음을 잘 인지하지 못하는 비구어성 청각실인증을 보일 수도 있다. 또한 양반구의 청각연합영역이 손상되면 범발성 청각실인증을 유발할 수 있다.

언어이해와 베르니케실어증

BA22 중에서도 좌반구의 뒤쪽 3분의 1은 특히 언어이해중추인 베르니케영역Wernicke's area으로 구분된다. 베르니케영역이 손상되면 타인의 말을 잘 이해하지 못하는 베르니케실어증 등의 감각실어증이 생긴다. 감각실어증의 중증도severity는 뇌손상 부위가 베르니케영역을 얼마만큼 포함하는가에 달려 있다.

기억처리와 관련 언어병리

언어청각기억과 명칭실어증

청각적 신호를 반복적으로 듣는 경험을 거치면 해당 정보를 뇌 속에 저장하여 기억으로 전환하게 된다. 이러한 청각기억 처리에 관련된 영역은 측두엽 중에서 중측두이랑의 BA21과 하측두이랑의 BA20이다. BA20은 청각기억 중에서도 특히 언어자극에 대한 기억인 언어청각기억에 관여하는데, 언어 습득 과정에서 학습된 단어를 저장하는 어휘저장소 역할을 수행한다.

좌반구나 양반구의 BA20이 손상되면 사물의 명칭이나 사람의 이름을 잘 유출해 내지 못하는 명칭실증anomia이 생길 수 있다. 이러한 명칭실증 현상을 보이는 실어증의 유형을 명칭실어증anomic aphasia이라고 한다. 한편, 우반구의 BA20이 손상되면 시각적 혹은 청각적 자극과 그에 대응하는 의미 자질을 서로 연결하는 데 어려움을 겪는 의미결손semantic deficits을 일으킨다. 이처럼 하측두이랑 BA20의 손상으로 의미장애를 보이는 대표적인 장애로 의미치매semantic dementia를 들 수 있다.

> **잠깐!**
>
> **명칭실증과 명칭실어증**
>
> 명칭실증(anomia)은 사물의 명칭이나 사람의 이름을 잘 유출해 내지 못하는 증상(symptom)으로서 실어증이나 치매 환자에게서 흔히 관찰된다. 명칭실어증(anomic aphasia)은 명칭실증을 주요 특색으로 보이는 실어증 유형을 말한다.

시각기억과 명칭실증

명칭실증은 시각적으로 제시된 자극에 대한 기억, 즉 시각기억장애에 기인할 수도 있다. BA37은 측두엽과 후두엽의 경계 지역으로서 후두엽에 인접해 있으므로 시각기억기능과 관련이 있는데, 손상 시에 명칭실증을 유발할 수 있다. 한편, BA38은 측두극에 해당하며, 복잡한 기억 및 이미지 처리에 관여한다.

기억과 기억상실

일반적인 일화 기억은 대부분 측두엽 내측면에 위치한 변연계의 기능이다. BA28은 측두엽의 내측면에서 관찰되며, 해마곁이랑이라고 칭한다. 그런데 BA28을 세분하여 뒷부분은 기억에 관여한다. BA28이 손상되면 뇌손상 이후의 새로운 경험이나 사건을 저장하지 못하는 전향기억상실순행기억상실, anterograde amnesia이 발생하며, 좌반구 혹은 우반구이냐에 따라 각각 구어성 혹은 비구어성 특색을 띤다. 한편, BA24, BA25, BA23은 각각 대상이랑의 앞쪽과 뒤쪽에 해당하며, 집중력, 의지, 기억 등에 관여한다. 이 영역이 손상되면 우울증depression이나 자극 대상이 없는데도 불구하고 있는 것으로 지각하는 환각hallucination, 자극이 통상의 경우와 달리 지각되는 현상인 착각illusion 등의 지각장애를 보이기도 한다.

시각처리와 관련 언어병리

시각자극의 감지와 (반)맹증

시야visual field에 놓인 시각자극은 동공을 거쳐서 망막으로 전해진다. 자극이 위치한 시야에 따라 망막에서 받아들인 시각자극은 시각로optic tract를 통해 특정한 일차시각영역으로 전달retinotopical organization된다. 후두엽의 일차시각영역은 BA17에 해당하는데, 뇌의 내측면에서 볼 때 새발톱고랑calcarine fissure을 따라 위치하는 것을 알 수 있다. 일차시각영역은 시각정보(예: 색상, 형태, 움직임 등)에 대한 감지가 이루어지는 영역으로서, 시야에 놓인 자극이 뇌에서 처리될 때에는 뇌의 대측에서 이루어진다. 즉, 좌측 시야의 자극은 우측의 시각피질로 연결되고, 우측 시야의 자극은 좌측의 시각피질로 연결된다.

편측 일차시각영역이 손상되면 그로부터 대측contralateral 시야의 자극을 받아들이지 못하는 장애를 보이는데, 이를 동측성 반맹증homonymous hemianopsia이라고 한다. 좌우반구의 일차시각영역이 모두 손상되면 피질성 실명cortical blindness이 유발된다. 피질성 실명 환자는 빛에는 반응하지만 형태나 모양을 구별하는 능력을 소실한다.

시각정보의 지각과 시각실인증

일차시각영역에서 감지된 시각정보는 지각되기 위하여 BA18과 BA19인 시각연합영역visual association area에서 시각자극에 대한 추가적인 분석과 처리가 이루어진다. BA18과 BA19 자체의 손상은 실명을 유발하지는 않는다. 그러나 시공간장애나 시각실인증 등을 일으킬 수 있다. 새발톱고랑을 기준으로 새발톱고랑상supracalcarine과 새발톱고랑하infracalcarine로 나누어, 새발톱고랑상의 손상은 편측이 손상되면 시공간장애를, 양반구 손상의 경우에는 시각적 지남력 저하를 초래한다.

새발톱고랑하의 경우에 좌반구 손상은 순수실독증pure alexia을 일으킨다. 순수실독증은 일반적으로 뇌량의 팽대손상과 연관된다. 우반구 손상은 통각

> **잠깐!**
>
> **발린트증후군**
>
> 발린트증후군(Balint syndrome)은 양측 후두엽과 두정엽이 손상되면 생길 수 있는데, 주요 증세는 동시실인증(simultanagnosia), 시각운동실조(optic ataxia), 안구운동실행증(oculomotor apraxia)이다.

> **잠깐!**
>
> **체감각**
>
> 감각은 감각수용기에 따라 일반감각(general sensory)과 특수감각(special sensory)으로 나뉜다. 일반감각은 몸에서 감지하는 통각, 촉각, 압각, 온도감각 등을 포함한다. 그런데 일반감각은 체감각(somatosensory)과 내장감각(visceral sensory)으로 다시 세분화된다. 체감각은 감각수용기가 피부, 근육, 건, 관절 등에 위치하며, 감각의 종류가 통각, 촉각 등으로 세분화되고 느껴지는 신체 부위가 정밀하다. 반면에 내장감각은 내부 장기에 있는 수용기가 받아들이는 감각으로서, 어떠한 유형의 감각인지 혹은 어느 지점에서 느껴지는지 등의 구별이 명확하지 않은 편이다. 내장감각은 공복감, 메스꺼움 등을 예로 들 수 있다.

적 시각실인증apperceptive visual agnosia을 유발할 수 있는데, 시각자극의 형태를 정확히 구성하지 못하여 무엇인지 인식하지 못하는 증상이다. 또한 좌반구 손상은 우측 색맹achromatopsia이나 색명칭실증color anomia을, 우반구 손상은 좌측 색맹을 일으킨다.

한편, 양반구 손상은 연합적 시각실인증이나 얼굴실인증을 유발한다. 연합적 시각실인증associative visual agnosia은 자극을 볼 수는 있으나 자극의 의미(즉, 용도, 이름 등)를 파악하지 못하는 증세이다. 그러므로 시각실인증 환자는 자신이 보고 있는 자극을 알아내기 위하여 촉각단서에 의지하고자 자극을 자꾸만 만져 보려는 행동을 하게 된다. 또한 얼굴실인증prosopagnosia은 사람의 얼굴을 보고도 누구인지 인식하지 못하는 증세로서, 인식하지 못하는 대상이 얼굴에만 국한되며 사물의 경우에는 대개 문제가 없다.

시각연합영역에서 처리된 정보는 두 가지 경로로 옮겨 가는데, 위치경로where pathway와 대상경로what pathway가 그것이다. 첫째, 위치경로는 등쪽시각체계dorsal visual system라고도 하며, 시각자극의 공간적 배치를 인지하기 위해 후두엽에서 두정엽으로 진행되는 경로이다. 이 경로가 손상되면 공간에 대한 주의장애가 생기며 주의의 폭이 매우 좁아짐으로써 한 번에 한 가지 대상만 인식하게 된다. 이러한 현상을 동시실인증simultanagnosia이라고 한다. 둘째, 대상경로는 배쪽시각체계ventral visual system라고도 하며, 시각자극의 형태를 인식하기 위한 통로로서 후두엽에서 측두엽으로 진행한다. 대상경로가 손상되면 시각자극의 단편적인 세부 특징을 인식하기는 하나 특징들을 통합하여 전체 형태를 구성하지 못하거나, 비록 통합은 가능하지만 그것이 구체적으로 무엇인지를 재인하지 못한다.

체감각처리와 관련 언어병리

체감각감지와 언어병리

체감각은 피부나 근육 등에서 감지하는 촉각, 위치감각, 온도감각, 압각, 통각 등이며, 이 중 촉각이나 위치감각은 조음을 할 때 조음기가 어디에 닿는지, 어디에 위치하는지 등에 대한 정보를 처리하는 데 중요한 감각이다. 이 체감각은 일차체감각영역인 두정엽의 중심뒤이랑과 중심곁소엽에서 가장 먼저 받아들여진다. 중심뒤이랑은 BA3, BA1, BA2를 지칭하며, 피질내측면에서 볼 때 중심고랑의 바로 뒤 이랑인 중심곁소엽도 포함

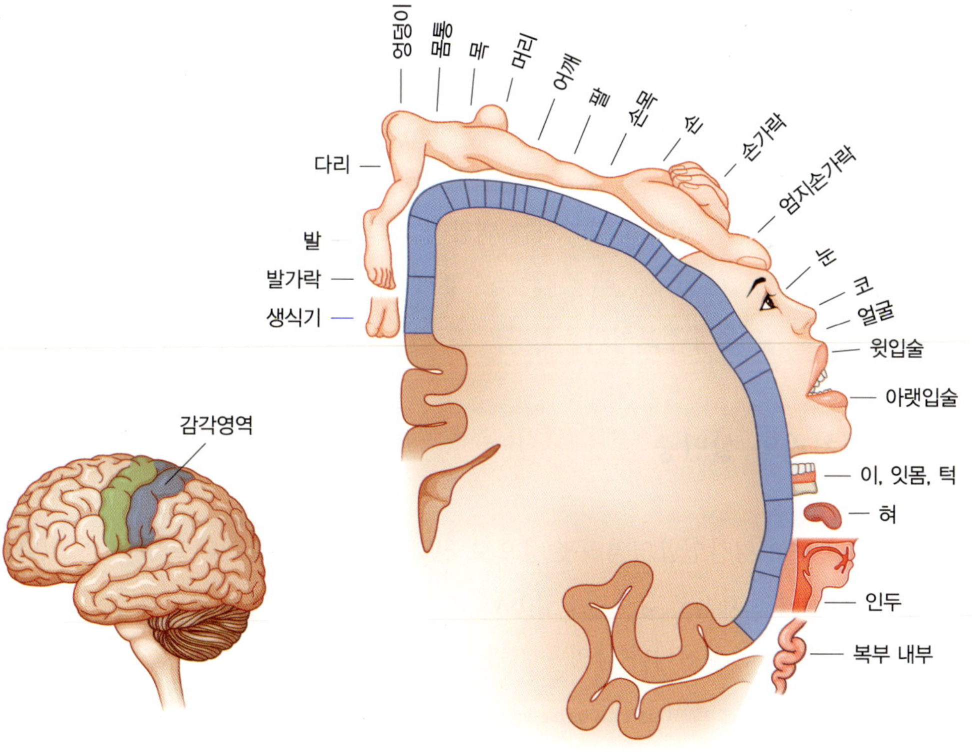

그림 5-3 호먼큘러스의 감각영역
일차체감각영역인 BA3, BA1, BA2는 신체의 특정 부위별로 감각기능에 대응되어 있는 국소해부학적 구조로 이루어져 있다.

한다. 체감각이 느껴지기 위해서는 척수의 후주dorsal columm나 뇌간, 삼차신경체계, 그리고 척수시상계로부터 받아들여진 감각정보가 시상의 배쪽외측핵을 거쳐 일차체감각영역으로 전달되어야 한다.

그런데 일차체감각영역은 신체의 특정 부위별로 감각기능에 대응되어 있는 부위별 체감각 대응조직somatotopical organization으로 구성되어 있다. 이러한 사실은 캐나다의 신경외과 의사였던 펜필드Wilder Penfield, 1891~1976가 1952년에 그린 '펜필드 호먼큘러스'로써 잘 드러난다(그림 5-3). 호먼큘러스homunculus는 라틴어로 '작은 인간'을 의미하며 연금술에서 유래한 개념이다. 펜필드는 간질 환자들의 특정 뇌 영역을 자극하면 환자가 신체 여러 부위에서 감각을 경험하는 사실에 근거하여 감각지도를 제시하였다. 대뇌피질에 그려진 신체 부위는 실제 부위의 크기와 비례하지는 않으며, 그 신체 활동이 얼마나 섬세한 감각운동을 요하느냐에 따라 그려진 크기가 다른 것을 알 수 있다.

감각정보는 감각수용기에서 출발하여 신체와 대측되는 일차체감각영역에 도달한다. 이때 얼굴 부위의 감각은 좀 더 외측고랑에 가깝게 투사되고, 다리 부위의 감각은 중심곁소엽 쪽으로 투사된다. 일차체감각영역이 손상되면 대측 신체 부위에 감각이상paresthesia이나 무감각anesthesia 증세가 나타난다.

한편, 실비안종렬 바로 위, 중심뒤이랑에 작게 위치한 BA43은 미세한 감각을 변별하여 무게나 온도 등의 변화를 감지하는 역할을 한다. 상두정소엽인 BA5와 BA7 영역은 체감각연합영역somatosensory association area으로서 무게, 온도 등 미세한 감각 차이 변별fine sensory discrimination 등의 정보처리를 한다.

인식처리와 실인증

앞서 측두엽 청각연합영역의 손상으로 청각실인증이 유발된다고 밝힌 바 있다. 체감각연합영역인 좌반구 상두정소엽(BA5, BA7)의 손상은 신체와 관련된 실인증을 일으킬 수 있다. 먼저, 자신이나 남의 손가락을 제대로 인지하지 못하는 손가락실인증finger agnosia이 있다. 또한 촉각실인증tactile agnosia를 보일 수 있는데, 저장된 촉각 경험이 없어져 촉각적 자극의 의미를 파악하지 못하므로 눈을 감은 상태에서 물건을 쥐어 주고 알아맞히도록 해도 무엇인지를 인식하지 못한다. 촉각실인증은 하두정소엽의 손상으로도 유발된다. 우반구 상두정소엽의 손상은 시공간장애를 일으키기도 한다. 실인증과 관련된 손상 영역에 대한 설명은 다음에 이어진다.

이질양식 연합기능 처리와 관련 언어병리

두정엽의 이질양식 연합기능

두정엽의 좌·우반구는 각각 다른 기능을 지닌다. 좌반구 두정엽의 하두정소엽에 속하는 각이랑인 BA39와 모서리위이랑인 BA40은 이질양식 연합영역으로서 다양한 인지기능에 관여하므로 손상 시에는 여러 가지 인지장애를 보이게 된다.

또한, 좌반구의 이질양식 연합영역이 손상되면 명칭실증anomia이 발생한다. 명칭실증은 시각적으로 제시된 실제 사물, 사물 그림, 이미지 등을 어휘와 연결하거나 통합하는 데 어려움을 보이는 증세이다. 또한 전도실어증conduction aphasia을 일으킬 수 있는데, 자발적인 발화를 산출하거나 말을 이해하는 데에는 큰 문제가 없으나 들은 것을 그대로 따라 말하는 상황에서는 어려움을 보이게 된다. 이는 이질양식 연합영역에는 활모양다발arcuate fasciculus이나 상종단다발superior longitudinal fasciculus과 같이 표현언어영역과 이해언어영역을 잇는 연합섬유가 지나가기 때문이다. 실독증alexia을 유발하기도 하는데 이 영역은 음소저장고phonological storage의 역할을 하며, 시각적 언어자극의 지각이나 이해, 음소phoneme나 자소grapheme 처리 등의 역할을 하기 때문이다. 또한 속담proverb이나 은유metaphor 등의 해석에 어려움을 보이거나 비슷한 점을 판단하는 유사analogy 과제 등에서도 문제를 보이는 화용론적 측면의 언어장애를 유발하기도 한다.

이 밖에도 좌반구 이질양식 연합영역의 손상은 상두정소엽(BA5, BA7)의 손상으로도 생기는 촉각실인증astereognosia을 유발할 수 있다. 게르스만증후군Gerstmann syndrome도 관찰될 수 있는데 이 중후군은 글씨를 제대로 못 쓰는 실서증agraphia, 계산을 못하는 실산증acalculia, 자신이나 남의 손가락을 제대로 인지하지 못하는 손가락실인증finger agnosia, 좌우를 구별 못하는 좌우지남력장애left-right disorientation 등의 네 가지 기능장애를 보이는 상태를

> **잠깐!**
>
> **게르스만증후군**
>
> 게르스만증후군을 구성하는 네 가지 요소인 실서증, 실산증, 손가락실인증, 좌우지남력장애를 각 요소의 한 글자씩을 따서 '서산손좌' → '서산손자' → '서산에 사는 손자가 글도 못 쓰고 계산도 못 하네' 구절로 암기해 보자.

말한다. 이 밖에도 관념운동실행증ideomotor apraxia이 올 수 있는데 실행증은 '동작처리와 실행증'(130쪽)에서 자세히 설명된다.

이번에는 우반구 손상 시에 관찰될 수 있는 장애에 대하여 알아보자. 우반구의 하두정소엽이 손상되면 좌측 시야에 놓인 자극을 잘 인식하지 못하는 좌측 시공간 무시증left visuospatial neglect이 나타난다. 또한 자신이나 사물(들)의 상대적인 위치를 파악하지 못하는 시공간장애visuospatial disorders가 생기거나 지리적 지남력장애geographic disorientation 등으로 인하여 길이나 방향을 잃기도 한다. 이 밖에도 여러 자극 중에서 한 가지에 주의를 집중하지 못하는 선택적 주의력 결핍selective attention deficits을 보이거나 하던 운동 과제에 꾸준히 집중하지 못하는 운동지속장애motor impersistence를 보인다. 실인증의 유형으로는 자신이 겪고 있는 편측 마비에 대하여 제대로 인식하지 못하고 무관심한 상태인 질병불각증anosognosia을 나타낸다. 또한 우측 두정엽 손상으로 자신의 신체 부위를 인지하지 못하는 자가국소실인증autotopagnosia 등이 관찰될 수 있다. 구성실행증construction[al] apraxia이나 착의실행증dressing apraxia 등의 실행증도 유발될 수 있는데, 이는 130쪽에서 상세히 알아보자.

측두엽의 이질양식 연합기능

측두엽의 경우, 청각연합영역 이외의 일부 영역들은 명확하게 이질양식 연합영역으로 분류되지는 않으나, 청각에만 국한된 단양식 연합기능이 아닌 기능들을 수행하므로 여기서 다룬다. 좌반구 측두엽의 BA37은 방추형이랑fusiform gyrus으로서, 손상 시에 실독증이나 연결피질감각실어증transcortical sensory aphasia을 나타낸다. 연결피질감각실어증은 자발화는 비교적 유지되나 청각적 이해력이 상당히 저하되고, 이해력에 비하여 따라말하기 수행력이 상대적으로 보존되는 실어증 유형이다. 한편, 우반구 BA37이 손상되면 시각적으로 제시된 사물이나 그림 등의 대상을 정확하게 인식하지 못하는 시지각장애visuoperceptual disorders를 유발하며, 양측 BA37이 모두 손상되면 얼굴실인증prosopagnosia을 일으킨다.

운동처리와 관련 언어병리

말기관 운동과 마비말장애[마비성 구음장애]

전두엽의 중심이랑에 위치한 일차운동영역은 BA4로서, 두정엽의 일차체감각영역과 마찬가지로 여러 신체 구조(예: 다리, 손, 입술)의 운동이 신체 부위에 따라 뇌의 특정 영역에서 담당한다는 운동 호먼큘러스 구조로 이루어져 있다(그림 5-4). 일차운동피질로 전달된 운동명령은 각 신체 부위에 대응되는 피질영역에서 처리된다. 이후 운

> **잠깐!**
>
> **4개의 호먼큘러스**
>
> 호먼큘러스는 좌뇌와 우뇌에 위치한 대칭적 구조이므로 좌감각, 우감각, 좌운동, 우운동 등 총 4개가 있다.

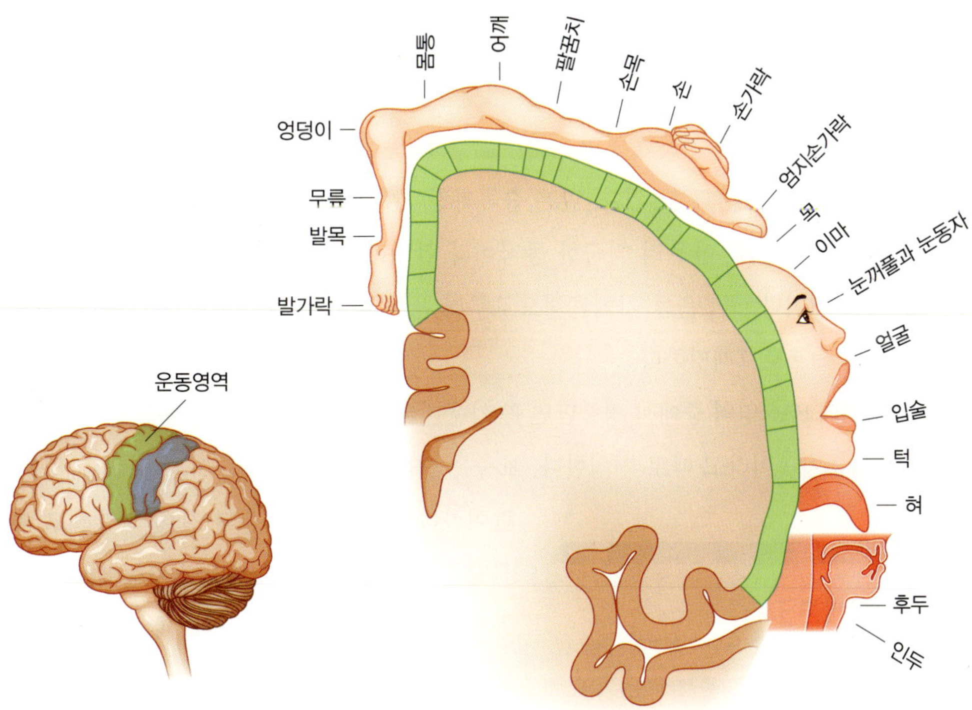

그림 5-4 호먼큘러스의 운동영역
일차운동영역인 BA4는 신체의 특정 부위별로 운동기능을 내려보내는 국소해부학적 구조로 이루어져 있다.

동신경세포를 통하여 대측 말초운동기관에 도달하게 된다. 예컨대, 좌뇌에서 내려오는 운동명령은 우측의 말초기관을 움직이게 한다. 따라서 일차운동영역이 손상되면 대측 신체 부위에 마비 증세를 보인다.

그런데 얼굴, 후두 등의 운동을 담당하는 부위는 실비안종렬에 좀 더 가까이 있어 배쪽 일차운동영역ventral primary motor area에서 찾아볼 수 있는 반면, 다리 부위의 운동은 중심결소엽 쪽에서 담당한다. 배쪽 일차운동영역이 손상되면 후두, 연구개, 입술, 혀 등의 운동 장애를 유발하면서 마비말장애[마비성 구음장애]를 일으키는 원인이 된다. 한쪽 손상은 편측 상부운동신경세포형unilateral upper motor neuron[UUMN] 마비말장애[마비성 구음장애]를 일으켜 부정확한 조음을 유발한다. 양측 손상은 경직형spastic 마비말장애[마비성 구음장애]를 일으키는데, 쥐어짜는 듯한 음성strained-strangled voice, 간헐적인 비강공명, 느린 조음 등이 그 특징이다.

말운동 프로그래밍과 말실행증

일차운동영역에서 말을 수행하는 명령을 신체기관에 내려보내기에 앞서, 전두엽의 BA6과 BA8이라는 전운동영역premotor area(이차운동영역)에서 말운동이 조직organization되고 프로그래밍programming된다. 말은 습득과정에서 운동 기억흔적motor engram으로 우리 뇌 속에 저장되는데, 아무리 익숙한 동작이라 할지라도 무의식적으로 조직과 프로그래밍 단계를 거친다. 즉, 운동 기억흔적으로부터 운동 행위를 선택하고, 개시하며, 구체적인 말운동을 프로그래밍한다.

그런데 BA6 영역 중에서 정중단면 쪽 가운데에 위치한 영역을 보충운동영역supplementary motor area[SMA]이라고 따로 지칭한다. 보충운동영역은 움직임을 순차화sequencing하는 데에 관여한다. 그러므로 조음과 같이 복잡하고 빠르며 긴밀한 조음기의 운동이 필요한 활동에서 이 보충운동영역의 역할은 필수적이라고 할 수 있다. 우리가 오랫동안 학습하여 익숙해진 조음 동작은 뇌의 동작사전praxicon에 저장된다. 조음하면서 동작사전에 저장된 패턴과 대조하여 정확한 조음을 생성한다.

> **잠깐!**
>
> **BA8의 정중단면 쪽 영역**
>
> BA8의 정중단면 쪽 영역은 전두안구영역(frontal eye field)으로서 빠른 안구 움직임을 개시하는 기능을 담당한다. 전두안구영역에 세포체를 둔 신경세포는 내포를 거쳐 중뇌의 동안 신경핵(3번 뇌신경)까지 이어진다.

전운동영역, 특히 보충운동영역(BA6)이 손상되

면 복잡한 운동에 대한 수행장애를 보이고, 일련의 말동작sequential speech movements이나 프로그래밍 장애를 보이는 말실행증apraxia of speech을 일으킨다. 말실행증은 말근육의 마비 증세나 감각소실, 혹은 청각적 언어이해력의 장애로는 설명되지 않는 동작의 장애이다.

그런데 손상 시에 말실행증을 유발하는 뇌영역에 뇌섬(BA15)이 포함되는 것으로 알려져 있는데, 특히 좌측 앞뇌섬이 손상되는 경우에 말실행증이 관찰된다. 말더듬stuttering 화자의 경우에는 우측 앞뇌섬이 과다하게 활성화되기도 한다.

언어표현과 브로카실어증

전두엽의 하전두이랑에는 전운동영역의 바로 옆에 나란히 BA44와 BA45가 있는데, BA44는 전두덮개부frontal operculum 부분에, BA45는 삼각부pars triangularis에 해당한다. 좌반구의 이 영역들은 합해서 기능적으로 브로카영역이라는 표현언어중추로 알려져 있다. 이 부분이 손상되면 브로카실어증을 유발하는데, 발화 길이가 짧으며, 조사('에' '가' '를') 등을 누락하는 실문법증agrammatism과 운율이 단조로운 언어적 실율증linguistic aprosodia을 보인다. 특히, BA44의 손상은 발성실행증apraxia of phonation[AOP]을 일으켜 '아-' 소리 등을 내 보도록 지시하면 소리를 내지 못한다. 그러나 통증을 느끼는 상황(예: 주사를 맞을 때)에서는 자발적으로 소리를 낼 수 있으므로 성대마비 등으로 인해 발성이 어려운 경우와는 감별이 가능하다.

반면에, 우반구에 위치한 BA44, BA45, BA47의 손상은 말에 적당한 감정이나 운율을 넣지 못하는 감정적 실율증emotional aprosodia이나 정동장애affect disorder를 일으킬 수 있다. 실율증 환자는 운율 요소가 중요한 언어(예: 중국어, 태국어)를 구사하거나 동일 문구로 의문문과 긍정문을 표현하게 되는 상황(예: "밥 먹었어." "밥 먹었어?")에서 더욱 어려움을 느낄 수 있다.

따라말하기와 전도실어증

BA15는 뇌섬에 위치하는데, 뇌섬은 실비우스 주위피질을 중심으로 있는 전두엽, 두정엽, 측두엽의 덮개부 안쪽에 위치하므로 측두엽과 전두엽을 이어 주는 연결섬유의 통로 역할을 한다. 따라서 뇌섬은 따라말하기 수행에 관여하며 손상 시에는 전도실어증이 유발될 수 있다. BA40인 모서리위이랑supramarginal gyrus 역시 전도실어증과 관련이 있다.

동작처리와 실행증

두정엽의 상두정소엽인 BA5와 BA7은 체감각연합영역이며, 운동 계획 및 신체공간 인식 등을 담당한다. 따라서 이곳이 손상되면 지시받은 동작이나 행동을 제대로 수행하지 못하는 관념운동실행증ideomotor apraxia이 나타날 수 있다. 예컨대, 못질하기를 흉내 내 보라고 하면 한 손으로 못을 쥐는 시늉을 하지 못하거나, 왼손가락 위에 오른손으로 망치질을 하는 오류 동작을 보이기도 한다. 한편, 실제로 못을 쥐어 주어도 어떤 동작을 해야 할지 망설이면서 하지 못하는 관념실행증ideational apraxia이 관찰될 수 있다. 이처럼 관념실행증은 일상생활에 사용되는 도구나 물건의 기능이나 목적에 대한 개념 자체를 상실하여 동작을 계획하고 수행하지 못하는 증세이다.

> **잠깐!**
>
> **실행증**
>
> 실행증은 이미 익혀 숙련된 동작을 더 이상 수행하지 못하는 증상이다. 실행증은 근육 약화나 감각이상 때문이거나 혹은 협응장애, 지시 사항을 알아듣지 못하여 발생하는 것을 뜻하지 않는다.

우측 상두정소엽이 손상되면 또한 이차원 혹은 삼차원 공간에서 그림 그리기, 나무토막 쌓기 등의 과제를 제대로 수행하지 못하는 구성실행증construction[al] apraxia을 유발할 수 있다. 그리고 질병불각증이나 시공간무시증으로 인하여 옷의 한쪽을 입지 않거나, 시공간장애로 인하여 옷을 전혀 입지 못하는 등의 증세인 착의실행증dressing apraxia을 보이기도 한다. 양반구 상두정소엽의 손상은 심한 관념운동실행증과 보행실행증gait apraxia을 유발한다. 보행실행증은 걸을 때 양쪽 발의 순차적인 움직임이 어렵거나, 공 차는 행동 등에서 발의 위치와 움직임을 적절히 계획하지 못하는 장애를 말한다.

고등기능처리와 전전두엽기능 장애

전두엽에서 일차운동영역과 전운동영역을 제외하고 전두엽의 앞쪽을 통틀어 전전두엽prefrontal cortex이라고 한다. 전전두엽은 전두엽 내에서 전운동영역premotor area 바로 앞에서 시작되는데, BA8, BA9, BA10, BA11, BA12, BA45, BA46 등을 광범위하게 포함한다. 전전두엽은 측두엽, 두정엽, 후두엽뿐만 아니라 변연계 등과 연계되어 그 영역들에서 분석된 정보를 바탕으로 인간이 가장 인간다울 수 있는 고등기능, 판단, 문제 해결 등을 수행하는 데 관여한다. 따라서 전전두엽은 다양한 감각과 정보를 통합하는 이질양식 연합 영역이라고 할 수 있다.

전전두엽은 크게 세 가지 영역, 즉 등쪽외측 전전두피질, 안와전두피질, 상부내측피질로 나눌 수 있다.

첫째, 등쪽외측 전전두피질dorsolateral prefrontal cortex[DLPFC]은 BA8, BA9, BA10의 외측면과 BA46 등을 포함하며, 계획을 세우고 목표를 점검하는 집행기능execution이나 긍정 정서와 관련되는 부위이다. 언어에 관련해서는 문장이나 단어를 산출하고자 할 때 목표에 집중하여 목표어나 발화를 생성하게 하는 역할을 하므로 단어생성검사COWAT가 유용하다. 등쪽외측 전전두피질이 손상되면 계획을 세우고 목표를 점검하는 집행기능이 저하되면서 문제 해결 능력에 장애를 보인다. 또한 따라말하기나 숫자 세기와 같이 의지 통제가 필요 없는 과제에서는 어려움을 보이지 않지만 자발화 말하기나 동물 이름대기 등의 과제에서는 수행력이 떨어지는 연결피질운동실어증transcortical motor aphasia을 보인다. 또한 우울증이나 지능장애를 일으키기도 한다.

둘째, 전전두엽 중에 BA11과 BA12는 각각 곧은이랑과 안와이랑으로서 합하여 안와전두피질orbitofrontal cortex이라 하며, 감정 표현의 억제기능을 담당한다. 안와전두피질 손상 환자는 감정장애를 일으키는데, 자신의 기분 상태나 감정을 억제하지 못하고 분출하게 되는 탈억제disinhibition 증세를 나타낼 수 있다. 이러한 탈억제 증세는 외상성 뇌손상 환자들에게 흔히 관찰된다.

셋째, 상부내측피질superomesial cortex은 전두엽 상부의 BA6, BA8, BA9 등의 내측면과 BA32, BA33 등을 포함한다. 상부내측피질은 변연계에 속하는 대상이랑에 가깝게 위치하므로 감정정보, 동기 의식, 기억정보 등과 연합하여 행동을 수행하는 역할을 담당한다. 상부내측피질이 손상되면 동기 유발이 제대로 되지 않고, 어떠한 일을 이루고자 하는 마음이 부족한 상태인 무의지증abulia을 보인다. 이 경우, 언어 평가 시에 자극에 대한 반응이 없거나 반응 속도가 상당히 느려질 수 있으므로 평가 결과를 해석할 때 주의가 필요하다. 또한 상부내측피질의 손상으로 인하여, 마음의 동요는 있으나 이를 제대로 밖으로 표출하지 못하는 상태인 무감동apathy 증세를 보일 수 있다.

행동개시와 무의지증

대상이랑cingulate gy.은 앞부분과 뒷부분으로 나뉘며 앞은 BA24, BA32, BA33이고, 뒤는 BA23, BA31이다. 대상이랑의 앞부분은 행동을 개시하는 데 관여하므로 손상 시에 무의지증abulia을 유발하는데, 앞서 언급하였듯이 무의지증은 전두엽의 상부내측피질 손상으로도 관찰될 수 있다. 좌·우반구의 앞부분 대상이랑이 손상되면 영구적인 무동성 함구증akinetic mutism을 유발한다.

미각 및 후각 처리와 관련 언어병리

일차미각영역은 두정덮개부patietal operculum의 BA43에 해당하며, 실비안종렬의 바로 위에 위치한다. 또한 뇌섬의 앞부분은 미각, 후각, 변연계 기능 등과 관련이 있는 것으로 알려져 있다.

한편, 측두엽의 내측면에서 관찰되는 해마곁이랑인 BA28의 앞부분, 즉 내후각피질entorhinal cortex은 일차후각영역으로서 후각과 관련이 있다. 일차후각영역은 BA28의 앞부분뿐만 아니라 측두엽의 이상pyriform과 편도체결피질도 포함한다. 측두엽의 내측면인 BA28이 손상되면 냄새를 맡았을 때 그 후각자극이 무슨 냄새인지를 기억해 내지 못하는 후각기억장애olfactory agnosia를 유발한다.

감정처리와 관련 언어병리

변연계의 또 다른 주요 역할은 기분mood이나 정동affect을 조절하는 것이므로 손상 시에는 기분 조절 능력의 저하나 정동장애affect disorder를 보인다. 기분과 정동은 일반적으로 감정emotion이라고 통칭되나, 좀 더 구체적으로 살펴보면 기분은 지속적이고도 주관적인 상태(예: 우울감, 행복감, 불안감)를 말하고, 정동은 현재 감정을 외부로 드러내는 상태(예: 몸짓, 말투, 표정)로서 검사자가 객관적으로 평가하여 상태를 측정할 수 있다. 변연계가 손상되면 감정의 기복이 심한 감정적 불안정성emotional lability을 유발할 수 있는데, 이

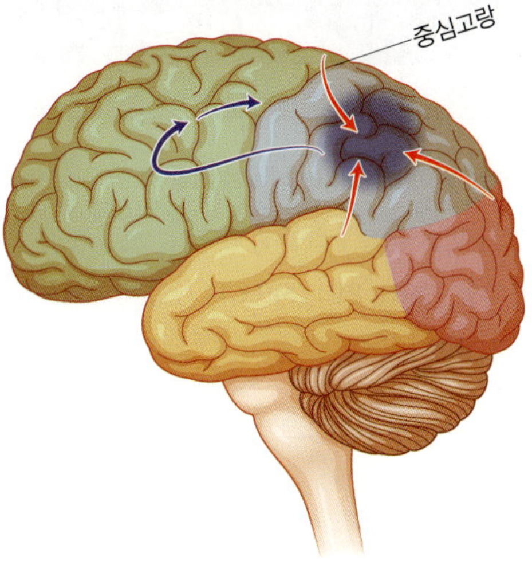

그림 5-5 두정엽과 다른 뇌엽 간의 연결
대뇌피질에서는 두정엽의 연합영역과 다른 뇌엽들 간의 기능적 연결이 끊임없이 이루어지면서 신경신호의 전달이 이루어진다. ➡는 각 뇌엽의 일 · 이차영역이나 단양식 연합영역으로부터 정보가 두정엽의 이질양식 연합영역, ●에서 통합되기 위하여 전달되는 방향을 의미한다. ➡는 운동신호로 전두엽영역들에 전달되는 방향을 뜻한다.

경우에 갑자기 울다가 웃곤 하는 증세가 나타나기도 한다.

그런데 감정처리 기능이 언어나 말에는 어떤 역할을 할까? 말에서 나타나는 음성, 억양, 크기, 높낮이 등의 초분절적 요소suprasegmental feature를 반영하여 언어의 의미를 한층 적절하게 전달할 수 있다.

지금까지 대뇌의 각 영역이 손상되면 나타나는 장애에 대하여 살펴보았다. 그런데 뇌엽의 영역들은 따로 분리되어 기능하는 것이 아니라 그림 5-5와 같이 기능적으로 연결되어 활동한다. 예컨대, 두정엽과 전두엽은 서로 연결됨으로써 받아들여진 감각에 따라 운동기능을 하게 된다. 또한 감각정보의 통합이 이루어질 때 변연계 및 시상하부 등의 영역과의 기능적 연결이 이루어진다. 언어활동을 할 때에도 되먹임feedback을 통하여 감각정보를 끊임없이 받아들이며 정확한 의사소통을 가능하게 한다. 이는 언어가 다른 상위 인지 처리와 불가분의 관계에 있으며 개인의 경험이나 기억 등의 다양한 인지적 · 정서적 활동에 관련되기 때문이다.

다음 장에서는 뇌영역들이 연결 섬유다발을 통해 서로 이어지는 것에 대하여 구체적으로 알아볼 것이다.

개념 및 용어 정리

뇌의 구조나 기능을 알아볼 수 있는 뇌영상 기법

- **CT, MRI**: 객관적인 병소 부위를 밝힌다.
- **EEG나 뇌자극법, fMRI, PET, SPECT**: 특정 행동에 따라 어떤 뇌영역이 활성화되는지를 알아볼 수 있다.

골상학: 갈에 의해 주창된 학문으로서 두개골의 모양이나 크기가 사람의 성격이나 지적 능력을 결정한다고 본다.

브로드만영역 지도: 세포구축학에 근거하여 대뇌의 피질영역을 뇌세포와 섬유질의 유형에 따른 조직학적 차이를 기준으로 47개 부위로 구분한 것

대뇌피질의 기능적 구분: 일차영역, 단양식 연합영역, 이질양식 연합영역

- **일차감각영역**: 감각정보를 가장 먼저 감지하여 처리하는 영역
  - 유형: 일차체감각영역, 일차청각영역, 일차시각영역, 일차미각영역
- **일차운동영역**: 운동에 관여하는 일차영역
- **단양식 연합영역**: 일차영역에서 받아들인 한 가지 양식의 감각정보를 구체적으로 분석하고 처리하는 영역
- **이질양식 연합영역**: 여러 가지 종류의 감각정보와 운동정보를 통합하고 해석하는 영역

청각처리와 관련 언어병리

- **청력과 청력장애**
- **소리 감지와 청각실인증**
  - 일차청각영역인 헤쉴이랑 BA41, BA42의 역할
  - 구어성, 비구어성, 범발성 청각실인증
  - 순수어농
- **청각적 지각과 청각적 지각결손**
  - 청각연합영역인 BA22, 측두평면의 역할
  - 청각실인증, 감각실음증, 비구어성 청각실인증

■ **언어이해와 베르니케실어증**

- 베르니케영역의 역할
- 베르니케실어증

기억처리와 관련 언어병리

■ **언어청각기억과 명칭실어증**

- 청각(언어)기억 및 어휘저장소로서 BA20의 역할
- 명칭실증, 명칭실어증

■ **시각기억과 명칭실증**

- 시각기억 기능에 관여하는 BA37
- 복잡한 기억 및 이미지 처리에 관여하는 BA38

시각처리와 관련 언어병리

■ **시각자극의 감지와 (반)맹증**

- 일차시각영역인 BA17의 역할
- 동측성 반맹증, 피질성 실명

■ **시각정보의 지각과 시각실인증**

- 시각연합영역인 BA18, BA19의 역할
- 시공간장애, 시각실인증(통각적, 연합적), 실독증, 색맹, 얼굴실인증, 동시실인증
- 시각연합영역에서 처리된 정보는 위치경로(=등쪽시각체계)와 대상경로(=배쪽시각체계)를 통해 두정엽으로 옮겨 간다.

체감각처리와 관련 언어병리

■ **체감각 감지와 언어병리**

- 일차체감각영역 BA3, BA1, BA2의 역할
- 피부나 근육 등에서 촉각, 위치감각, 온도감각, 압각, 통각 등을 감지한다.
- 일차체감각영역: 감각 호먼큘러스로 구성된다.

■ **인식처리와 실인증**

- 체감각연합영역인 상두정소엽 BA5, BA7의 역할
- 체감각 · 청각 · 시각 정보를 통합하여 처리한다.
- 손가락실인증, 촉각실인증
- 시공간장애

이질양식 연합기능 처리와 관련 언어병리

■ 두정엽의 연합기능

- BA39, BA40의 역할
- 좌측 손상: 명칭실증, 전도실어증, 촉각실인증, 실독증, 속담-은유-유사 판단 문제, 관념운동실행증, 게르스만증후군
- 우측 손상: 시공간무시증, 시공간장애, 지리적 지남력장애, 선택적 주의력 결손, 운동지속장애, 질병불각증, 자가국소실인증

■ 측두엽의 연합기능

- BA37의 역할
- 좌측 손상: 실독증, 연결피질감각실어증
- 우측 손상: 시지각장애
- 양측 손상: 얼굴실인증

운동처리와 관련 언어병리

■ 말기관 운동과 마비말장애[마비성 구음장애]

- 일차운동영역 BA4의 역할
- 운동명령을 각 신체기관에 전달한다.
- 일차운동영역: 운동 호먼큘러스로 구성된다.
- 배쪽 일차운동영역의 손상: 편측 상부운동신경세포형이나 경직형 마비말장애[마비성 구음장애]를 일으킨다.

■ 말운동 프로그래밍과 말실행증

- 이차운동영역(전운동영역) BA6, BA8의 역할
- 말운동을 조직하고 프로그래밍하는 영역으로 이미 습득된 운동에 대한 운동 기억 흔적이 저장되어 있다.
- 연관 영역: 보충운동영역, 뇌섬
- 말프로그래밍 장애: 말실행증

■ 언어표현과 브로카실어증

- 브로카영역(BA44의 전두덮개부와 BA45의 삼각부)의 역할
- 브로카실어증
- 특징: 실문법증, 언어적 실율증, 발성실행증

■ **따라말하기와 전도실어증**

- 뇌섬 BA15의 역할
- 전도실어증

■ **동작처리와 실행증**

- 체감각연합영역 BA5, BA7의 역할
- 동작사전
- 실행증의 유형: 관념운동실행증, 관념실행증, 구성실행증, 착의실행증, 보행실행증

■ **고등기능처리와 장애**

- 전전두엽 BA8, BA9, BA10, BA11, BA12, BA45, BA46의 역할
- 이질양식 연합영역
- 전전두엽의 분류: 등쪽외측 전전두피질, 안와전두피질, 상부내측피질
- 등쪽외측 전전두피질: 집행기능이나 긍정 정서와 관련되며 손상 시에는 문제 해결 능력 장애나 연결피질운동실어증을 보인다.
- 안와전두피질: 감정표현의 억제기능을 담당하며 손상 시에는 탈억제 증세를 보인다.
- 상부내측피질: 감정정보, 동기 의식, 기억정보 등과 연합하여 행동을 수행하는 역할을 하며 손상 시에는 무의지증, 무감동 등의 증세를 보인다.

■ **행동개시와 무의지증**

- 대상이랑 BA24, BA32, BA33, BA23, BA31의 역할
- 무의지증, 무동성 함구증

미각 및 후각 처리와 언어병리

■ 일차미각영역 두정덮개부 BA43의 역할

■ 뇌섬의 앞부분도 미각, 후각, 변연계 기능과 관련이 있다.

■ 후각기억, 후각기억장애

복습문제

1. 다음 보기에서 뇌의 기능에 대한 연구를 할 수 있는 도구를 모두 고르시오.

CT	MRI	EEG	fMRI	PET	SPECT

2. 다음 보기는 기능 처리에 따라 대뇌피질의 영역을 분류한 것이다. 각 설명이 가리키는 용어를 보기에서 고르시오.

가. 단양식 연합영역	나. 이질양식 연합영역	다. 일차영역

(1) ________에서는 여러 종류의 감각이 통합되면서 과거의 경험, 학습, 기억, 판단, 성격 등의 여러 정보 등이 활용된다.

(2) ________에서는 받아들여진 정보에 특정한 의미를 부여하기 위하여 과거에 경험했던 정보와 비교·분석하는 과정이 이루어진다.

3. 측두엽의 기능 처리에 관한 내용과 브로드만영역을 바르게 짝지으시오.

(1) 청각신호 감지기능	ㄱ. BA41, BA42
(2) 언어이해중추(베르니케영역)	ㄴ. BA38
(3) 언어기억기능(어휘 저장)	ㄷ. BA22의 뒤쪽 1/3
(4) 시각기억기능	ㄹ. BA37
(5) 복잡한 기억 및 이미지 처리기능	ㅁ. BA20

4. 다음은 후두엽의 기능 처리 및 손상에 관한 설명이다. 옳은 것에 ○, 틀린 것에 × 표시를 하시오.

(1) 일차시각영역은 시각정보에 대한 감지가 이루어지는 영역이다. (　　)

(2) BA17은 시각연합영역이다. (　　)

(3) 후두엽 손상은 시공간장애나 시각실인증 등의 기능장애를 유발한다. (　　)

5. 난쟁이 모형으로서 섬세하게 몸 부위별로 대응된 유형 특이적 원주의 특색을 나타내는 형태를 무엇이라 지칭하는가?

6. 다음 보기에서 두정엽 손상에 따라 관찰될 수 있는 연관장애를 모두 고르시오.

가. 명칭실증	나. 전도실어증	다. 관념운동실행증
라. 실독증	마. 게르스만증후군	바. 청각실인증

7. 이미 습득된 운동에 대한 운동 기억흔적이 저장되어 있으며, 운동 행위를 선택하고 개시하며 일련의 운동을 하기 위하여 조직화나 프로그램화에 관여하는 영역은 무엇인가?

8. 브로카실어증과 베르니케실어증을 유발할 수 있는 대표적인 각각의 영역을 브로드만영역 번호로 쓰시오.

(1) 브로카실어증:

(2) 베르니케실어증:

9. 전운동영역, 특히 보충운동영역(BA6)이 손상되면 일련의 말움직임이나 프로그램 장애를 보인다. 이러한 장애를 무엇이라 하는가?

10. 실비우스 주위피질을 중심으로 전두엽, 두정엽 및 측두엽의 덮개부 안쪽에 위치하며 손상 시에 전도실어증이 유발될 수 있는 뇌의 명칭을 쓰시오.

11. 일차피질영역(S1, M1, A1, V1)을 나타내는 브로드만영역 숫자들을 각각 쓰시오.

(1) 일차체감각영역 S1 ________

(2) 일차운동영역 M1 ________

(3) 일차청각영역 A1 ________

(4) 일차시각영역 V1 ________

12. 어떤 환자의 언어 증상이 이해는 가능하나 비유창한 언어를 사용하며 따라말하기도 불가능하다. 이 환자는 어느 영역, 브로드만영역 몇 번이 손상되었다고 의심할 수 있는가?

13. 다음은 두정엽 연합영역의 좌 · 우측 손상 위치와 장애를 짝지은 것이다. 옳은 것에 ○, 틀린 것에 × 표시를 하시오.

(1) 좌측–실서증(　　)

(2) 우측–시공간장애(　　)

(3) 좌측–전도실어증(　　)

(4) 우측–실독증(　　)

14. 게르스만증후군의 네 요소 중에서 착의실행증과 관련이 있는 것은 무엇인가?

15. 전전두피질의 세부 영역 중에서 계획을 세우고 목표를 점검하는 집행기능이나 긍정 정서와 관련되는 부위는 어디인가?

16. 손상 시에 명칭실어증을 유발하며 언어청각기억과 시각기억에 관여하는 영역으로 바르게 짝지어진 것은?

(1) BA20–BA21

(2) BA20–BA37

(3) BA37–BA38

(4) BA21–BA38

17. 브로드만영역 중에서 일차감각영역, 일차운동영역, 일차청각영역, 일차시각영역, 일차미각영역을 나타내는 숫자에 각각 동그라미를 치고 영역의 명칭을 쓰시오.

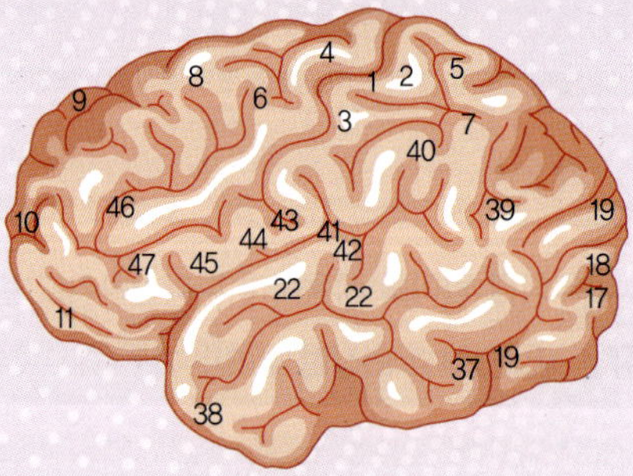

A. 외측면

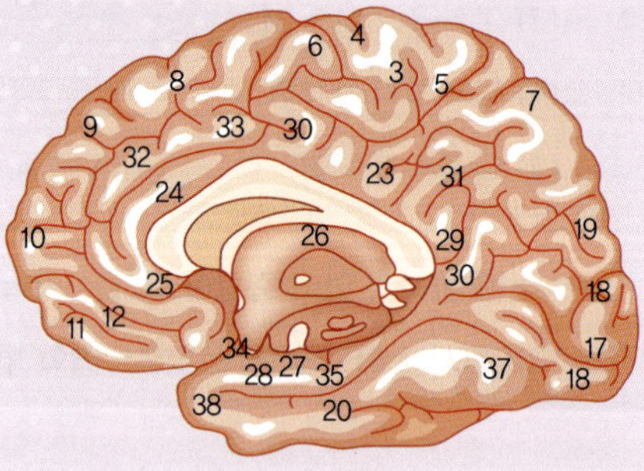

B. 내측면

18. **청각처리에 관한 설명으로 맞으면 옳은 것에 ○, 틀린 것에 × 표시를 하시오.**

(1) 소리신호를 가장 먼저 받아들이는 대뇌피질은 일차청각영역이다. (　　)

(2) 소리의 크기에 따라 헤쉴이랑의 서로 다른 부분이 활성화된다. (　　)

(3) 청각실인증은 청력 자체에 문제를 보이는 경우를 일컫는다. (　　)

(4) 소리신호에 대한 청각적 지각은 측두평면을 포함한 상측두이랑에서 이루어진다. (　　)

(5) 청각적 지각장애는 베르니케실어증을 유발할 수 있다.(　　)

19. **청각적 언어자극의 기억에 관여하며, 언어 습득과정에서 익히게 되는 단어를 저장하는 어휘저장소의 역할을 수행하는 대뇌피질영역과 브로드만영역의 번호를 쓰시오.**

20. **체감각처리에 관한 설명으로 옳은 것에 ○, 틀린 것에 × 표시를 하시오.**

(1) 얼굴 부위의 감각은 좀 더 중심고랑에 가깝게 투사된다. (　　)

(2) 체감각을 최초로 받아들이는 중추신경계는 피질의 일차체감각영역이다. (　　)

(3) 호먼큘러스의 신체 부위 크기는 신체활동의 종류와 상관없이 일정하다. (　　)

21. **손상 시에 말실행증이 유발되는 영역으로 가장 거리가 먼 것을 고르시오.**

(1) 보충운동영역

(2) 전운동영역

(3) 후두엽

(4) 뇌섬

22. **다음 각 정의가 가리키는 실행증의 유형을 쓰시오.**

(1) 못질하기 등의 특정한 목적을 위한 운동을 제대로 수행하지 못하는 증세: ________

(2) 이차원 혹은 삼차원 공간에서 그림 그리기, 나무토막 쌓기 등의 과제를 제대로 수행하지 못하는 증세: ________

(3) '아－' 소리 등을 내 보도록 지시해도 자발적으로 소리를 내지 못하는 증세: ________

23. **전전두엽의 상부내측피질이 손상되면 동기 유발이 저하되어 하고자 하는 의지가 떨어지게 되는 증세는 무엇인지 쓰시오.**

24. **다음은 시각연합영역에서 처리된 정보가 옮겨지는 두 가지 경로에 대한 설명이다. 옳은 것에 ○, 틀린 것에 × 표시를 하시오.**

(1) 위치경로는 등쪽시각체계이고, 대상경로는 배쪽시각체계이다. ( )

(2) 대상경로가 손상되면 동시실인증이 나타날 수 있다. ( )

정답

1. EEG, fMRI, PET, SPECT
2. (1) 나 (2) 가
3. (1) ㄱ (2) ㄷ (3) ㅁ (4) ㄹ (5) ㄴ
4. (1) ○ (2) × *BA17은 일차시각영역이고, 시각연합영역은 BA18, BA19임. (3) ○
5. 호먼큘러스
6. 가, 나, 다, 라, 마
7. 전운동영역
8. (1) 브로카실어증: BA44, BA45 (2) 베르니케실어증: BA22
9. 말실행증
10. 뇌섬
11. (1) BA3, BA2, BA1 (2) BA4 (3) BA41, BA42 (4) BA17
12. 브로카영역, BA44, BA45
13. (1) ○ (2) ○ (3) ○ (4) × *실독증은 좌측 두정엽 연합영역의 손상에 기인함.
14. 좌우지남력장애
15. 등쪽외측 전전두피질
16. (2)
17.

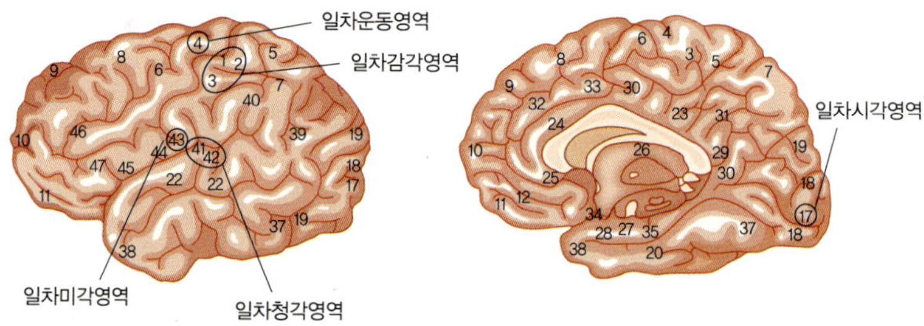

18. (1) ○ (2) × *크기가 아니라 주파수에 따라 헤쉴이랑의 서로 다른 부분이 활성화됨. (3) × *청각실인증은 청력 자체에는 이상이 없으나 청각정보 자극을 뇌에서 감지하지 못하는 현상임. (4) ○ (5) ○
19. 하측두이랑, BA20
20. (1) × *얼굴 부위의 감각은 좀 더 외측고랑에 가깝게 투사됨. (2) × *체감각을 최초로 받아들이는 중추신경계는 척수나 뇌간임. (3) × *신체활동이 얼마나 섬세한 감각 · 운동을 요하느냐에 따라 호먼큘러스 신체 부위에 그려진 크기가 다름.
21. (3)
22. (1) 관념운동실행증 (2) 구성실행증 (3) 발성실행증
23. 무의지증
24. (1) ○ (2) × *동시실인증은 위치경로가 손상될 때 나타날 수 있음.

제 6 장

뇌의 섬유다발

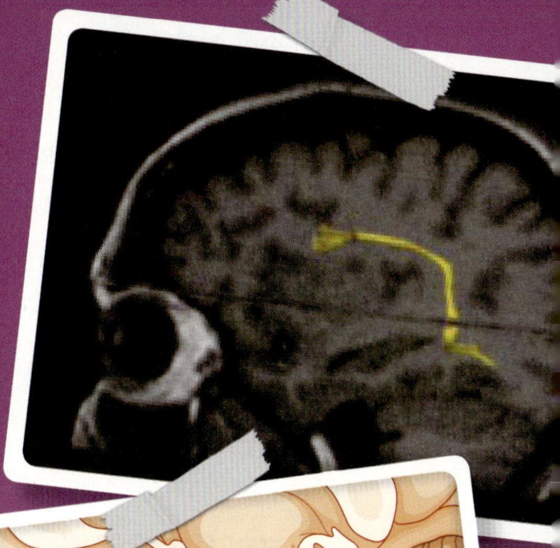

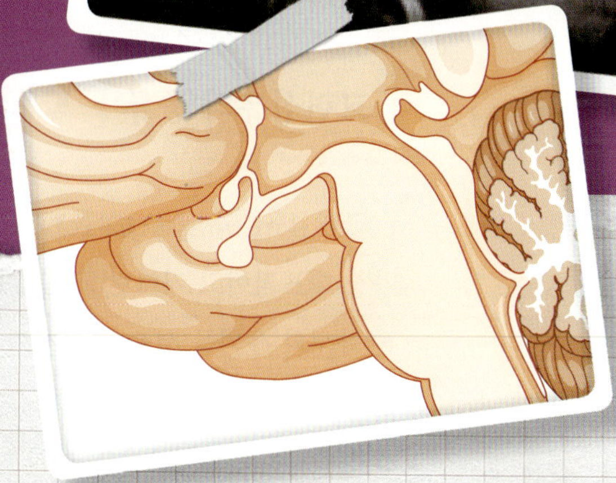

학습목표

- 교련섬유의 종류와 역할에 대해 살펴본다.
- 뇌량 손상과 언어병리에 대해 살펴본다.
- 연합섬유의 종류와 역할에 대해 살펴본다.
- 투사섬유의 종류와 역할에 대해 살펴본다.
- 투사섬유 중에 감각섬유의 종류와 기능에 대해 학습한다.
- 투사섬유 중에 운동섬유의 종류와 기능에 대해 학습한다.
- 투사섬유 손상과 언어병리에 대해 살펴본다.

지금까지 영역별로 세분화된 다양한 뇌구조들을 익혔다. 그런데 뇌의 구조들은 서로 기능적으로 연결된 유기체이다. 뇌구조들이 기능적으로 서로 연결되어 있다는 것은 뇌의 한 부분이 손상되면 다른 뇌영역으로 그 영향이 확산될 수 있다는 단점이 있는 반면, 회복하는 과정에서 다른 뇌영역이 손상 영역의 기능을 보완할 여지가 있다는 장점이 있다.

뇌의 서로 다른 영역들은 수많은 축삭으로 형성된 섬유다발fibers로 연결되어 있다. 뇌영역 간 연결 섬유다발의 대표적 유형으로는 교련섬유, 연합섬유, 투사섬유가 있다. 신경계의 신경로tracts는 중추신경계인 뇌와 척수가 말초신경계인 뇌신경과 척수신경을 통하여 신체기관 및 근육의 감각·운동 기능을 이어 주는 역할을 한다.

교련섬유

교련섬유의 종류

교련섬유commissural fibers는 좌우의 대뇌반구를 연결하는 백질 섬유다발이다(그림 6-1). 가장 대표적이고 커다란 교련섬유는 앞서 여러 차례 언급된 뇌량corpus callosum이다. 뇌량은 좌뇌와 우뇌를 서로 연결시키는 교량 역할을 하여 좌·우뇌의 기능을 통합한다. 뇌량의 전체 길이는 약 10cm이며, 두께는 약 0.6cm이다. 앞쪽으로부터 부리, 무릎, 몸체, 팽대로 나누어진다. 뇌량은 최신 기능적 신경영상 기법인 신경경로 영상술tractography에 의하여 그 연결 경로가 명확하게 확인될 수 있다(그림 6-2).

전교련anterior commissure은 뇌궁 앞에 위치하며, 좌·우뇌의 중측두이랑, 하측두이랑, 편도체 간을 서로 연결한다. 또한 전교련은 한쪽 대뇌반구의 후두엽과 반대쪽 대뇌반구의 측두엽을 연결하여, 시청각visual-auditory 연합에 중요한 기능을 한다. 후교련posterior c.은 뇌수도관의 상부 등쪽에 위치한다. 후교련은 중뇌에 있는 좌우의 덮개앞핵pretectal nuclei을 연결하고 동공 반사에 관여한다.

> **잠깐!**
>
> **전교련과 후교련**
>
> 전교련과 후교련의 위치적 정보는 기능적 뇌영상술에서 기준점으로 활용된다. 스캔을 뇌좌표 지도(Talairach 뇌지도) 공간에 맞추기(align) 위하여 전교련과 후교련을 수평 선상에 위치시킨다.

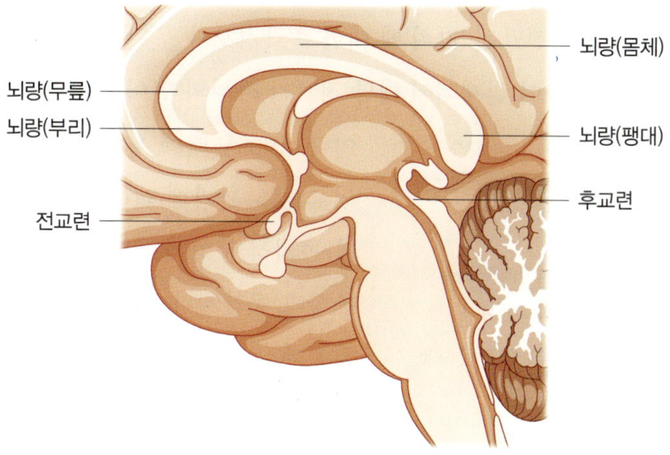

그림 6-1 교련섬유
교련섬유는 좌뇌와 우뇌를 연결시켜 주는 신경섬유로서 뇌량, 전교련, 후교련이 대표적이다.

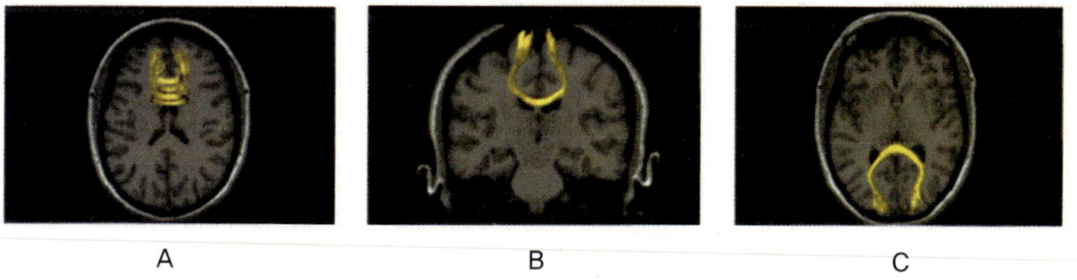

그림 6-2 신경경로 영상술로 보여 준 뇌량
최신 영상기법인 신경경로 영상술은 대뇌의 양반구가 뇌량의 무릎(A), 몸체(B), 팽대(C)에 의하여 연결되는 경로를 생생하게 보여 준다(Gong et al. 2009, Cerebral Cortex, 옥스퍼드대학교 출판부의 허락하에 게재).

뇌량 손상과 언어병리

언어처리에서 뇌량의 역할은 한쪽 뇌반구에서 받아들인 정보를 다른 쪽 뇌반구에서 분석하고 처리해야 하는 과제가 주어질 때 발휘된다. 예컨대, 뇌량절제술commissurotomy을 받은 환자의 왼손에 가위를 쥐어 주고 그 물건의 이름을 말하게 하면, 환자는 가위를 사용하는 동작을 흉내 내면서 그것이 무엇인지 인식하는 듯하나 그 '이름'을 대지는 못한다. 이는 왼손으로 전달된 '가위'에 대한 촉각정보가 우뇌에서 처리되긴 했으나 좌뇌로 건너가게 하는 뇌량이 절제되어 해당 정보가 좌뇌의 언어중추로 전달되지 못했기 때문이다. 1960년대에 행해진 뇌량절제술을 받은 분할뇌split brain 환자에 대한 연구를 통하여 좌뇌는 언어와 논리적 분석에 특화되어 있으며, 우뇌는 직관적 통합과 공간지각에 중요한 역할을 한다는 것이 밝혀졌다.

> **잠깐!**
>
> **뇌량절제술**
>
> 간질을 치료하기 위한 수술적 방법인 뇌량절제술은 전신발작 환자에 있어서 한쪽 대뇌반구의 비정상적인 전기신호가 다른 쪽 대뇌반구로 옮겨 가지 못하게 방지하는 시술이다.

말산출에 있어서 뇌량은 좌·우뇌의 말근육 운동을 상호작용reciprocal action을 통해 조율함으로써 말속도, 조음, 운율 등을 자연스럽게 유지시키는 역할을 한다. 따라서 뇌량 손상은 그러한 역할을 제대로 수행하지 못하게 방해한다. 이에 따라 트라비스Lee Edward Travis는 뇌량 손상으로 인해 양측 반구 간의 상호작용이 제대로 이루어지지 않으면 말더듬 등의 유창성장애가 생길 수 있다고 주장한 바 있다.

연합섬유

연합섬유의 종류

연합섬유association fibers는 같은 쪽 대뇌반구 내에서 서로 다른 영역들을 연결하는 섬유다발이다. 이 중에서 단연합섬유short association fiber는 이랑과 이랑 사이를 연결하고, 장연합섬유long association fiber는 서로 다른 뇌엽 간을 잇는다(그림 6-3). 장연합섬유의 예를 몇 가지 들어 보면, 먼저 갈고리다발uncinate fasciculus(구상속)은 전전두엽과 측두극을 이어 준다. 상종단다발superior longitudinal fasc.(상종속)은 뇌의 위쪽에서 전두엽, 두정엽, 후두엽을 연결하며, 브로카영역, 베르니케영역, 각이랑, 모서리이랑 등 핵심적인 언어영역들을 서로 이어 준다. 또한 상종단다발 아래에서 측두엽과 후두엽을 이어 주는 역할은 하종단다발inferior longitudinal fasc.(하종속)이 담당하며, 대상이랑을 길게 이어 주는 것은 대상다발cingulum(대상속)이다. 한편, 전두엽의 브로카영역(표현언어중추)과 측두엽의 베르니케영

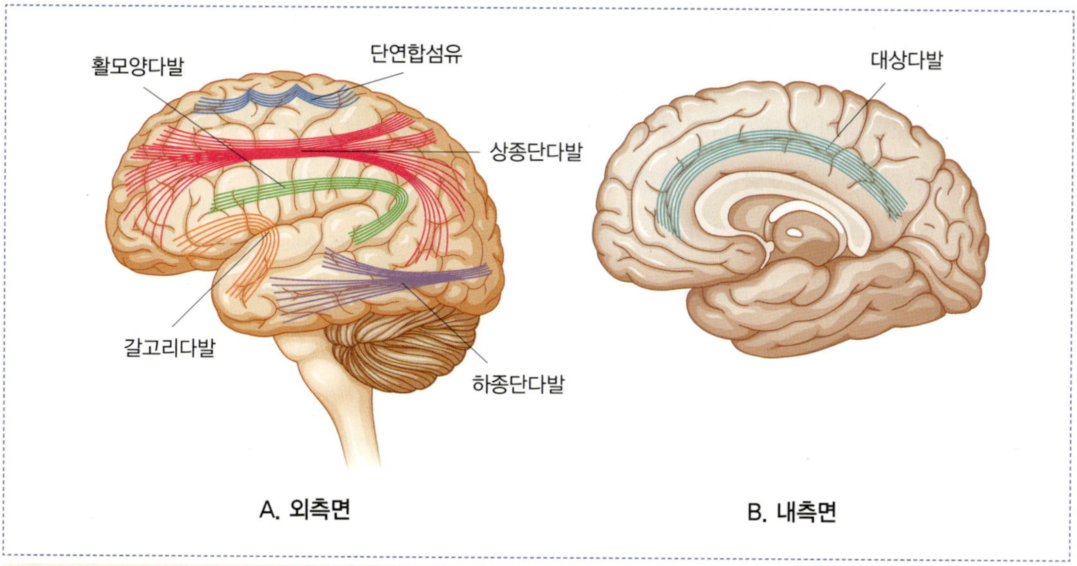

그림 6-3 연합섬유
연합섬유에는 단연합섬유와 장연합섬유가 있다. 단연합섬유는 이랑 간을, 장연합섬유는 뇌엽 간을 이어 준다.

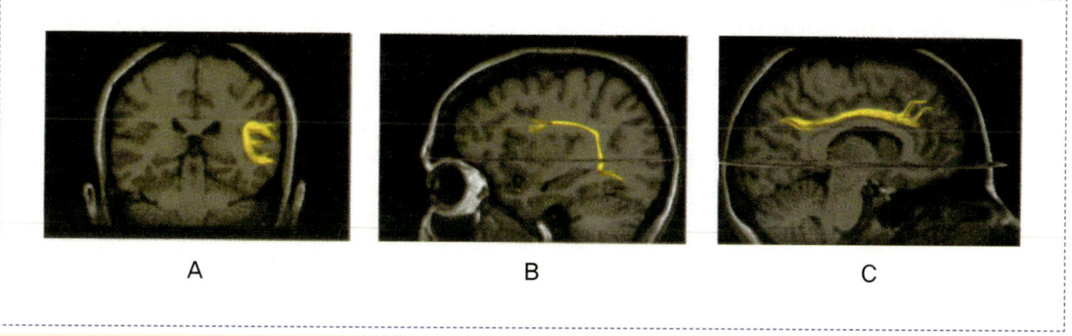

그림 6-4 신경경로 영상술로 보여 준 연합섬유
최신 영상 기법인 신경경로 영상술은 상측두엽과 하측두엽을 연결하는 단연합섬유(A), 측두엽과 전두엽을 연결하는 장연합섬유인 활모양다발(B), 그리고 대상이랑을 이어 주는 대상다발(C)의 경로를 생생하게 보여 준다(Gong et al. 2009, Cerebral Cortex, 옥스퍼드대학교 출판부의 허락하에 게재).

역(이해언어중추)을 이어 주는 일은 활모양다발 arcuate fasc.(궁상속)이 관여한다. 이들 연합섬유의 연결 경로는 신경경로 영상술과 같은 기능적 신경영상기법을 통해 시각적으로 명확하게 확인할 수 있다(그림 6-4). 이 기법은 단연합섬유와 장연합섬유의 경로를 생생하게 시각화하여 뇌의 복잡한 네트워크 구조를 분석하는 데 유용하다.

단절증후군과 언어병리

활모양다발은 베르니케영역이 위치한 상측두이랑과 브로카영역이 위치한 하전두이랑을 연결하며, 손상되면 언어를 제대로 따라 말하지 못하는 장애를 보이는 전도실어증을 일으킬 수 있다. 전도실어증은 1965년 게슈윈드Norman Geschwind, 1926~1984에 의해 주창된 단절증후군disconnection syndrome에 속한다. 단절증후군은 서로 이어진 뇌 영역들의 연합섬유의 단절로 인해 초래된 기능장애를 일컫는다(좀 더 자세한 설명은 게슈윈드가 쓴 논문 「Disconnextion syndromes in animals and man」 참조).

단절증후군에 대한 이론의 시효는 1885년에 리히타임에 의하여 제시된 베르니케-리히타임Wernicke-Lichtheim 모델로서(그림 6-5), 뇌에 존재하는 언어중추 간의 관계를 묘사한 다이어그램이라 할 수 있다. 베르니케-리히타임 모델에 의하면, 'A'는 단어의 청각적 이미지를 처리하는 중추를 의미하며, 'B'는 개념을 저장하는 중추이고, 'M'은 조음의 표상을 위한 중추이다. 따라서 'A'와 'M'이 손상되면 각각 베르니케실어증과 브로카실어증이 유발된다고 주장하였다. 그리고 'A'와 'M'을 이어 주는 통로(1)가 손상되면 듣는 데에는 문제가 없고 자발적으로 말을 하는 데 지장이 없으나 들은 것을 따라 말하는 것이 어려운 전도실어증이 유발된다. 또한 'B'와 'M' 사이(2)가 손상되면 'B'로부터 받을 수 있는 개념

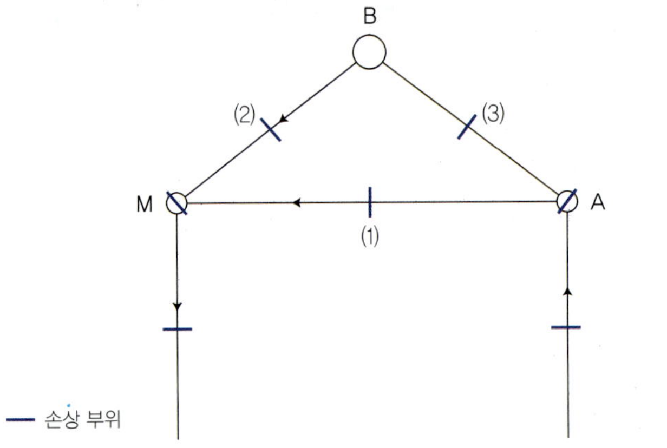

그림 6-5 베르니케-리히타임 모델
1885년에 리히타임은 브로카와 베르니케에 의하여 각각 언급된 표현언어중추(M) 및 이해언어중추(A)와 머릿속 추상적 개념(B)을 서로 연결시킨 베르니케-리히타임 모델을 제안하였다.

정보가 없이 그저 말을 할 수 있는 상태, 즉 따라말하기만 가능하므로 연결피질운동실어증으로 분류된다. 그리고 'A'와 'B' 사이의 통로(3)가 손상되면 알아듣는 능력은 저하되나 어느 정도의 따라말하기는 가능한 연결피질감각실어증을 보인다.

투사섬유

투사섬유projection fibers는 대뇌피질을 간뇌(시상), 뇌간, 척수 등의 뇌 하위 구조 혹은 신체의 말초기관에 연결시키는 섬유다발이다. 그런데 대뇌피질 표면이 넓은 반면에 뇌 중심부로 향할수록 좁아지기 때문에 투사섬유는 부챗살 모양을 이루며, 이를 방사관corona radiata[CR]이라 일컫는다. 방사관은 대부분의 대뇌백질을 구성한다.

투사섬유로 구성된 방사관은 신경신호의 전도 방향과 역할에 따라 감각신경로와 운동신경로로 나뉜다. 감각신경로sensory pathway는 피부, 근육, 신체기관 등에서 느껴지는 감각신호를 중추신경계에 전달하며, 오름ascending신경로 혹은 구심성afferent 신경로라고도 한다. 그리고 운동신경로motor pathway는 중추신경계에서 나오는 운동신호를 신체기관이나 근육에 전달하며, 내림descending신경로 혹은 원심성efferent 신경로라고도 한다. 그럼 감각신경로를 구성하는 감각섬유와 운동신경로를 구성하는 운동섬유에 대하여 살펴보자.

감각섬유

감각섬유의 경로는, 첫째, 신체의 감각기에서 받아들인 정보가 말초신경의 신경섬유를 따라 척수나 뇌간으로 전달된다. 척수 단면에서 보듯이(그림 6-6), 감각신경로로서 가장 등쪽에는 얇은다발fasciculus gracilis(박속)과 쐐기다발fasciculus cuneatus(설상속)이 위치하며, 이들은 함께 후섬유단posterior funiculus을 형성한다. 후섬유단은 말초신경에서 전해진 분별 촉각fine touch, 진동감각vibration sensation, 고유수용감각proprioception 등을 전달한다.

둘째, 척수에 도착한 감각정보는 시상까지 전달

> **잠깐!**
>
> **감각의 종류**
>
> 감각은 후각, 시각, 미각, 청각, 평형감각 등의 특수감각과 촉각, 통각, 온도감각, 고유수용감각, 압각, 진동각 등의 체성감각 혹은 일반감각이 있다. 여기서 체성감각은 몸에서 느끼는 감각을 의미하며, 촉각이나 압각은 말을 할 때 조음기가 닿는 피부에 느껴지는 감각이다.

되기 위하여 또 다른 신경섬유를 따라 같은 쪽으로 혹은 교차 후 반대쪽으로 올라간다. 척수로부터 상위 구조까지 연결되는 신경섬유는 흔히 '척수+○○로'라고 일컫는다. 예컨대, 외측척수시상로lateral spinothalamic tract와 전척수시상로anterior spinothalamic t.는 척수부터 시상까지 연결되며, 신체 모든 부위(피부, 근육, 힘줄, 장기 등)에서 느껴지는 통각, 온도감각, 비분별촉각crude touch 정보를 전달한다. 한편, 후척수소뇌로posterior spinocerebellar t.와 전척수소뇌로anterior spinocerebellar t.는 척수에서 소뇌로 연결되는 경로이며, 소뇌를 통하여 자율적인 운동의 조절에 관여하는 무의식적 고유감각 정보를 전달한다.

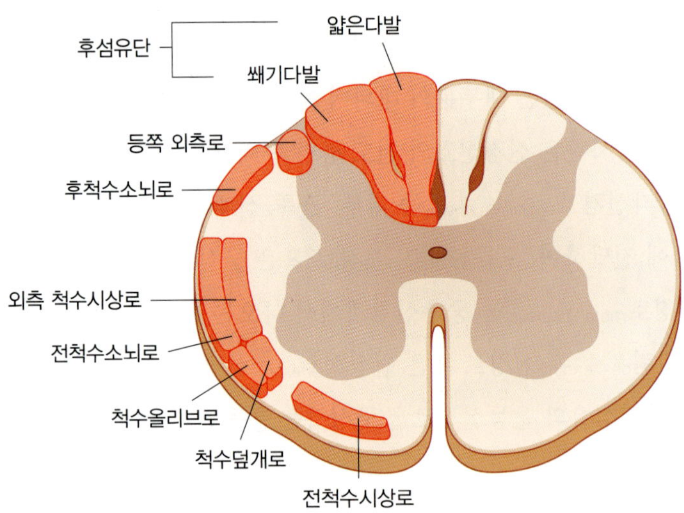

그림 6-6 척수에 위치한 감각신경로의 섬유다발
척수에는 많은 감각신경로가 섬유다발을 이루고 있는데 후섬유단, 척수소뇌로, 척수시상로 등이 있다.

셋째, 시상까지 전달된 감각정보는 또 다른 신경섬유를 통하여 대뇌피질로 전해진다. 시상은 후각을 제외한 모든 감각을 대뇌피질로 중계하는 역할을 한다. 예컨대, 시각은 시상의 외측무릎체를 거치고, 청각은 내측무릎체를 거쳐 대뇌피질의 감각영역으로 간다. 이처럼 시상에서 대뇌피질의 감각영역으로 가는 경로를 시상피질로thalamocortical t.라고 한다(제4장 대뇌의 해부학적 구조의 82쪽 그림 4-14 참조). 한편, 뇌(간)를 통하여 대뇌피질로 연결되는 감각신경로는 뇌신경과 관련된 감각신경핵을 거쳐 구체적인 기능을 담당하는 뇌의 중추까지 이어진다. 이에 대해서는 제8장 뇌간과 뇌신경에서 좀 더 자세히 다룰 것이다.

운동섬유

대뇌피질로부터 하행하는 운동섬유는 피질부터 척수까지 이어지는 피질척수로 corticospinal tract, 피질부터 뇌간까지 이어지는 피질뇌간로corticobulbar tract 등을 포함한다. 그림 6-7은 대뇌피질의 일차운동영역부터 시작된 운동섬유가 뇌간이나 척수까지 이어지기 위하여 내포를 거치는 것을 보여 준다. 그림 6-8은 신경경로 영상술로 나타난 피질

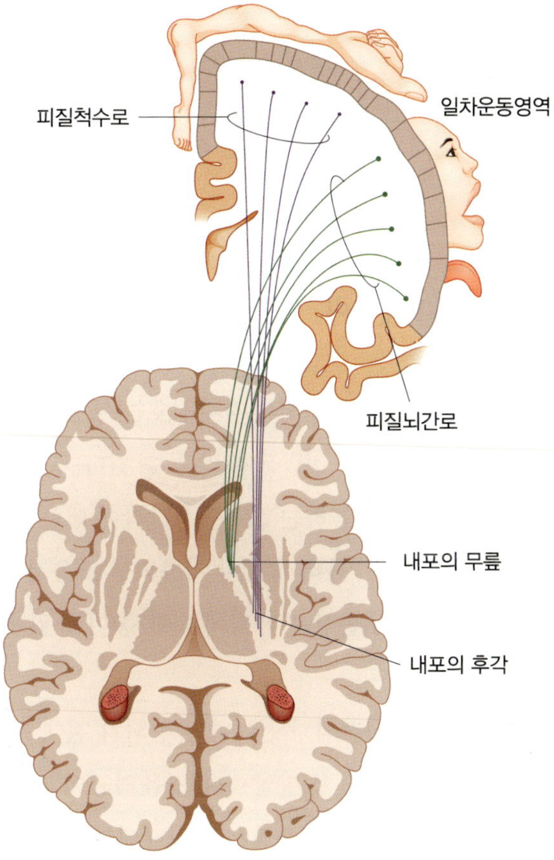

그림 6-7 대뇌피질의 일차운동영역부터의 운동섬유

일차운동영역의 호먼큘러스 구성안면(buccofacial) 영역에서 내려오는 신경섬유는 내포의 무릎 부분으로, 사지와 몸통 영역은 내포의 후각으로 연결된다.

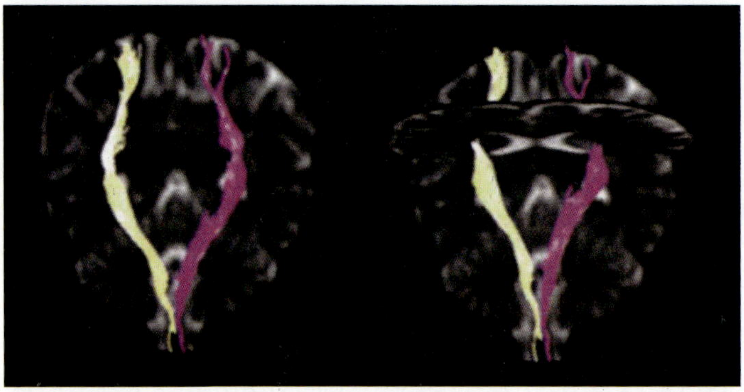

그림 6-8 **신경경로 영상술로 나타난 피질척수로**
신경경로 영상술을 통해 대뇌피질에서부터 피질하를 거쳐 척수까지 연결되는 피질척수로 등의 신경경로를 보여 준다(Cho 등, 2007, Neuroscience Letters, Elsevier의 허락하에 게재).

척수로 영상이다. 운동신경로에 대한 자세한 설명은 제7장 뇌의 운동신경로를 참조하기 바란다.

투사섬유 손상과 언어병리

피부, 근육이나 신체기관에서 유입되는 감각신호는 투사섬유 중 감각신경로의 손상으로 인하여 뇌(간)나 척수로 제대로 전달되지 않을 수 있다. 운동기능에는 문제가 없는 상태라고 할지라도 혀의 위치를 가늠하는 고유수용감각에 대한 되먹임이 저하되면 정확한 조음이 힘들 수 있다. 구개감각, 특히 촉각이 저하되면 조음점 훈련에 지장을 초래할 수 있다. 후각이나 미각 신경로의 손상은 음식에 대한 흥미를 잃게 하여 체중 감소나 영양 실조를 야기하기도 한다.

언어발달이나 조음기능이 시작되기 전이나 완성되기 전에 청각경로가 손상되면 언어발달이나 조음기능이 지체된다. 또한 시각경로의 손상은 읽기장애를 유발한다. 실어증은 대뇌의 언어중추 손상에 기인하는 것이 가장 일반적이나 언어중추로 연결되는 감각신경로가 손상되어도 감각 실어증을 일으킨다.

잠깐!

투사섬유의 명칭

투사섬유의 이름은 시작점을 먼저 쓰고 끝점을 나중에 써서 부른다. 예컨대, 시상피질섬유는 시상에서 시작하여 피질에서 끝나는 섬유다발이다.

개념 및 용어 정리

섬유다발의 유형: 교련섬유, 연합섬유, 투사섬유

■ **교련섬유**: 좌우의 대뇌반구를 연결하는 백질 섬유다발

- 뇌량: 좌뇌와 우뇌를 연결시키며 부리, 무릎, 몸체, 팽대로 구성된다.
- 전교련: 뇌궁 앞에 있으며 양반구의 중측두이랑, 하측두이랑, 편도체 간을 연결한다.
- 후교련: 뇌수도관의 상부 등쪽에 위치하며, 중뇌의 덮개앞핵을 연결한다.

■ **연합섬유(장연합섬유, 단연합섬유)**: 같은 쪽 대뇌반구의 한 영역들을 연결한다.

- 갈고리다발: 전전두엽과 측두극을 잇는다.
- 상종단다발: 뇌의 위쪽에서 전두엽, 두정엽, 후두엽 간을 연결한다.
- 하종단다발: 측두엽과 후두엽을 연결한다.
- 대상다발: 대상이랑을 길게 잇는다.
- 활모양다발: 전두엽의 브로카영역(표현언어중추)과 측두엽의 베르니케영역(이해언어중추)을 연결한다.
- 연합섬유의 단절: 전도실어증, 연결피질감각실어증, 연결피질운동실어증 등을 유발한다.
- 관련 개념: 베르니케-리히타임 모델, 게슈윈드, 단절증후군

■ **투사섬유**: 대뇌피질을 간뇌, 뇌간, 척수 등의 뇌 하위 구조 혹은 신체의 말초기관에 연결시키는 섬유다발

- 대뇌백질의 투사섬유: 대뇌 대부분의 백질을 구성하며, 대뇌 표면 부분에서는 넓지만 뇌 중심부로 향할수록 좁아지는 부챗살 모양(방사관)을 형성한다.
- 신경신호의 전도 방향에 따른 분류: 상행성 감각섬유(감각신경로, 오름신경로, 구심성 신경로)와 하행성 운동섬유(운동신경로, 내림신경로, 원심성 신경로)
- 투사섬유 손상과 언어병리

■ **신경경로 영상술**

복습문제

1. 뇌영역을 연결하는 섬유다발에 대한 설명과 용어를 바르게 짝지으시오.

(1) 같은 쪽 대뇌반구의 한 영역을 다른 영역과 연결시키는 섬유다발	ㄱ. 교련섬유
(2) 좌우의 대뇌반구를 연결하는 백질 섬유다발	ㄴ. 연합섬유
(3) 대뇌피질을 간뇌, 뇌간, 척수 등의 뇌 하위 구조 혹은 신체의 말초기관에 연결시키는 섬유다발	ㄷ. 투사섬유

2. 다음은 교련섬유에 대한 설명이다. 옳은 것에 ○, 틀린 것에 × 표시를 하시오.
   (1) 교련섬유에는 뇌량, 전교련, 후교련 등이 있다. (   )
   (2) 뇌량은 부리, 몸체, 팽대로 나누어진다. (   )
   (3) 뇌량이 손상되면 말속도, 조음, 운율 등을 자연스럽게 유지시키지 못하는 어려움이 있을 수 있다. (   )

3. 다음 보기 중에서 장연합섬유에 속하는 것을 모두 고르시오.

가. 갈고리다발	나. 대상다발	다. 방사관
라. 하종단다발	마. 상종단다발	바. 활모양다발

4. 베르니케영역이 위치한 상측두엽과 브로카영역이 위치한 하전두엽을 이어 주는 활모양다발이 손상되었을 때 유발될 수 있는 실어증은 무엇인가?

5. 다음 보기에서 설명하는 신경다발은 무엇인가?

> 대뇌피질의 대부분의 백질을 구성하는 섬유다발로서, 표면의 대뇌피질에서는 넓고 뇌 중심부로 향할수록 좁아져 부챗살 모양을 형성한다.

6. 1885년에 리히타임에 의하여 최초로 언급되었고, 1965년에 게슈윈드가 새로이 연구하였으며, 서로 이어진 뇌영역들의 연합섬유의 단절로 인해 초래된 기능장애를 일컫는 용어는 무엇인가?

7. 다음의 투사섬유 및 신경로는 각각 상행성인가, 하행성인가?

(1) 피질뇌간로

(2) 피질시상섬유

(3) 시상피질섬유

(4) 피질뇌교섬유

(5) 피질척수로

8. 다음의 신경경로 영상술 그림이 보여 주는 연합섬유는 무엇인지 고르시오.

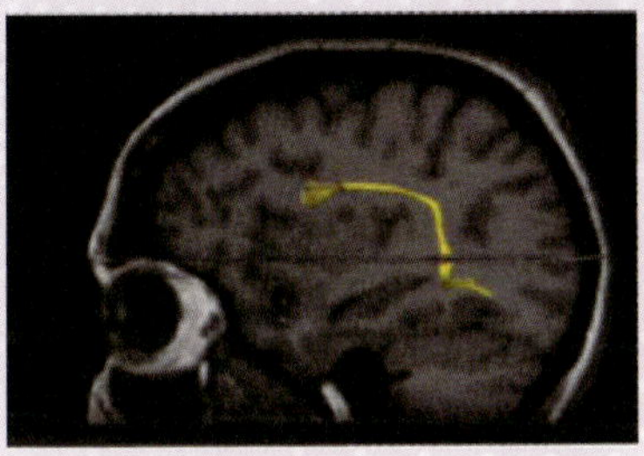

(1) 대상다발

(2) 활모양다발

(3) 갈고리다발

(4) 하세로다발

정답

1. (1) ㄴ (2) ㄱ (3) ㄷ
2. (1) ○ (2) × (3) ○
3. 가, 나, 라, 마, 바
4. 전도실어증
5. 방사관
6. 단절증후군
7. (1) 하행성 (2) 하행성 (3) 상행성 (4) 하행성 (5) 하행성
8. (2)

제7장

뇌의 운동신경로

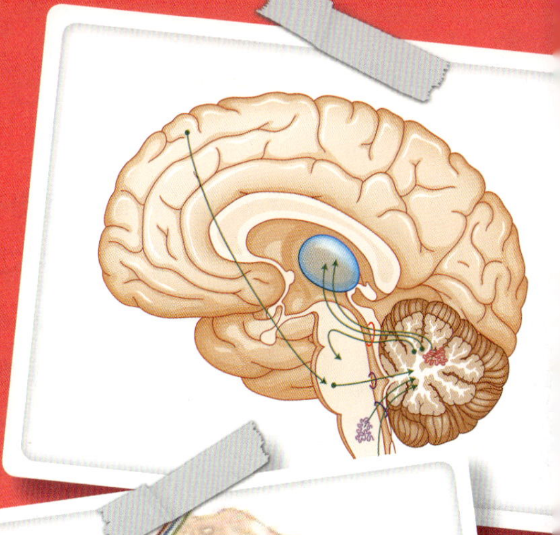

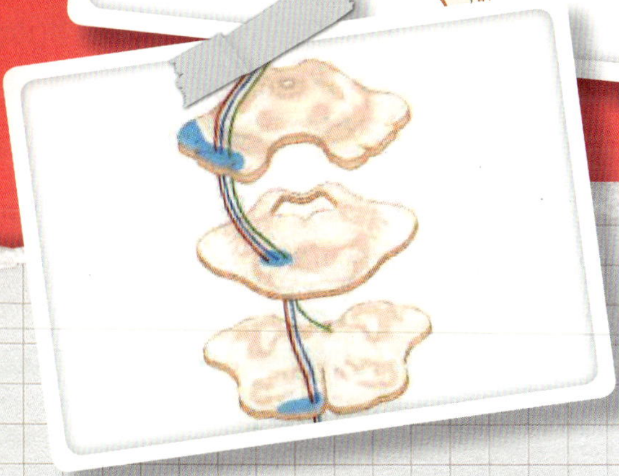

학습목표

- 추체로의 역할과 포함되는 신경로에 대해 알아본다.
- 피질척수로의 경로와 역할에 대해 살펴본다.
- 피질뇌간로의 경로와 역할에 대해 살펴본다.
- 상부운동신경세포와 하부운동신경세포의 개념을 익히고 손상 시의 증상을 알아본다.
- 운동신경세포의 손상과 언어병리에 대해 살펴본다.
- 추체외로의 역할과 포함되는 신경로에 대해 알아본다.
- 피질–기저핵–시상–피질 회로와 언어병리에 대해 살펴본다.
- 소뇌의 구조와 소뇌 손상 및 언어병리에 대해 학습한다.

임상신경학에서는 운동신경체계를 설명하는 내림신경로로서 추체로와 추체외로를 들 수 있다. 지금부터 이 두 가지 내림신경로에 대하여 알아보자.

추체로

운동신호는 뇌의 운동신경로를 통해 중추신경계에서 말초신경계로 전달된다. 대뇌피질에서 출발한 신호는 뇌간이나 척수를 지나 하부운동신경세포의 축삭을 통해 말초신경, 즉 신경근육 혹은 샘glands으로 전달되어 정보에 따라 근육의 움직임이나 샘의 분비를 조절한다. 날카로운 핀에 찔렸을 때 즉각적으로 소리를 지르면서 손을 떼는 상황을 생각해 보자. 소리를 지른다는 것은 후두근육을 움직이는 신경이 작동한 것인데, 후두신경은 뇌간에서 기원하는 미주신경(10번 뇌신경)이다. 또한 손을 떼는 동작은 말초신경인 척수신경(특히 흉신경)의 작용이다. 이처럼 신체의 다양한 움직임은 해당 근육의 종류와 위치에 따라 운동신경로가 뇌간 혹은 척수를 통해 말초신경계로 연결되어 조절된다.

대뇌피질에서 시작되어 뇌간이나 척수를 거쳐 하부운동신경세포까지 이르는 운동신경로를 추체로pyramidal tract라고 한다. 이 경로는 대뇌피질의 운동영역에 위치한 신경세포체에서 출발하여, 연수나 척수의 하부운동신경세포까지 별도의 신경연접(시냅스) 없이 직접 연결된다. 추체로는 수의적voluntary 움직임에 관여하며, 크게 피질척수로와 피질뇌간로로 구분된다(그림 7-1). 특히 언어병리와 관련 깊은 추체로는 피질뇌간로이다. 지금부터 피질척수로와 피질뇌간로에 대하여 좀 더 자세히 살펴보자.

> **잠깐!**
>
> **추체**
>
> '추체로'라는 용어에서 '추체(pyramid)'는 연수의 배쪽에 위치한 구조이다. 대뇌피질에서 시작된 운동신경로의 신경섬유가 연수에 이르러서 추체를 형성하므로 운동신경로를 추체로라고 부른다.

피질척수로

피질척수로는 몸통과 사지의 골격근에 대한 수의적 운동조절에 관여한다. 이 경로는 대뇌피질에서 시작되어 척수의 하부운동신경세포에 이르기까지 장거리로 이어지는 섬유 다발로서 30~120cm 길이에 달한다. 이 경로는 두 가지인데, 첫째, 외측피질척수로 lateral corticospinal tract는 피질의 중심앞이랑, 전전두엽, 중심뒤이랑 등에서 기원하며, 방사관, 내포(특히 후각), 중뇌(특히 대뇌각), 뇌교 등을 차례로 거쳐 연수까지 내려간다. 꼬리쪽 연수caudal medulla에서는 전체 섬유의 80~90%가 교차decussation되어 외측척수lateral spinal cord의 외측섬유단lateral funiculus으로 내려간다. 이 과정을 추체교차pyramidal decussation라고 하는데 임상적으로 매우 중요한 개념으로, 병변의 측위lateralization 판단 시 핵심 지점이다.

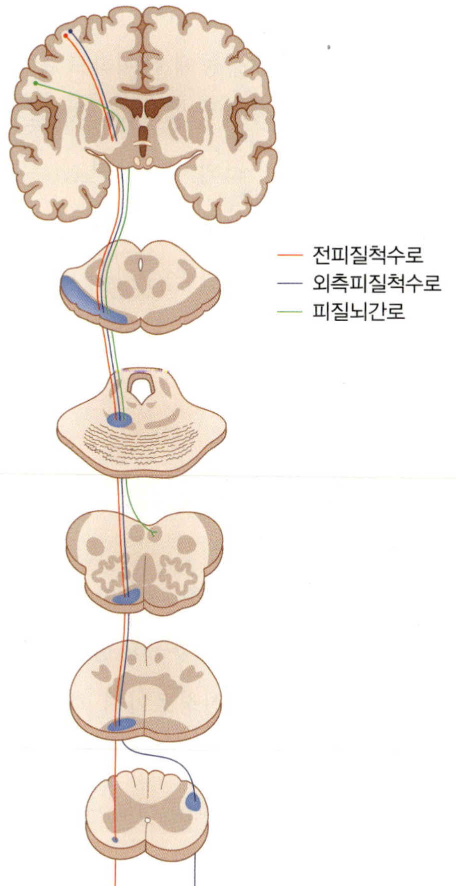

그림 7-1 피질척수로와 피질뇌간로

추체로에는 피질부터 척수까지 연결되는 피질척수로와 피질부터 뇌간까지 연결되는 피질뇌간로가 있다.

피질척수로의 두 번째 경로는 전피질척수로anterior corticospinal tract이다. 나머지 10~20% 섬유는 연수에서 교차되지 않고 좌 · 우 동측ipsilateral의 척추 앞쪽을 따라 복측 척수ventral spinal cord에 도달한 후, 대부분 해당 분절에서 반대쪽으로 교차하여 하부운동신경세포와 연결된다.

피질뇌간로

피질뇌간로corticobulbar tract는 대뇌피질에서 시작되어 뇌간의 운동핵으로 내려오는 신경경로이다. 피질뇌간로는 뇌간과 연결된 12쌍의 뇌신경을 수의적으로 조절한다. 이 경로는 특히 말을 생성하거나 삼킴기능을 하는 근육운동에 관여하므로 언어병리학에서 중요하게 다루어진다. 피질뇌간로는 대뇌피질의 운동 호먼큘러스의 구성안면buccofacial 영역에서 시작되어 방사관, 내포의 무릎을 거쳐 중뇌(특히, 대뇌각)를 통하여 뇌교나 연수까지 내려가고, 뇌신경의 운동핵에서 시냅스를 형성하고 종결된다.

잠깐!

피질척수로와 피질뇌간로의 근원지

피질척수로와 피질뇌간로의 근원지는 둘 다 피질로서 동일하지만 일차운동영역에서의 시작점 위치는 서로 다르다. 호먼큘러스의 구성안면 영역과 몸통/사지 영역을 떠올려 보자.

상부운동신경세포와 하부운동신경세포

운동신경로를 설명할 때 또 다른 중요한 해부학적 개념으로서 상부운동신경세포 체계와 하부운동신경세포 체계가 있다(그림 7-2). 상부운동신경세포upper motor neuron[UMN] 체계는 중추신경계에 속하는 내림운동신경로이며, 대뇌피질부터 뇌간이나 척수까지 이르는 일차first order운동신경세포이다. 앞서 언급한 피질척수로와 피질뇌간로가 이에 속한다. 상부운동신경세포의 세포체는 대뇌피질의 운동영역에 있다. 피질척수로로서 상부운동신경세포의 대부분은 연수에서 교차하나, 일부는 교차하지 않고 동일한 쪽으로 내려간다. 피질척수로의 일차운동신경세포가 척수까지 이르러서는 척수 내에서 이차second order운동신경세포로 이어지고, 그로부터 삼차third order운동신경세포인 하부운동신경세포(척수신경)로 이어져서 운동을 조절한다.

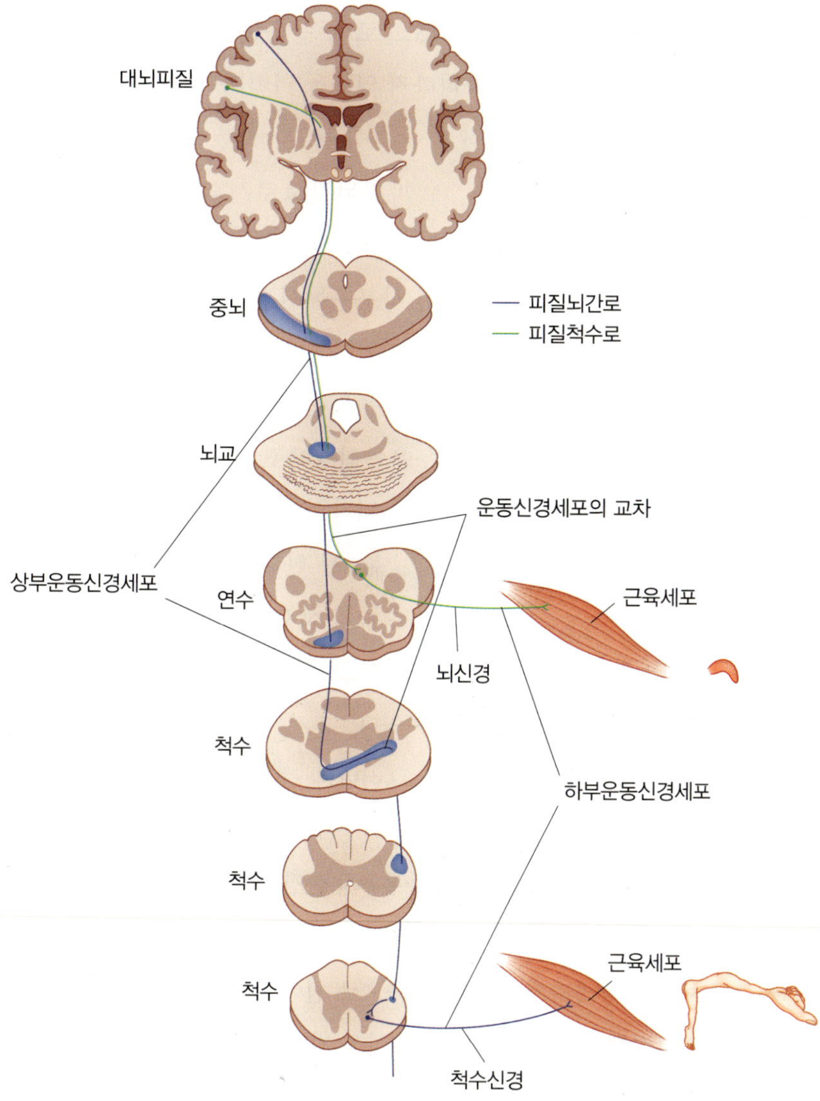

그림 7-2 상부운동신경세포와 하부운동신경세포

상부운동신경세포는 대뇌의 운동피질부터 연수(피질뇌간로의 경우) 또는 척수(피질척수로의 경우)까지를 지칭한다. 반면에, 하부운동신경세포는 연수나 척수부터 신체기관의 근육세포까지의 뇌신경 혹은 척수신경을 일컫는다.

앞서 언급하였듯이 추체로가 꼬리쪽 연수에서 교차하기 때문에 추체교차점 위의 손상은 반대쪽 편측 몸통이나 사지에 경직형spastic 마비paralysis, paresis나 쇠약weakness 증세 등의 대측 운동장애contralateral motor deficits를 초래한다. 이와 대조적으로, 추체교차점 밑의 손상은 같은 쪽, 즉 동측 운동장애ipsilateral motor deficits를 일으킨다. 이때, 척수신경은 담당하는 신체 부위가 위부터 차례로 내려오므로 동측 운동장애에 있어서 척수 중 경수단계(예: C1)에서의 손상은 팔, 몸통, 다리까지 영향을 미치지만, 흉수(예: T3)의 손상은 몸통과 다리에만 영향을 미친다.

피질뇌간로로서의 일차운동신경세포가 뇌간까지 이르러서는 뇌간 내에서 이차운동신경세포인 하부운동신경세포(즉, 뇌신경)로 이어져서 운동을 조절하게 된다. 피질척수로와는 달리 피질뇌간로는 운동신경세포가 이차까지만 있다. 그리고 상부운동신경세포로서의 피질뇌간로는 대부분 각각 양쪽 뇌간의 운동핵까지 이어지는 양측지배bilateral innervation를 한다. 따라서 한쪽 뇌가 손상되더라도 다른 쪽의 상부운동신경세포가 건재하므로 한쪽 뇌 손상만으로는 관련 근육의 마비가 심하지는 않을 수 있다.

> **잠깐!**
>
> **마비**
>
> 마비를 통칭하는 용어는 'paralysis'이지만 움직임의 제한 정도에 따라 'plegia'와 'paresis'로 나눈다. 'plegia'는 마비 상태가 심하여 움직임이 (거의) 가능하지 않은 경우를 일컫는 반면, 'paresis'는 움직임이 어느 정도 가능한 상태이므로 전자는 중증, 후자는 경증인 셈이다. 편측 뇌손상으로 대측의 사지 움직임이 제한되는 '반신마비'를 그 제한 정도에 따라 '반마비(hemiplegia)' 혹은 '반부전마비(hemiparesis)'라 한다. 한편, 사지 중 하나만 마비되는 경우를 '단일마비(monoplegia)', 양쪽 팔이나 양쪽 다리가 대칭적으로 마비되면 '양측마비(diplegia)', 다리만 마비되는 경우는 '하지마비(paraplegia)', 팔다리가 모두 마비되면 '사지마비(quadriplegia)'라 한다.

그러나 대측지배contralateral innervation만 받는 상부운동신경세포가 두 가지 있다. 첫째, 안면신경운동핵의 등쪽 부분에 신경신호를 보내는 상부운동신경세포이다. 그러므로 이 상부운동신경세포가 손상되면 뇌손상 부위와는 대측의 안면 하부 근육이 마비되어 볼이나 입술이 처지면서 조음이 불분명해지거나 마비된 쪽으로 침이 흐르기도 한다. 둘째, 설하핵과 연결되는 상부운동신경세포도 대측지배의 특성을 지닌다. 그러므로 이 상부운동신경세포가 손상되면 손상 부위의 대측 혀근육이 마비되어 혀를 내밀면 혀근육이 약한 방향으로 쏠린다. 그런데 양측 피질뇌간로가 손상되면 얼굴 표정을 잘 지을 수 없고 혀 움직임, 씹기, 삼키기 등에 장애를 초래하거나 부적절한 웃음/울음inappropriate laughing/crying 등을 동반하는데, 이러한 병리 현상을 가성구마비pseudobulbar palsy라고 한다.

이처럼 상부운동신경세포는 다음에 설명되는 하부운동신경세포와 연결되어 근육의 운동에 직접적인 영향을 준다. 그런데 상부운동신경세포가 중추신경계에 속하는 모든 운동신경로를 지칭하지는 않는다는 것을 알아 둘 필요가 있다. 예컨대, 앞으로 다루게 될 적핵척수로나 전정척수로 등의 운동신경로를 상부운동신경세포라고 부르지는 않는다.

한편, 하부운동신경세포lower motor neuron[LMN] 체계는 말초신경계에 속하며, 신경근접합부를 통하여 팔근육, 목근육, 혀근육 등의 수의근을 직접적으로 지배하는 운동신경세포이다. 자세히 말해서 하부운동신경세포는 뇌간과 연결되는 뇌신경과 신경근접합부, 그리고 척수의 배쪽에 연결되는 척수신경과 신경근접합부를 지칭한다. 이 하부운동신경세포를 통해 모든 운동명령이 마지막으로 처리되므로 하부운동신경세포를 최종공통경로final common pathway라고도 한다. 뇌신경 혹은 척수신경의 세포체는 각각 뇌간(핵)과 척수(전각)에 위치한다. 앞서 설명한 바와 같이, 운동을 조절하는 하부운동신경세포는 연수에서 이미 교차된 상부운동신경세포와 연결된다.

한쪽의 하부운동신경세포가 손상되면 신체 부위 기능장애를 보이는 쪽이 동일한 동측운동장애를 보인다. 하부운동신경세포가 손상되면 관련된 근육이 약화되고, 심한 경우에는 근위축atrophy이나 마비가 올 수도 있다. 또한 하부운동신경세포의 손상은 속상수축fasciculation을 유발하기도 하는데, 이는 개별single 운동신경세포에 의하여 자극되는 근육세포가 수축되는 현상으로서, 예컨대 입안의 혀를 들여다보면 혀근육이 씰룩거리는 것을 볼 수 있다.

운동신경세포의 손상과 언어병리

운동신경세포의 손상 종류와 위치에 따라 다양한 언어병리 현상이 나타날 수 있다. 특히 상부운동신경세포는 중추신경계를 의미하므로 중추신경계의 손상은 서로 다른 언어병리 현상을 유발한다. 대뇌의 손상은 실어증을 포함한 언어장애, 말실행증과 마비말장애[마비성 구음장애]를 포함한 말장애 혹은 삼킴장애를 일으킨다. 중추성운동신경세포의 손상은 유창성이 저하되는 비유창성 실어증, 말실행증, 신경말더듬 등과 관련이 깊다. 대뇌의 손상으로 마비말장애[마비성 구음장애]가 생기는 경우에 좌 · 우뇌 동시 손상은 경직형 마비말장애[마비성 구음장애]를, 좌뇌 혹은 우뇌 한쪽의 손상은 편측 상부운동신경세포형 마비말장애[마비성 구음장애]를 유발한다. 대뇌의 손상은 또한 입안에서 음식물을 씹거나 운반하는 구강단계와 음식을 삼킬 때의 인두단계에서 삼킴장애를 일으킨다. 대체적으로 좌 · 우뇌 양쪽 손상이 한쪽 손상보다 심한 증세를 가져온다.

소뇌의 손상 역시 말장애, 삼킴장애와 연관된다. 특히, 소뇌 손상으로 인한 운동장애는 언어 과제에서의 집행기능을 저하시켜 수행력이 떨어진다. 또한 말을 구사하는 데 있어서 말 구조 간의 협응력을 떨어뜨려 말속도가 빨랐다 느렸다 한다든지, 음량이 컸다 작았다 하고, 음도가 높았다 낮았다 하는 등의 변이성variability이 특징인 실조형 마비말장애[마비성 구음장애]를 일으킨다. 소뇌와 삼킴기능의 연관성은 많이 보고되지는 않았으나 소뇌 병변 환자, 특히 퇴행성 소뇌질환 환자들에게서 삼킴장애가 빈번하게 관찰된다.

뇌간은 하부운동신경세포가 출발하는 지점이다. 그러므로 뇌간의 손상은 심각한 말장애나 삼킴장애를 유발할 수 있다. 특히 말과 삼킴의 중추기능을 관장하는 뇌신경핵이 많이 위치하는 연수나 뇌교의 손상은 각각 이완형 마비말장애[마비성 구음장애]나 흡인을 특징으로 하는 삼킴장애를 유발한다.

하부운동신경세포는 뇌신경이나 척수신경 등의 말초신경계를 일컫는다. 이들 신경의 손상은 언어장애를 유발하지는 않는데, 이는 말초신경계가 언어중추와 관련이 없기 때문이다. 하부운동신경세포의 손상은 이완형 마비말장애[마비성 구음장애]나 삼킴장애를 일으킨다.

추체외로

운동을 조절하는 운동신경로는 추체로 이외에도 추체외로extrapyramidal tract도 포함된다. 앞서 추체로는 대뇌피질에서 시작하여 뇌간과 척수까지 연결하여 말초신경계로 연결되며, 몸통과 사지 운동의 수의적인 동작에 관여하는 체계라고 하였다. 이와 대조적으로 추체외로는 대뇌피질, 기저핵, 시상밑핵, 흑질, 적핵, 뇌간, 망상체, 척수 등이 기능적으로 밀접하게 고리회로loop-like circuit를 형성하면서 운동을 반사적 또는 불수의적으로 조절한다. 추체외로는 움직임을 시작하게 하는 데에는 관여하지 않으며, 일단 시작된 동작에 대하여 무의식적으로 정교하고 조화롭게 조절하는 기능을 한다. 특히 우리가 말을 할 때 정확하고 미세한 조음을 위해서는 조음기들이 적절한 속도, 범위, 방향 등으로 움직여야 하는데, 일부의 추체외로는 이러한 움직임과 협응 등에 중요한 역할을 한다. 그러나 추체외로는 추체로와 독립적인 경로이지만 서로 별개로 기능하기보다는 상호 보완적으로 활동한다.

그럼 추체외로에는 어떤 신경로들이 속할까? 가장 대표적인 회로는 대뇌피질, 기저핵의 여러 핵, 시상밑핵, 흑질 등의 구조와 이들을 연결하는 고리회로를 통칭하는 피질-기저핵–시상–피질 회로cortico-basal ganglia-thalamo-cortical circuit이다. 피질–기저핵–시상–피질 회로는 말조절speech control에 매우 중요한 회로이므로 잘 익혀 둘 필요가 있다. 이 밖에도 망상체척수로reticulospinal t., 전정척수로vestibulospinal t., 적핵척수로rubrospinal t., 덮개척수로tectospinal t. 등을 포함한다. 지금부터 이들을 상세히 살펴보자.

피질–기저핵–시상–피질 회로와 언어병리

앞서 기저핵은 피질하에 자리 잡은 큰 핵군으로서 구조적으로는 꼬리핵caudate nu., 조가비핵putamen, 창백핵globus pallidus으로 형성되어 있고, 시상밑부핵, 적핵, 흑질과 기능적으로 연결되어 있다고 하였다. 또한 꼬리핵과 조가비핵을 합하여 줄무늬핵striatum이라 하고, 조가비핵과 창백핵을 합하여 렌즈핵lentiform nu.이라 부르기도 한다고 하였다.

기저핵은 대뇌피질의 운동영역 및 뇌간의 운동핵과 연계되어 간접적으로 운동기능에 영향을 주며, 운동을 시작하고 실행하거나 중지하는 활동에 관여한다. 말산출에 있어서는 근육을 움직일 때 속도speed, 운동범위range of motion[ROM], 방향direction, 힘force 등을 조절하는 역할을 한다.

기저핵을 통하여 대뇌피질의 운동을 간접적으로 조절하기 위한 신경신호의 흐름에 대한 지식은 말운동 조절motor speech control과 조절장애를 이해하는 데 매우 중요하다. 기저핵을 통해 처리되는 신경신호의 경로는 크게 두 가지 체계인 직접경로와 간접경로로 구분되며(그림 7–3), 이 두 경로는 시상과 대뇌피질의 흥분 수준을 조절함으로써 운동에 기여한다.

첫째, 직접경로direct pathway는 대뇌피질의 여러 영역으로부터 신경신호가 줄무늬핵(꼬리핵+조가비핵)을 거쳐 내측 창백핵(GPi)을 지나 시상(배쪽외측핵–배쪽앞핵)을 통해 전두엽으로 전해지는 회로이다. 이때 줄무늬핵은 기저핵의 구심성afferent 핵 역할을 하는데, 대뇌피질 등의 외부로부터 전해 오는 신호를 받아들이기 때문이다. 직접경로는 간접경로와는 달리, 신경신호가 줄무늬핵에서 내측 창백핵으로 전달되기까지 외측 창백핵(GPe)과 시상밑부핵을 거치지 않고 직접 내측 창백핵으로 연결된다고 해서 이렇게 명명되었다. 내측 창백핵은 줄무늬핵과는 대조적으로 기저핵의 원심성efferent 역할을 하는데, 기저핵으로 전달된 신호를 시상 등 외부로 내보내는 경유지이다.

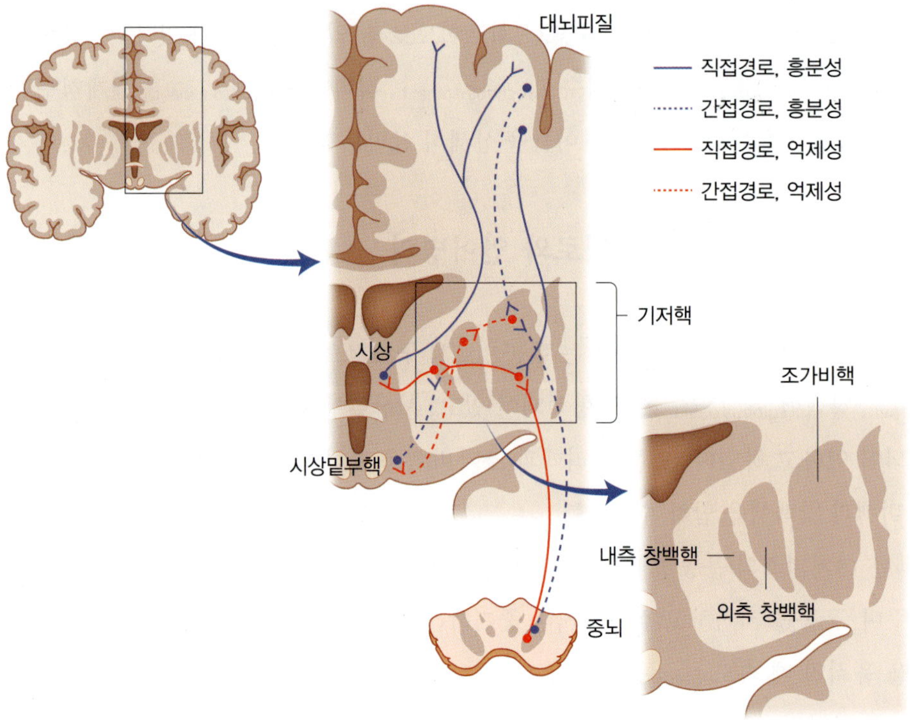

그림 7-3 기저핵과 인접 구조의 기능적 연결
기저핵은 직접경로와 간접경로를 통하여 대뇌피질을 중뇌나 시상 등과 연결시켜 운동기능을 조절하는 역할을 한다(대뇌피질에서 나오는 신호는 모두 기저핵의 조가비핵과 꼬리핵으로 이어지나, 이 그림에서는 단순화하기 위하여 꼬리핵으로의 연결선을 생략하였음).

지금부터 직접경로가 말운동을 포함한 운동의 조절에 어떻게 관여하는지 그 기제에 대하여 살펴보자. 대뇌피질은 운동을 수행하기 위하여 글루타민산glutamate이라는 흥분성excitatory 신경전달물질을 분비함으로써 줄무늬핵에 흥분성 신경신호를 보내어 줄무늬핵을 활성화한다. 활성화된 줄무늬핵은 대표적인 억제성inhibitory 신경전달물질인 감마아미노부티르산gamma-aminobutyric acid, GABA을 방출하면서 억제성 신호가 내측 창백핵으로 보내지게 되어 내측 창백핵의 기능이 억제된다.

그런데 내측 창백핵의 고유 기능은 무엇일까? 평상시에 내측 창백핵의 역할은 감마아미노부티르산(GABA)을 지속적으로 분비하여 시상(특히, 배쪽외측핵)의 활성화를 억제하는 일이다. 따라서 내측 창백핵이 활성화되면 시상이 억제되고, 결과적으로 운동피질의 활동 또한 억제된다. 그렇지만 내측 창백핵 고유의 억제기능이 제한되면, 즉 탈억제disinhibition가 되면 시상에 대한 억제기능이 약화되어 시상이 활성화된다. 이는 다시 운동피질에 흥분성 신경신호를 보낼 수 있게 되고, 운동이 촉진되는 결과를 낳는다.

다음으로, 간접경로indirect pathway를 살펴보자. 간접경로는 대뇌피질로부터 흥분성 신경신호를 받은 줄무늬핵이 활성화되어, 감마아미노부티르산(GABA)을 방출하여 억제성 신호를 외측 창백핵(GPe)으로 보낸다. 이 억제성 신호는 외측 창백핵의 활성화를 억제한다. 평상시, 외측 창백핵은 시상밑부핵에 감마아미노부티르산을 분비하여 활성을 억제하는데, 외측 창백핵의 억제 역할이 제한되면서 시상밑부핵이 억제로부터 해방(즉, 탈억제)된다. 이후 시상밑부핵은 내측 창백핵에 글루타민산을 분비하여 흥분성 신호를 보내면서 내측 창백핵의 기능이 활성화되고, 내측 창백핵에서 나오는 억제성 신경신호가 시상에 전달되면서 시상핵들의 활동을 억제한다. 그리하여 운동피질의 수의적인 활동voluntary activity을 덜 활동적으로 만든다.

결국, 흥분성 신호의 활동, 억제성 신호의 활동, 탈억제 등의 여러 과정이 복잡하게 일어나면서 직접경로는 운동을 활성화시키는 '운동촉진 경로'인 반면, 간접경로는 운동을 억제시키는 '운동억제 경로'이다. 이 두 경로는 모두 기저핵, 시상, 대뇌피질을 연결하므로 피질–기저핵–시상–피질 회로cortico-basal ganglia-thalamo-cortical circuit라고 한다.

기저핵은 이 두 경로의 기능을 조화롭게 조절한다. 그런데 이러한 조절 기능은 중뇌의 흑질substantia nigra로부터 줄무늬체로 이어지는 흑질줄무늬체로nigrostriatal pathway[도파민 경로]에 의하여 이루어진다. 흑질줄무늬체는 도파민dopamin이라는 신경전달물질을 통하여 흥분성 효과를 발휘하거나 억제성 효과를 발휘한다. 흥분성 효과에 반응하는 줄무늬체의 도파민 수용기를 D_1 유형이라 하고, 억제성 효과에 반응하는 도파민 수용기를 D_2 유형이라 한다.

> **잠깐!**
>
> **도파민 신경세포**
>
> 도파민 신경세포(dopaminergic neuron)는 도파민을 생성하는 데 관여하는 기저핵의 신경세포를 칭한다.

그런데 흑질에서 전달되는 도파민의 결핍으로 직접경로의 기능이 저하되면 상대적으로 간접경로의 기능이 상대적으로 우세해져 시상과 대뇌피질이 과도하게 억제된다. 그 결과, 운동의 범위가 떨어지거나 운동을 제대로 시작하지 못하는 운동감소형의 특징을 보이며, 파킨슨병이 대표적인 원인 질환이다. 이 경우, 발성부전hypophonia 등의 특징을 보이는 운동감소형 마비말장애[마비성 구음장애]hypokinetic dysarthria를 나타낸다. 이와는 대조적으로, 간접경로의 기능이 저하되는 경우에는 상대적으로 직접경로의 기능이 과도하게 발현되면서 시상과 대뇌피질에 상대적으로 강한 흥분성 신호를 전달한다. 이에 따라 정상에 비하여 운동이 과하게 일어나는 운동과다형 마비말장애[마비성 구음장애]hyperkinetic dysarthria를 보이는 것이다.

또한 특정 시상핵thalamic nuclei, 예컨대 배쪽앞핵ventral anterior nu.의 손상은 실어증을 유발한다. 이러한 증세가 시상핵 손상 자체에 기인하는지, 혹은 피질의 언어중추와 시상핵의 구조 및 기능적 연결로 인하여 시상핵 손상이 피질의 언어중추 기능에 간접적으로 부정적인 영향을 끼치는 것인지에 대해서는 논쟁이 있어 왔다. 그러나 시상핵 자체가 언어기능을 담당하지는 않으므로 시상핵의 손상이 직접적으로 언어장애를 일으키지는 않는다는 견해가 지배적이다. 그보다는 시상핵이 손상되면서 시상핵과 기능적으로 연결된 피질의 언어중추 부위로 유입되는 구심신경로가 차단deafferentiation되어 대사 및 혈류의 저하, 즉 관류perfusion 감소를 초래하여 이차적인 언어장애가 일어나게 된다는 설명이 더 타당하다.

이와 같이 특정 뇌영역의 직접적인 손상에 기인하는 것이 아니라 기능적으로 연결된 뇌영역의 관류 감소로 인하여 이차적으로 기능장애를 보이게 되는 현상을 기능해리diaschisis라고 한다. 이러한 기능해리 현상은 뇌구조의 손상을 보여 주는 전산화단층촬영술CT이나 자기공명영상술MRI 등의 영상기법에서는 관찰되지 않지만, 혈류 감소 부위를 확인할 수 있는 양전자방출단층촬영술PET이나 단일광자방출전산화단층촬영술SPECT 등의 기능적 뇌영상술을 활용한 검사에서는 관찰이 가능하다.

기저핵 역시 전두엽의 여러 영역(예: 일차운동영역, 전운동영역 등)뿐만 아니라 하측두이랑 영역과 두정엽 등과도 연계되어 언어장애, 특히 운동실어증을 일으킬 수 있다. 내포의 특정 부위가 손상되면 구강을 포함한 안면 구조의 기능이 저하되면서 마비말장애[마비성 구음장애]나 구강실행증 등을 일으킬 수 있다.

기타 추체외로

이 밖에도 신체의 반사작용, 균형, 근육의 긴장도나 자세 등을 불수의적involuntary이며 무의식적subconscious으로 조절하는 신경경로에는 망상체척수로, 전정척수로, 적핵척수로, 덮개척수로 등이 있다(그림 7-4).

먼저, 적핵척수로rubrospinal t.는 중뇌의 적핵으로부터 척수까지 이어진다. 이 경로는 피질척수로와 함께 골격근을 조절하는 운동신경세포에 영향을 주며, 특히 굽힘근flexors(굴곡근) 운동신경세포를 촉진하고 펴짐근extensors(신전근) 운동신경세포를 억제함으로써 자세나 근긴장도의 불수의적 운동을 조절한다.

전정척수로vestibulospinal t.는 뇌교의 전정핵vestibular nu.에서 출발하여 척수까지 이어지는 하행 경로이다. 이 경로는 내이inner ear의 전정기관에서 수용되는 평형감각 정보를 바탕으로 굽힘근을 억제하고 펴짐근을 촉진하여 신체의 균형을 유지하게 한다.

망상체척수로reticulospinal t.는 외측 경로와 내측 경로로 나뉘며, 각각 연수(외측)나 뇌교(내측)에서 시작되어 척수까지 이어진다. 기능은 전정척수로와 유사하며, 반사활동이나 자율기능의 불수의적 조절에 관여하여 굽힘근과 펴짐근을 자극하거나 억제함으로써 근육의 긴장이나 자세를 조절, 유지한다.

덮개척수로tectospinal t.는 중뇌에 위치한 상구superior colliculi와 하구inferior colliculi로부터 척수까지 이어지는 경로로서, 시각이나 청각 자극에 반응하여 두경부와 상지의 움직임을 불수의적으로 조절한다. 전정척수로와 함께 작용하여 어깨와 머리의 평형을 유지하는 역할을 한다.

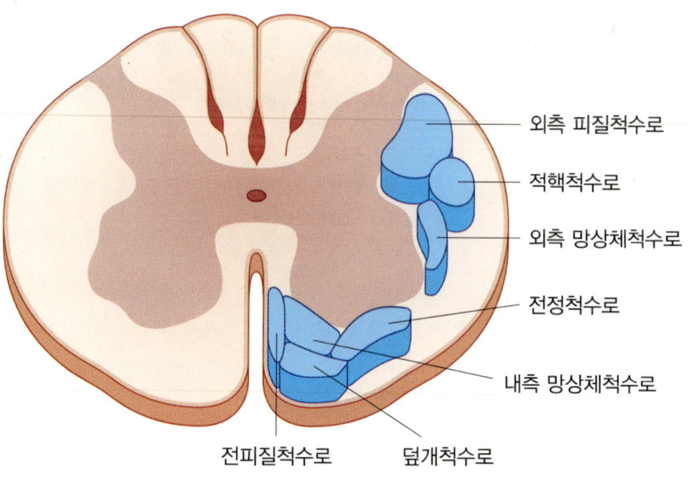

그림 7-4 척수에 위치한 추체외로의 섬유다발

운동을 조절하는 신경경로에는 망상체척수로, 전정척수로, 적핵척수로, 덮개척수로 등이 있다.

소뇌와 제어회로

소뇌의 구조

라틴어로 '작은 뇌'를 의미하는 소뇌cerebellum[cbll.]를 구분 짓는 구조들에 대하여 알아보자. 경막의 일종인 소뇌천막tentorium cerebelli을 경계로 하여 대뇌로부터 구조적으로 분리되어 있으며, 뇌간과 함께 천막하infratentorial 구조에 속하고, 후두개와에 위치한다. 인접 구조를 살펴보면 제4뇌실을 사이에 두고 앞쪽으로 뇌교와 연수가 자리 잡고 있다(그림 7-5).

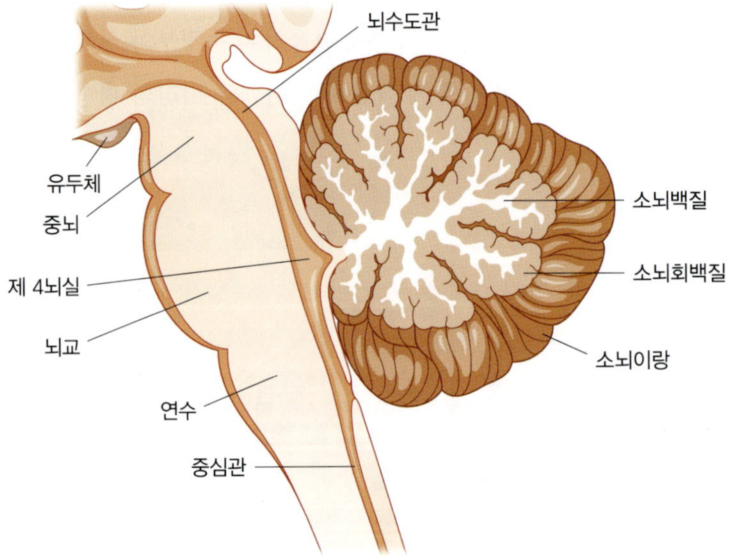

그림 7-5 소뇌와 인접 구조의 위치적 관계
소뇌는 제4뇌실을 사이에 두고 앞쪽으로 뇌교와 연수가 있다.

외관상 소뇌는 대뇌처럼 1쌍으로 이루어져 있는 커다란 소뇌반구cerebellar hemisphere와 소뇌반구 사이 중앙에 작은 소뇌벌레vermis로 구성된 것을 알 수 있다. 소뇌의 표면은 길고 좁은 소뇌이랑folia이 평행으로 배열되어 있으며, 소뇌피질의 약 15%는 표면에 노출되어 있고 나머지 약 85%는 소뇌이랑 사이의 고랑 속에 묻혀 있다. 조직학적으로 소뇌는 대뇌처럼 겉은 회백질, 속은 백질로 이루어져 있다. 소뇌백질은 마치 나무처럼 생겼다고 하여 라틴어로 '생명의 나무arbor vitae'라고 부른다. 백질 내부에는 치아핵dentate nu., 둥근핵globose nu., 마개핵emboliform nu. 등의 여러 소뇌 심부핵deep nuclei이 자리 잡고 있다.

잠깐!

vermis

vermis(우리말 발음: 버미스, 버…)는 '벌레'처럼 생겼다!

소뇌를 단면(그림 7-6)으로 살펴보면 크게 3개의 엽, 즉 앞쪽엽, 뒤쪽엽, 타래결절엽으로 나뉘어 있다. 앞쪽엽anterior lobe, paleocerebellum은 척수와 연결되면서 걷기 등의 활동에서 근육의 수축 상태, 즉 근긴장muscle tone을 지속시키는 역할에 관여한다. 뒤쪽엽posterior lobe, neocerebellum은 발생형태학적으로 가장 최근에 진화된 구조이며, 대뇌피질과 연결되어 협응coordination에 관여하고 앞쪽엽과 더불어 말운동처럼 복잡하고 섬세한 운동 과제를 수행하는 역할을 한다. 타래결절엽flocculonodular lobe, archicerebellum은 발생형태학적으로 가장 오래된 구조로서 전정계와 연결되어 몸의 평형 상태를 유지하는 기능에 관여한다. 또한 뒤쪽엽과 타래결절엽 사이에는 곁편엽paraflocculus이라 불리는 작은 구조가 있다. 앞쪽

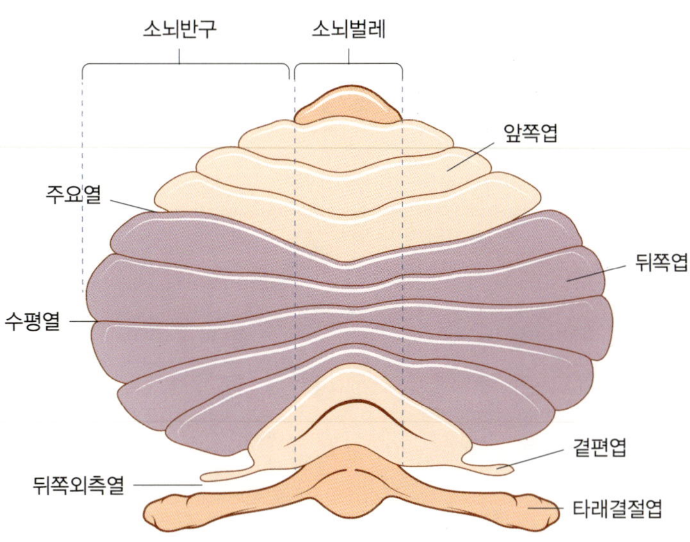

그림 7-6 소뇌의 단면

소뇌에는 가운데의 소뇌벌레를 중심으로 양쪽으로 소뇌반구가 있다. 또한 3개의 엽, 즉 앞쪽엽, 뒤쪽엽, 타래결절엽으로 구성되어 있다.

엽과 뒤쪽엽 사이에는 주요열primary fissure이, 뒤쪽엽과 타래결절엽 사이에는 뒤쪽외측열posterolateral fissure이 있어 각각 엽을 구분 짓는다.

소뇌 손상과 언어병리

소뇌의 주요한 역할은 걷기, 음식 먹기, 말하기, 글쓰기 등의 활동에 필요한 근육들을 서로 조화롭게 협응시키는 일이다. 협응기능의 중추로서 소뇌의 역할은 인지뿐만 아니라 어느 정도의 언어기능, 그리고 말산출에 있어서 조화롭고 숙달된 기능을 하게 한다.

외측 소뇌반구lateral cerebellum는 대뇌피질의 전운동영역과 연합영역으로부터 정보를 전달받는 것으로 알려져 있다. 그러므로 외측 소뇌반구가 손상되면 말을 할 때 협응기능을 상실하여 조음이 뭉쳐서 정확하지 않고 음도, 음량, 말속도 등이 일정하지 않은 실조형 마비말장애[마비성 구음장애]를 유발하기도 한다. 그리고 소뇌벌레 주변 영역인 곁소뇌벌레paravermis의 손상도 실조형 마비말장애[마비성 구음장애]와 연관되는 것으로 알려져 있다. 또한 근래 들어 소뇌의 역할로서 읽기기능이 관찰되면서 기능적 자기공명영상술을 연구를 통해 소뇌 손상이 읽기장애dyslexia를 유발한다고 보고되기도 하였다.

한편, 소뇌는 3쌍의 소뇌각cerebellar peduncle을 통해 뇌간 구조와 연결되어 대뇌피질과의 간접적 상호작용이 가능하다(그림 7-7). 3개의 소뇌각을 하나씩 살펴보면, 먼저 하소뇌각inferior cerebellar peduncle은 척수, 연수 등에서 받아들인 감각정보를 소뇌에 전달하는 구심

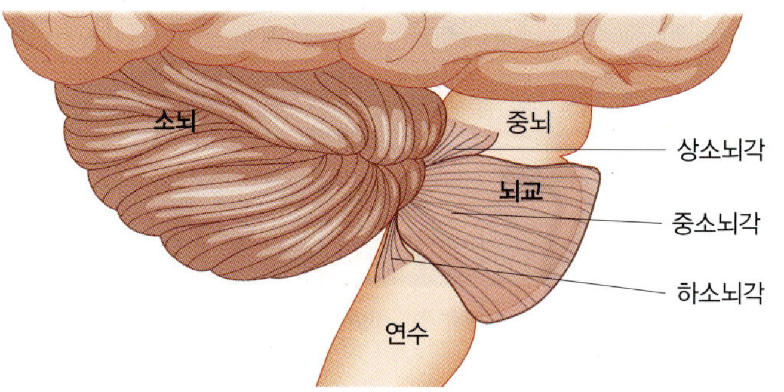

그림 7-7 소뇌와 뇌간을 연결하는 소뇌각 구조
상소뇌각, 중소뇌각, 하소뇌각은 각각 중뇌, 뇌교, 연수를 소뇌와 연결시킨다.

성 신경섬유이다. 중소뇌각middle c. p.은 소뇌각 중에서 가장 크며, 대뇌피질의 전두엽이나 측두엽의 정보가 뇌교를 거쳐 소뇌로 전달하는 구심성 신경섬유이다. 상소뇌각 superior c. p.은 소뇌심부핵에 속하는 치아핵dentate nu., 둥근핵globose nu., 마개핵emboliform nu., 꼭지핵fastigial nu.(실정핵), 중간위치핵interposed nu. 등의 원심성 신경신호를 시상까지 직접 연결하거나, 중뇌의 적핵red nu.을 경유하여 시상에 연결해서 대뇌피질까지 전달하는 원심성 신경섬유이다(그림 7-8).

이처럼 소뇌각이 소뇌와 뇌간을 서로 연결한다는 것은 언어병리학적으로 시사하는 바가 크다. 이는 뇌간, 특히 뇌교의 손상 시에 소뇌병변 때 관찰될 수 있는 유사한 말장애인 실조형 마비말장애[마비성 구음장애]가 관찰되기도 하기 때문이다. 따라서 직접적인 소뇌 손상이 없다 하더라도 그와 기능적·구조적으로 연결된 뇌간 손상으로 의해 소뇌 기능이 간접적으로 영향을 받는다는 것을 알 수 있다.

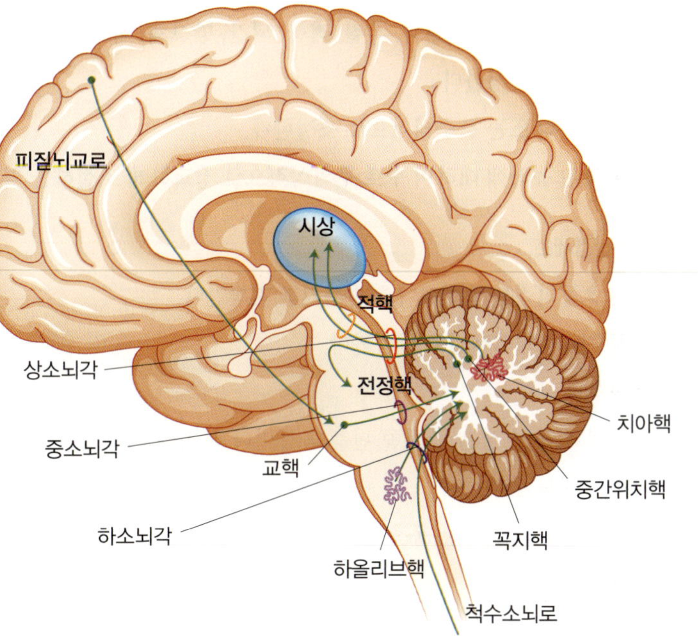

그림 7-8 대뇌피질과 인접 구조의 기능적 연결
대뇌피질은 시상, 중뇌, 뇌교 등을 경유하여 소뇌각을 통해 소뇌와 기능적으로 연결되어 있다.

개념 및 용어 정리

운동신경로: 추체로와 추체외로로 나뉜다.

추체로

- **대뇌피질에서 시작되어 뇌간, 척수를 거쳐 하부운동신경세포까지 이어진다.**
- **사지운동의 수의적인 동작에 관여한다.**
- **피질척수로와 피질뇌간로로 나뉜다.**
  - 피질척수로(외측피질척수로와 전피질척수로): 몸통과 사지 골격근의 수의적 운동 조절에 관여한다.
  - 추체교차
  - 피질뇌간로: 말을 산출하거나 삼킴기능을 하는 근육운동에 관여한다.

추체외로

- **대뇌피질, 기저핵, 시상밑핵, 흑질, 적핵, 뇌간, 망상체, 척수 등이 기능적으로 밀접하게 고리회로를 형성한다.**
- **운동을 반사적 또는 불수의적으로 조절한다.**
- **일단 시작된 동작에 대하여 주로 무의식적으로 정교하게 조절하는 역할을 한다.**

상부운동신경세포

- **대뇌의 운동피질부터 연수나 척수까지를 지칭한다.**
- **피질척수로와 피질뇌간로가 속한다.**
- **피질척수로**
  - 교차점 위의 손상은 반대쪽 편측 몸통이나 사지에 경직형 마비나 쇠약 증세 등의 대측 장애를 초래한다.
  - 교차점 아래의 손상은 동측 장애를 초래한다.
- **피질뇌간로**
  - 대부분 양쪽 뇌간의 운동핵까지 이어지는 양측지배를 한다.
  - 안면신경의 운동핵과 설하핵 상부운동신경세포는 손상 부위와는 대측의 근육이 마비된다.
  - 양측 피질뇌간로가 손상되면 가성구마비가 관찰될 수 있다.

✓ 하부운동신경세포

- **뇌신경 혹은 척수신경을 일컫는다.**
- **뇌신경 혹은 척수신경의 세포체는 각각 뇌간과 척수에 위치한다.**
- **편측 하부운동신경세포가 손상되면 동측 운동장애가 생긴다.**
  - 근육 약화, 위축, 마비
  - 속상수축

✓ 운동신경세포의 손상 종류와 위치에 따른 언어병리 현상

- **상부운동신경세포의 손상**
  - 대뇌: 비유창성 실어증, 말실행증, 경직형 마비말장애[마비성 구음장애], 편측 상부운동신경세포형 마비말장애[마비성 구음장애], 삼킴장애 등
  - 소뇌: 실조형 마비말장애[마비성 구음장애], 삼킴장애
  - 뇌간: 이완형 마비말장애[마비성 구음장애], 실조형 마비말장애[마비성 구음장애], 삼킴장애
- **하부운동신경세포의 손상**: 이완형 마비말장애[마비성 구음장애], 삼킴장애

✓ 피질-기저핵-시상-피질 회로: 직접경로와 간접경로

- **직접경로**: 시상과 대뇌피질에 흥분성 신호를 전달한다.
  - 대뇌피질은 줄무늬핵에 흥분성 신경신호를 보내 줄무늬핵이 활성화되도록 한다.
  - 줄무늬핵이 활성화되면 억제성 신호가 내측 창백핵으로 보내진다.
  - 이 억제성 신호는 내측 창백핵의 기능을 억제한다.
  - 억제성을 지닌 내측 창백핵 고유의 기능이 제한되면서, 즉 탈억제되면서 시상이 억제로부터 풀린다.
  - 운동피질에 흥분성 신경신호를 보낼 수 있게 되면서 원활한 근육운동이 일어난다.
- **간접경로**: 시상과 대뇌피질에 억제성 신호를 전달한다.
  - 대뇌피질로부터 흥분성 신경신호를 받은 줄무늬핵이 활성화된다.
  - 줄무늬핵이 억제성 신호를 외측 창백핵으로 보낸다.
  - 이 억제성 신호는 외측 창백핵의 활성화를 억제한다.
  - 억제성을 지닌 외측 창백핵 고유의 기능이 제한되면서 시상밑부핵이 억제로부터 해방(즉, 탈억제)된다.

- 시상밑부핵이 내측 창백핵에 흥분성 신호를 보내면서 내측 창백핵의 기능이 활성화된다.
- 내측 창백핵에서 나오는 억제성 신경신호가 시상에 전달되면서 시상핵의 활동을 억제한다.
- 운동피질의 수의적인 활동을 덜 활동적으로 만든다.

운동감소형 마비말장애[마비성 구음장애]와 운동과다형 마비말장애[마비성 구음장애]

- **운동감소형**: 흑질에서 전달되는 도파민의 결핍으로 인해 직접경로의 기능이 저하되면 상대적으로 간접경로의 기능이 부각되면서 시상과 대뇌피질에 과도한 억제성 기능을 전달한다.
- **운동과다형**: 간접경로의 기능이 저하되는 경우에는 상대적으로 직접경로의 기능이 과도하게 발현되면서 시상과 대뇌피질에 상대적으로 강한 흥분성 신호를 전달한다.

소뇌

- **소뇌천막을 사이에 두고 대뇌로부터 구조적으로 분리된다.**
- **1쌍으로 이루어진 소뇌반구와 두 반구 사이의 소뇌벌레로 구성된다.**
- **뇌간과 함께 천막하 구조에 속하며 후두개와에 들어 있다.**
- **제4뇌실을 사이에 두고 앞쪽으로 뇌교와 연수가 자리 잡고 있다.**
- **소뇌이랑**: 소뇌피질의 이랑
- **소뇌 심부핵**: 치아핵, 둥근핵, 마개핵 등
- **소뇌의 구성 엽**: 앞쪽엽, 뒤쪽엽, 타래결절엽
  - 앞쪽엽: 근긴장을 지속시키는 역할을 한다.
  - 뒤쪽엽: 앞쪽엽과 더불어 말운동 등의 복잡한 운동 과제에 관여한다.
  - 타래결절엽: 몸의 평형 상태를 유지하는 기능에 관여한다.
- **소뇌각에 의해 뇌간 구조와 직접적으로 연결되고 대뇌피질과 간접적으로 연계된다.**
  - 하소뇌각: 척수, 연수 등에서 받아들인 감각정보를 소뇌에 전달하는 구심성 신경섬유
  - 중소뇌각: 대뇌피질의 전두엽이나 측두엽의 정보를 뇌교를 거쳐 소뇌로 전달하는 구심성 신경섬유
  - 상소뇌각: 치아핵, 둥근핵, 마개핵 등의 신경신호를 시상에 연결하여 대뇌피질까지 전달하는 원심성 신경섬유
- **소뇌 손상과 언어병리**: 실조형 마비말장애[마비성 구음장애], 읽기장애

복습문제

1. 다음은 운동신경로(추체로)에 대한 설명이다. 옳은 것에 ○, 틀린 것에 × 표시를 하시오.

(1) 추체로는 사지운동을 반사적 또는 불수의적으로 조절한다. (　　)

(2) 추체로에는 피질척수로와 피질뇌간로가 있다. (　　)

(3) 피질뇌간로는 몸통과 사지 골격근의 수의적 운동에 관여한다. (　　)

(4) 추체로는 대뇌피질의 운동영역에 세포체가 있으며, 연수나 척수의 하부운동신경세포까지 신경연접(시냅스) 없이 직접 연결된다. (　　)

2. 다음 그림에서 각 운동신경로에 해당하는 명칭을 쓰시오.

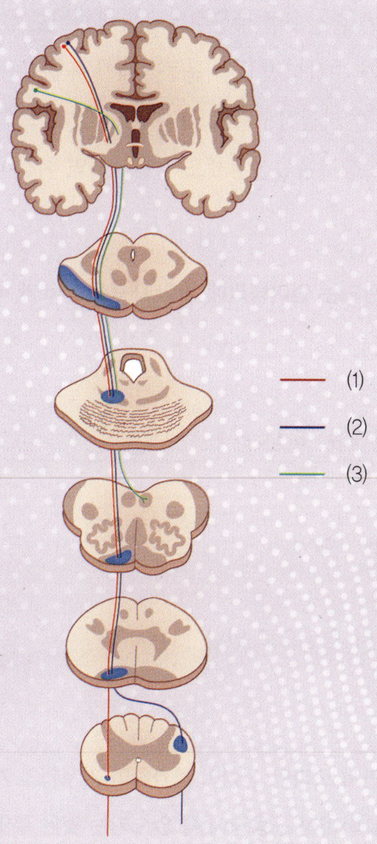

3. 다음 보기의 빈칸에 알맞은 용어를 쓰시오.

일차운동영역의 호먼큘러스 구성안면 영역은 내포의 (1) __________과, 사지와 몸통 영역은 내포의 (2) __________과 연결된다.

4. 대뇌에서 뇌간까지 이어지는 가장 대표적인 하행 운동섬유로서 말을 생성하거나 삼킴기능을 하는 근육운동에 관여하는 신경로는 무엇인가?

5. 다음은 상부운동신경세포와 하부운동신경세포에 대한 내용이다. 옳은 것에 ○, 틀린 것에 × 표시를 하시오.

(1) 하부운동신경세포가 손상되면 속상수축이 유발되기도 한다. ( )

(2) 하부운동신경세포가 손상되면 대측 운동장애가 유발될 수 있다. ( )

(3) 상부운동신경세포 중 피질척수로의 80~90% 정도가 연수에서 교차한다. ( )

(4) 설하핵과 연결되는 상부운동신경세포가 손상되면 혀를 내밀었을 때 혀근육이 약한 방향으로 쏠린다. ( )

6. 신경세포의 손상과 연관되는 언어병리에 관한 내용을 바르게 짝지으시오.

(1) 중추성 신경세포의 손상으로 인한 언어장애	ㄱ. 이완형 마비말장애[마비성 구음장애]
(2) 양측 대뇌 손상으로 인한 말장애	ㄴ. 실조형 마비말장애[마비성 구음장애]
(3) 소뇌 손상으로 인한 말장애	ㄷ. 경직형 마비말장애[마비성 구음장애]
(4) 하부운동신경세포의 손상으로 인한 말장애	ㄹ. 비유창성 실어증

7. 흑질의 세포가 줄어들면서 도파민 생성이 불가하여 기저핵의 기능장애를 유발시키는 질환으로서 운동감소형 마비말장애[마비성 구음장애]를 일으키는 것은 무엇인가?

8. 다음은 피질척수로에 대한 설명이다. 옳은 것에 ○, 틀린 것에 × 표시를 하시오.

(1) 몸통과 사지의 운동에 관여한다. (   )

(2) 신경섬유가 하부연수의 추체로를 지난다. (   )

(3) 한쪽만 손상되어도 경직성이 보인다. (   )

(4) 연수에서 추체로교차가 일어난다. (   )

(5) 피질에서 시작하여 척수까지 이어진다. (   )

9. 다음은 피질뇌간로에 대한 설명이다. 옳은 것에 ○, 틀린 것에 × 표시를 하시오.

(1) 피질에 위치한 운동 호먼큘러스와 관련이 있다. (   )

(2) 대부분의 피질뇌간로는 중뇌까지 이어진다. (   )

(3) 피질뇌간로가 상부신경세포인 반면에, 뇌신경은 하부신경세포라고 할 수 있다. (   )

10. 대뇌의 이랑에 해당하는 소뇌의 구조를 무엇이라고 하는가?

11. 다음은 기저핵을 통해 처리되는 두 가지 체계의 신경신호 경로인 직접경로와 간접경로에 대한 설명이다. 옳은 것에 ○, 틀린 것에 × 표시를 하시오.

(1) 직접경로는 대뇌피질의 여러 영역으로부터 신경신호가 줄무늬핵을 거쳐 내측 창백핵을 지나 시상을 통해 전두엽으로 전해지는 회로이다. (   )

(2) 직접경로는 시상과 대뇌피질에 흥분성 신호를 전달한다. (   )

(3) 간접경로는 대뇌피질로부터 흥분성 신경신호를 받은 줄무늬핵이 활성화되어, 줄무늬핵이 감마아미노부티르산(GABA)의 분비를 통하여 억제성 신호를 외측 창백핵으로 보낸다. (   )

(4) 간접경로는 시상과 대뇌피질에 억제성 신호를 전달한다. (   )

12. 소뇌을 구성하는 3개의 엽을 쓰시오.

13. 소뇌가 손상되면 음도, 음량, 말속도 등이 일정하지 않고, 말을 산출할 때 협응기능을 상실하여 조음이 뭉쳐서 정확하지 않을 수 있다. 이와 같은 특징을 보이는 마비말장애[마비성 구음장애]의 유형은 무엇인가?

14. **피질-기저핵 회로를 나타낸 다음 그림에서 빨간 실선으로 설명되는 현상을 모두 고르시오.**

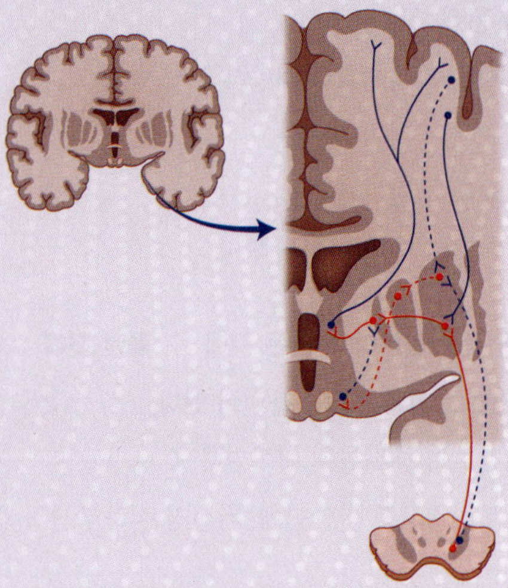

(1) 줄무늬핵에 흥분성 신경신호를 보내어 줄무늬핵이 활성화되도록 한다.

(2) 시상밑부핵이 내측 창백핵에 흥분성 신호를 보내면서 내측 창백핵의 기능이 활성화된다.

(3) 내측 창백핵에서 나오는 억제성 신경신호가 시상에 전달되면서 시상핵들의 활동을 억제한다.

(4) 신경신호는 줄무늬핵으로부터 외측 창백핵과 시상밑부핵을 거치지 않고 직접 내측 창백핵으로 연결된다.

15. **다음은 소뇌각에 대한 설명이다. 옳은 것에 ○, 틀린 것에 × 표시를 하시오.**

(1) 총 3쌍이 있다. (   )

(2) 뇌간과 직접적으로 연결되며 대뇌피질과는 간접적으로 연계된다. (   )

(3) 뇌교가 손상되면 소뇌 손상 시처럼 마비말장애[마비성 구음장애]가 관찰되는데, 이는 중소뇌각이 뇌교와 소뇌를 연결시키기 때문이다. (   )

16. **하부운동신경세포와 유사한 의미로 쓰일 수 없는 것을 고르시오.**

(1) 뇌신경 (2) 척수신경

(3) 말초신경 (4) 중추신경

정답

1. (1) × *사지운동을 반사적 또는 불수의적으로 조절하는 신경로는 추체외로임.
   (2) ○
   (3) × *몸통과 사지 골격근의 수의적 운동은 피질척수로의 역할임.
   (4) ○
2. (1) 전피질척수로 (2) 외측피질척수로 (3) 피질뇌간로
3. (1) 무릎 (2) 후각
4. 피질뇌간로
5. (1) ○ (2) × *하부운동신경세포의 손상은 동측 운동장애를 유발함. (3) ○ (4) ○
6. (1) ㄹ (2) ㄷ (3) ㄴ (4) ㄱ
7. 파킨슨병
8. (1) ○ (2) ○ (3) × *양쪽이 손상되어야 경직성이 보임. (4) ○ (5) ○
9. (1) ○ (2) X *대부분의 피질뇌간로는 뇌교나 연수까지 이어짐. (3) ○
10. 소뇌이랑
11. (1) ○ (2) ○ (3) ○ (4) ○
12. 앞쪽엽, 뒤쪽엽, 타래결절엽
13. 실조형 마비말장애[마비성 구음장애]
14. (3), (4)
15. (1) ○ (2) ○ (3) ○
16. (4) *중추신경은 상부운동신경세포에 해당함.

제 8 장

뇌간과 뇌신경

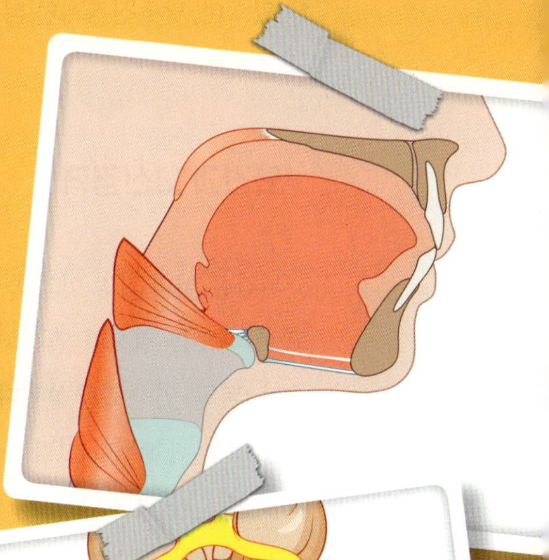

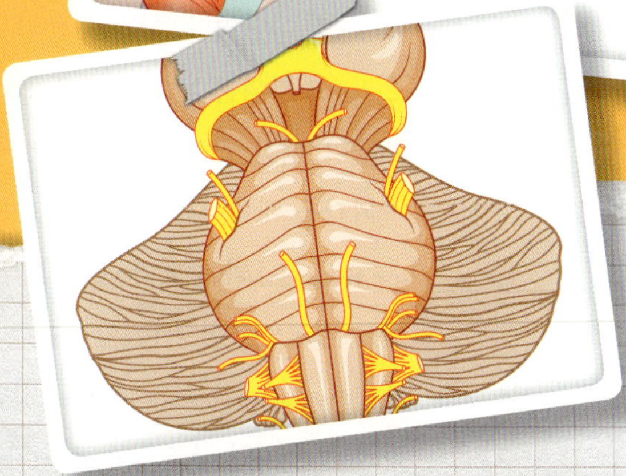

학습목표

- 뇌간의 구조(중뇌, 뇌교, 연수)를 익힌다.
- 중뇌의 구조와 뇌신경핵 및 관련 기능에 대해 학습한다.
- 뇌교의 구조와 뇌신경핵 및 관련 기능에 대해 학습한다.
- 연수의 구조와 뇌신경핵 및 관련 기능에 대해 학습한다.
- 뇌신경핵과 연관 뇌신경을 연계하여 익힌다.
- 뇌신경의 분류와 기능에 대해 익힌다.
- 언어장애와 관련된 뇌신경에 대해 살펴본다.
- 말장애와 관련된 뇌신경에 대해 살펴본다.
- 삼킴장애와 관련된 뇌신경에 대해 살펴본다.

뇌 구조 중에서 뇌간은 말기능 및 삼킴기능과 매우 밀접하게 관련이 있기 때문에 언어병리학에서 특히 중요시되는 구조이다. 중추신경계로서의 뇌간에는 뇌신경세포들의 핵이 모여 생긴 뇌신경핵군이 위치해 있으며, 말초신경계인 뇌신경과 연결되어 있다.

뇌간과 뇌신경핵

뇌간은 뇌의 가장 아래쪽에 위치하며, 위로는 간뇌(시상, 시상하부)diencephalon와 이어지고, 아래로는 척수가 연결되어 있으며, 뒤로는 소뇌가 위치해 있다. 뇌간은 세 구조, 즉 중뇌, 뇌교, 연수로 구성된다. 등쪽 뇌간은 소뇌로 덮여 있으나, 소뇌를 제거하면 뇌간 구조들이 잘 관찰된다(그림 8-1의 A). 중뇌에는 2쌍(총 4개)의 혹처럼 돌출된 사구체corpus quadrigemina가 있다. 뇌간의 중간 지점에는 제4뇌실의 바닥인 능형오목rhomboid fossa이 있으며, 그 부위는 뇌교의 등쪽에 해당한다. 뇌교는 소뇌와 연결되는 섬유다발이 매우 풍부하며, 뇌간 구조 중에서 가장 크다.

뇌간을 배쪽ventral에서 살펴보면(그림 8-1의 B), 간뇌와 중뇌의 경계는 간뇌의 유두체mammillary body와 중뇌의 대뇌각 기저부crus cerebri 사이이다. 뇌교와 연수가 만나는 경계 지점을 뇌교연수이행부pontomedullary junction라고 한다. 연수의 하부에서는 연수 배쪽에서 추체로pyramidal tract가 좌우로 엇갈리는 추체교차pyramidal decussation가 일어난다. 연수는 가장 작은 뇌간 구조로서, 척수와의 경계는 불확실하나 제1척수신경의 바로 위쪽으로 간주된다.

뇌간을 정중시상면에서 살펴보면(그림 8-2) 인접 구조와의 관계가 잘 관찰된다. 가장 위쪽에 위치한 중뇌의 바로 위에는 제3뇌실이 보이고, 중뇌 등쪽에는 뇌수도관cerebral aqueduct이 있으며, 뇌수도관 아래에 바로 이어지는 제4뇌실이 보인다. 뇌실과 뇌수도관은 뇌척수액으로 채워져 있다. 뇌간의 뒤에는 소뇌가 위치해 있다. 뇌간에는 뇌간 전체 길이에 걸쳐 신경세포들의 회백질 조직이 느슨한 그물 모양을 이루는 구조가 있는데 이를 망상체reticular formation라고 한다. 망상체는 자동적이고 무의식적인 장기활동(예: 호흡)이나 체성반사조절기능을 한다. 망상체 중에서도 의식 유지와 주의 집중을 조절하

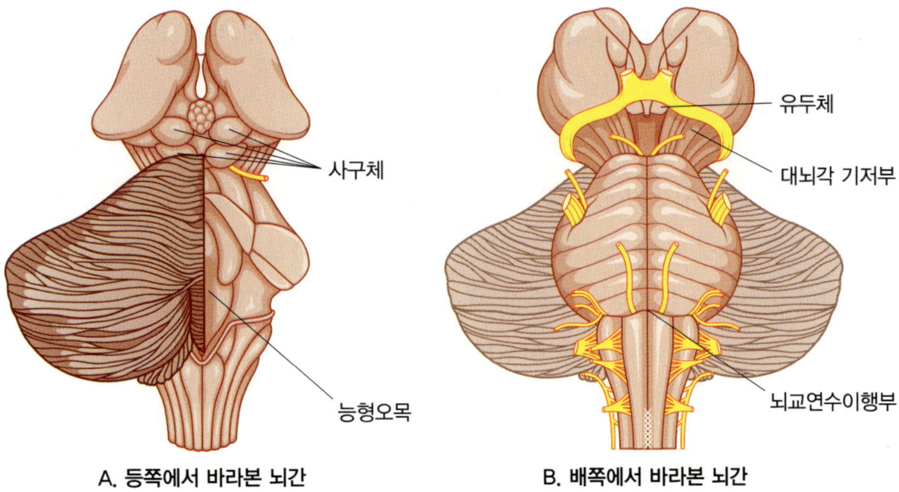

그림 8-1 등쪽 · 배쪽에서 바라본 뇌간

등쪽 뇌간은 소뇌로 덮여 있고, 배쪽 뇌간에서는 여러 뇌간 구조들의 경계부가 관찰된다.

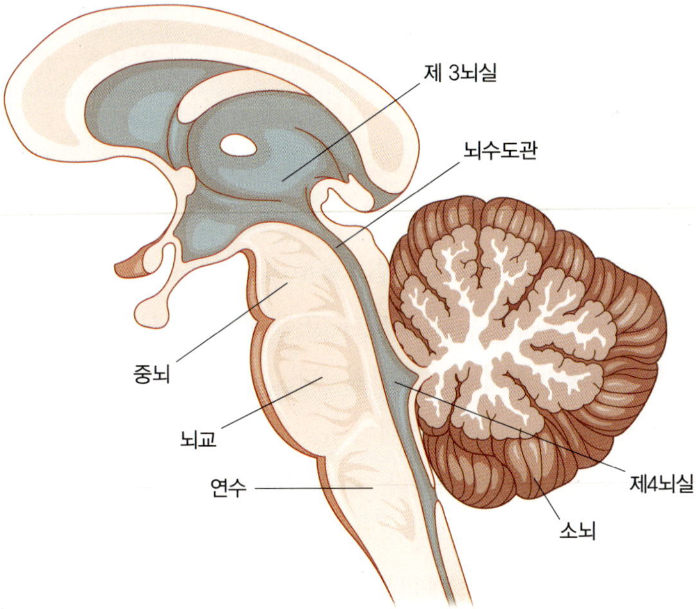

그림 8-2 뇌간의 정중시상면

뇌간을 정중시상면에서 바라보면, 가장 위쪽에 위치한 중뇌의 바로 위에는 제3뇌실이 있고, 중뇌 바로 뒤에는 뇌수도관이 관찰되며, 뇌수도관에 바로 이어지는 제4뇌실이 관찰된다는 영역을 활성망상계reticular activation system[RAS]라고 하며, 의식consciousness, 수면각성주기sleep-wake cycle, 주의력attention 등에 관여한다. 활성망상계가 손상되면 혼수상태에 빠질 수 있다.

뇌간은 대뇌나 소뇌에 비하여 그 크기가 작긴 하나 다양한 핵과 주요 구조들이 고도로 밀집해 있다. 뇌간의 세 구조인 중뇌, 뇌교, 연수의 수평면에서 절단이 어느 지점에서 이루어지는가에 따라 관찰될 수 있는 구조는 크게 다르다. 여기에서는 각 뇌간 구조의 수평면을 상세히 살펴보면서 손상 시 나타나는 장애에 대하여 간략하게 알아보도록 한다. 다만 신경핵의 손상에 따른 언어병리의 문제는 뒤에서 다룰 것이다.

중뇌

중뇌는 크게 세 부분, 즉 중뇌 덮개, 피개, 기저부로 나뉘는데 정중시상면에서 관찰하면 그 상대적 위치를 잘 파악할 수 있다(그림 8-3). 중뇌 덮개tectum는 뇌수도관을 기준으로 볼 때 등쪽 부분을 일컫는다. 뇌수도관을 중심으로 바로 앞에는 피개tegmentum가 있으며, 중뇌의 가장 배쪽을 기저부basis라고 한다.

> **잠깐!**
>
> **덮개**
>
> 'tectum'은 라틴어로 '지붕'을 뜻하는데, '덮개'는 중뇌 수평면의 가장 등쪽에서 지붕을 형성하고 있다.

앞서 뇌간 그림(그림 8-1)에서 보았듯이, 중뇌의 덮개에는 총 4개의 구colliculus, 즉 사구체가 있는데, 1쌍의 상구superior colliculi는 상부 덮개에, 1쌍의 하구inferior colliculus는 하부 덮개에 있다. 상구 단계의 중뇌 수평면(그림 8-3)에서 바라본 피개에는 3번 뇌신경(동안신경)의 동안신경핵oculomotor nucleus이 있다. 또한 하부운동신경세포로 하행 경로를 내려보내는 운동핵의 일종인 적핵red nu.도 관찰된다.

중뇌의 기저부basis, crus cerebri는 대뇌각cerebral peduncle이라고도 하며, 이 부위에는 피질척수로와 피질뇌간로 등이 지나간다. 중뇌 기저부의 피질뇌간로가 손상되면 연수로 연결된 하행섬유가 단절되어 상부운동신경세포의 손상을 야기하는데, 편측 상부운동신경세포형 마비말장애[마비성 구음장애]라는 말장애를 일으킬 수 있다. 그러나 중뇌에는 삼킴기능을 담당하는 신경핵이 없으므로 중뇌 손상만으로는 삼킴장애가 거의 일어나지 않는다.

또한, '피질-기저핵-시상-피질 회로와 언어병리'(167쪽 참조)에서 언급되었듯이, 피개와 기저부 사이에는 신경전달물질인 도파민이 생성되는 흑질이 있다. 흑질이 손상되

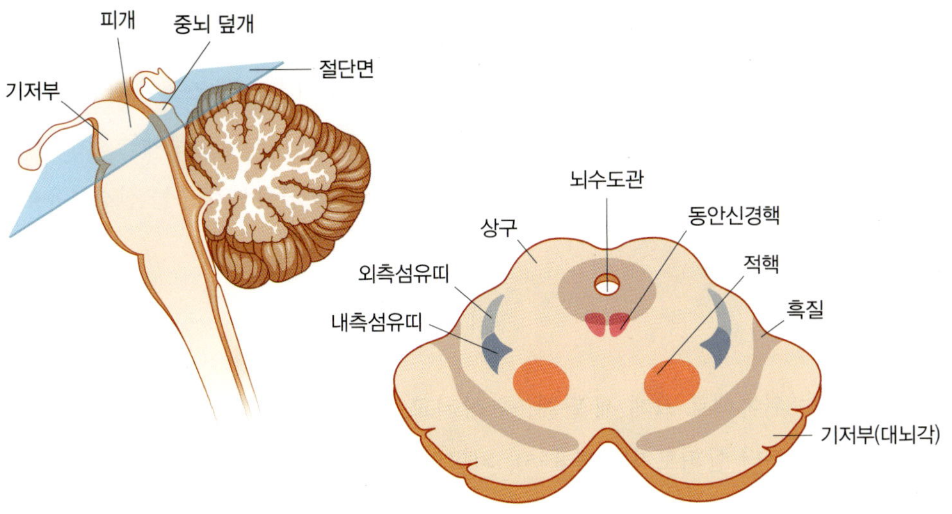

그림 8-3 **상구 단계의 중뇌 수평면**

중뇌에는 등쪽에 1쌍의 상구가 있으며, 뇌수도관을 중심으로 수도관주위 회백질이 관찰되고, 그 아래로는 1쌍의 동안신경핵이 있다. 또한 운동핵의 일종인 적핵도 관찰되며, 도파민이 생성되는 흑질이 있다. 대뇌각은 중뇌의 기저부에 위치하고 피질척수로와 피질뇌간로가 지나간다.

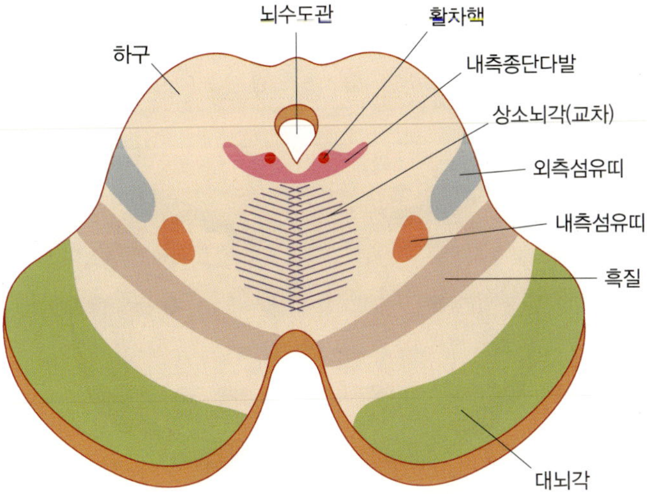

그림 8-4 **하구 단계의 중뇌 수평면**

등쪽에는 1쌍의 하구가 있고, 뇌수도관 아래에 활차핵이 관찰된다. 중심쪽에는 상소뇌각이 있는데, 중뇌와 소뇌를 연결시켜 주는 신경섬유이다.

면 도파민의 생성을 저하시켜 기저핵으로의 도파민 공급이 차단되어 운동감소형 마비말장애[마비성 구음장애]를 유발한다.

하구 단계의 중뇌 수평면에서는 그림 8-4에서 보여지는 구조들이 관찰된다. 피개에는 4번 뇌신경(활차신경)핵인 활차핵trochlear nu.이 관찰된다. 중심부에는 상소뇌각superior cerebellar peduncle이 교차한다. 소뇌각은 뇌간과 소뇌를 연결시켜 주는 신경섬유이다.

뇌교

뇌교는 위아래로 크게 세 단계, 즉 상뇌교, 중뇌교, 하뇌교로 나눌 수 있다. 먼저, 상뇌교 단계부터 살펴보자(그림 8-5). 뇌교의 등쪽에 제4뇌실이 보이고, 그 뒤로는 소뇌, 양옆으로는 상소뇌각이 있다. 제4뇌실 바로 앞의 피개tegmentum에는 외측섬유띠lateral lemniscus가 있다.

기저부에는 뇌교와 소뇌를 이어 주는 뇌교소뇌로pontocerebellar tract가 있다. 이 신경로는 근육 협응기능에 중요한 역할을 하는데, 이 신경로가 손상되면 마비말장애[마비성 구음장

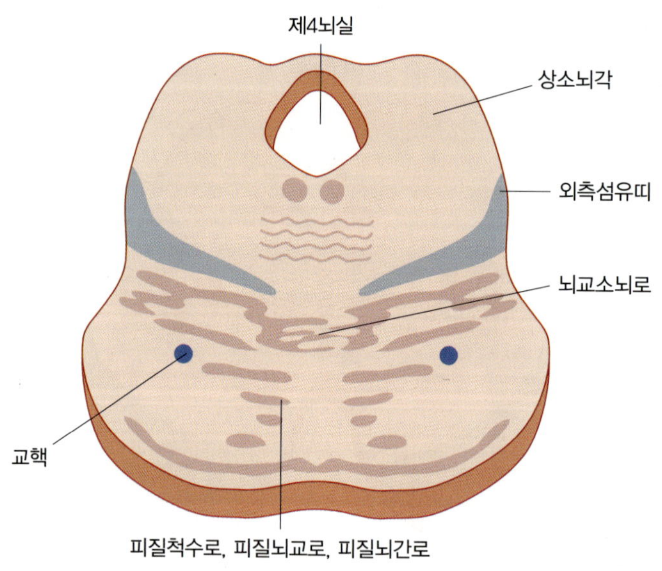

그림 8-5 상뇌교 단계의 뇌교 수평면
가장 등쪽에 제4뇌실이 있으며, 피개에는 외측섬유띠가 지나간다. 기저부에서는 뇌교소뇌로, 교핵 등이 관찰되며, 피질과 연결되는 피질척수로, 피질뇌교로, 피질뇌간로 등이 있다.

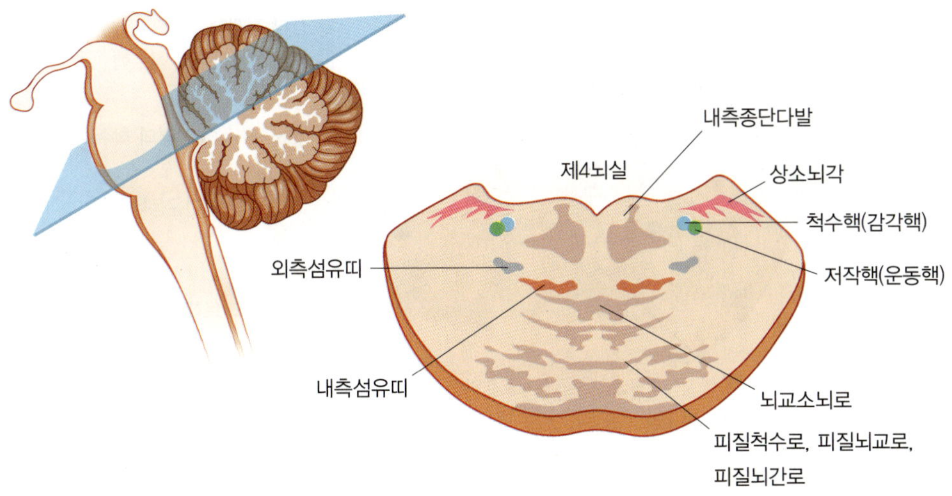

그림 8-6 중뇌교 단계의 뇌교 수평면
가장 등쪽에 제4뇌실이 있으며, 피개에는 내측종단다발, 내측섬유띠, 외측섬유띠 등이 있다. 그 옆에는 5번 뇌신경인 삼차신경의 두 핵, 즉 척수핵(감각핵)과 저작핵(운동핵)이 나란히 놓여 있다. 기저부에서는 뇌교소뇌로, 교핵 등이 관찰된다.

애]나 삼킴장애가 생길 수 있다. 구체적으로, 협응을 담당하는 소뇌에 직접적인 손상을 입었을 때 실조형 마비말장애[마비성 구음장애]를 유발하는 것과 마찬가지로, 뇌교소뇌로의 손상 역시 실조형 마비말장애[마비성 구음장애]를 일으킬 수 있다. 이 이외에도 피질과 연결되는 피질척수로corticospinal tract, 피질뇌교로corticopontine t., 피질뇌간로corticobulbar t. 등의 하행섬유들이 지나간다.

다음으로, 중뇌교 단계(그림 8-6)에서는 상뇌교와 마찬가지로 등쪽에서 제4뇌실과 소뇌가 관찰된다. 피개부에서는 안쪽부터 차례로 내측종단다발medial longitudinal fasciculus, 내측섬유띠, 외측섬유띠 등이 관찰된다. 그 옆에는 5번 뇌신경인 삼차신경의 두 핵이 나란히 위치하며 달걀 모양을 이루고 있다. 좀 더 안쪽에 있는 핵이 삼차신경의 척수핵spinal nu.(감각핵)이고, 바깥쪽의 핵은 삼차신경의 저작핵masticator nu.(운동핵)이다. 저작핵은 씹는 근육이나 조음을 위한 턱운동 근육에 신경신호를 보내는 역할을 하므로 기억해 두어야 할 중요한 핵이다. 따라서 이 부분이 손상되면 턱운동 기능을 저하시켜 씹기나 조음에 방해가 된다.

한편, 가장 외측에는 상소뇌각이 관찰된다. 중뇌교의 기저부에서도 상뇌교와 마찬가

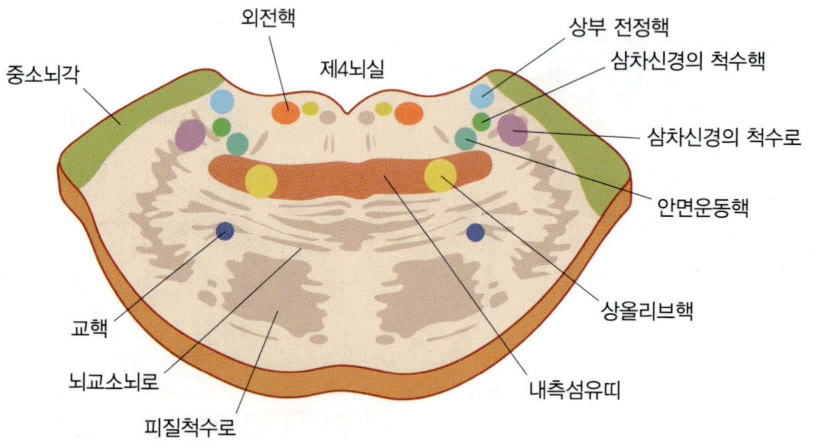

그림 8-7 하뇌교 단계의 뇌교 수평면
하뇌교에는 5번, 6번, 7번, 8번 뇌신경의 핵들이 자리 잡고 있다. 기저부에서는 뇌교소뇌로, 피질척수로, 피질뇌교로, 피질뇌간로 등이 관찰된다.

지로 뇌교소뇌로가 관찰된다. 또한 피질과 연결되는 피질척수로corticospinal t., 피질뇌교로corticopontine t., 피질뇌간로corticobulbar t. 등의 하행섬유들이 지나간다.

마지막으로, 하뇌교 단계(그림 8-7)에서는 등쪽에 제4뇌실이 위치해 있으며, 피개에서는 외전핵abducens nu.과 중소뇌각을 관찰할 수 있다. 외측으로는 전정핵vestibular nu.과 그 아래로 삼차신경의 척수핵과 척수로가 있고, 내측으로는 안면운동핵facial motor nu.(7번 뇌신경)이 있다. 안면운동핵이 손상되면 입술, 뺨을 포함한 안면근육이 마비된다. 이 경우에 부정확한 조음을 유발하고, 침을 흘리게 되며, 식사를 할 때 음식물을 흘리거나 뺨과 잇몸 사이(구강 외측고랑)에 음식물이 고이게 된다.

한편, 하뇌교의 기저부에는 뇌교소뇌로가 있다. 뇌교소뇌로 안에서는 신경섬유들 사이에 산재되어 있는 작은 뭉치의 회백질인 교핵pontine nuclei이 관찰된다. 교핵은 대뇌피질로부터 내려오는 신경신호를 받아 대측 소뇌로 전달하여 뇌교와 소뇌가 기능적으로 연결되는 데 중요한 역할을 한다(175쪽의 그림 7-8 참조).

연수

연수의 가장 상부에는 연수 시작 전 뇌교와 연수가 이어지는 부분인 뇌교연수이행부가 있다. 뇌간의 가장 아랫부분을 차지하는 연수는 등쪽에서 제4뇌실이 관찰되는지 혹은 작은 중심관central canal이 나타나는지에 따라 각각 개방연수open medulla와 폐쇄연수closed medulla로 나뉜다.

상부 위치에는 뇌교와 마찬가지로 등쪽에 제4뇌실이 위치해 있는 개방연수가 있다(그림 8-8). 개방연수에는 말기능이나 삼킴기능에 관여하는 많은 뇌신경핵이 자리 잡고 있다. 등쪽 가장 내측으로부터 설하핵, 등쪽 미주핵, 고립핵, 전정핵/와우핵 그리고 그 아래로 삼차신경의 척수핵과 척수로, 그 옆으로 의핵이 있다. 연수의 경우에는 언어병리에 연관되는 뇌신경핵이 뇌교보다 훨씬 많고, 특히 개방연수에서 많은 핵들을 찾아볼 수 있는데 그 핵들을 하나씩 살펴보자.

먼저, 설하핵hypoglossal nu.은 연수에서 가장 중심부에 위치하며, 12번 설하신경과만 연

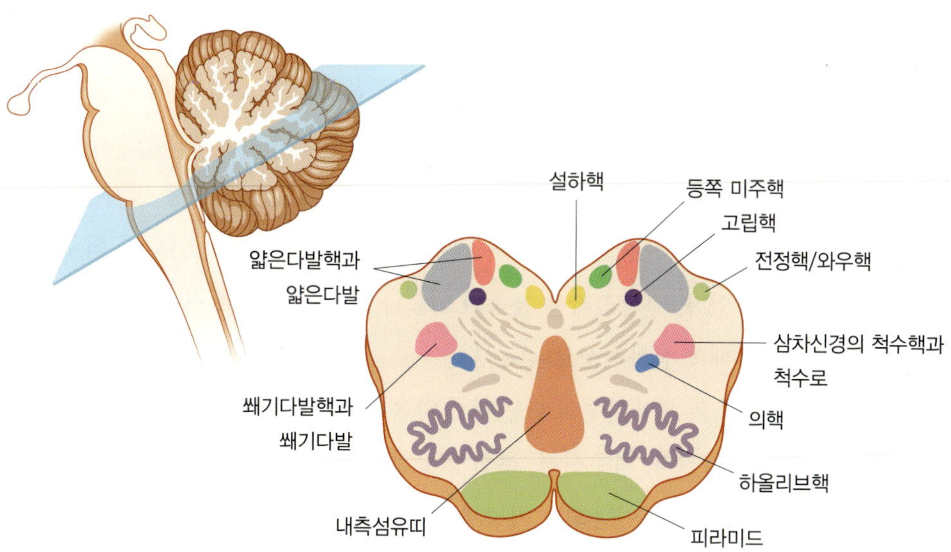

그림 8-8 개방연수의 수평면
개방연수에는 많은 뇌신경핵이 자리 잡고 있다. 등쪽 가장 내측으로부터 설하핵, 등쪽 미주핵, 고립핵, 전정핵/와우핵, 그리고 그 아래로 삼차신경의 척수핵과 척수로, 그 옆으로 의핵이 있다.

관된다. 설하신경에 대해서는 뒤에서 자세히 다룰 것이다.

등쪽 미주핵dorsal vagus nu.은 등쪽 운동핵dorsal motor nu.이라고도 하며, 설하핵 바로 옆에 있다. 이 핵은 흉곽과 복부의 대부분 장기에 분포하는 부교감신경 섬유의 시작점으로서 심장박동 조절, 위, 소장, 대장 등의 소화기관의 운동을 무의식적으로 조절한다. 특히, 호흡량을 늘리기 위하여 흉곽 등의 호흡기관 운동을 활성화시킨다(207쪽 참조). 등쪽 미주핵으로 내려오는 신경신호는 시상하부, 망상체, 후각체계, 고립핵 등에서 기원하며, 다양한 장기반사작용visceral reflexes을 일으킨다.

고립핵nu. solitarius은 장기감각에 관여하는 주요 신경핵이다. 고립핵과 연관된 장기감각은 미각(특수감각)과 일반장기감각으로 나뉜다. 미각의 경우는 혀와 후두개에 위치한 미뢰taste bud에서 감지된 맛이 7번 안면신경, 9번 설인신경, 10번 미주신경을 통하여 고립핵까지 전달된다.

한편, 일반장기감각의 경우는 고립핵이 관련된 뇌신경이 설인신경과 미주신경뿐이다. 자세히 알아보면 혀의 뒤 3분의 1, 인두, 편도 등에 있는 감각수용기로부터 받아들인 반사작용을 유발하는 통각이나 촉각 등의 장기감각이 설인신경으로 전해지거나, 소화기관, 후두호흡체계, 폐, 대동맥궁으로부터 전달되는 감각이 미주신경으로 전해진 후에 고립핵으로 이어진다. 고립핵에서 느껴진 감각에 대한 장기반사작용에는 등쪽 미주핵이 관여한다. 언어병리와 관련된 장기반사작용의 좋은 예로서 호흡 수의 조절을 들 수 있다(이에 대한 자세한 설명은 207쪽의 '호흡: 설인신경, 미주신경, 부신경' 참조).

삼차신경의 척수핵과 척수로spinal nu. and tract of trigeminal nerve는 얼굴 감각정보를 전달하는 역할을 한다. 삼차신경의 척수핵과 척수로는 뇌교, 연수뿐만 아니라 척수 윗부분(경수)까지도 뻗어 있다. 얼굴감각은 동측의 뇌교나 연수의 핵으로 전달되어 정중선midline을 건너, 반대편의 배쪽 삼차시상로trigeminothalamic tract를 따라 올라간다.

의핵nu. ambiguus은 개방연수의 단면에서 하올리브핵의 등쪽에 위치하는 1쌍의 운동핵이다. 의핵은 설인신경, 미주신경, 부신경과 관련되며, 발성을 포함한 말과 삼킴기능 등에 중요한 역할을 한다. 연관되는 기능과 뇌신경에 대해서는 뒤의 뇌신경에서 상세히 알아보자.

연수는 하부에 이르면 더 이상 제4뇌실이 관찰되지 않는 폐쇄연수인데, 가운데에 중심관 구멍이 작게 나 있다(그림 8-9). 폐쇄연수의 중심부에는 신경세포체와 신경섬유들이 그물처럼 얽힌 망상체가 자리 잡고 있고, 이 폐쇄연수에서 피질뇌간로가 교차한다.

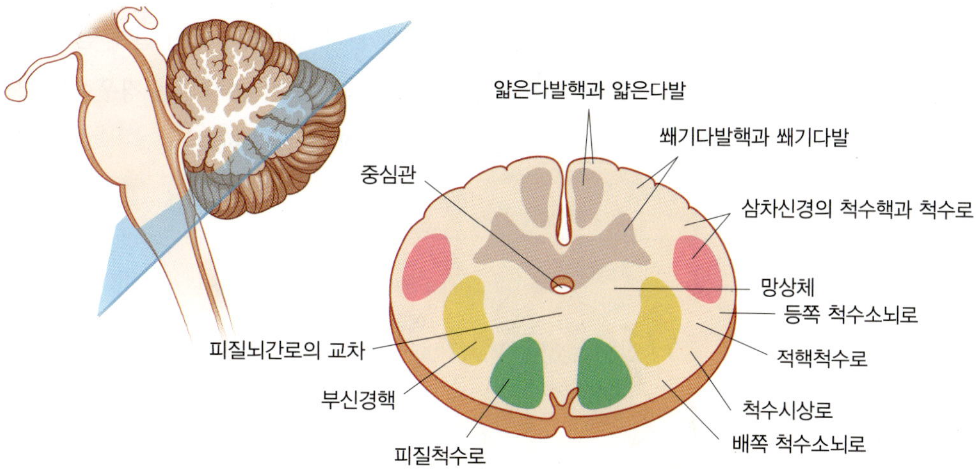

그림 8-9 폐쇄연수의 수평면

폐쇄연수의 중심부에는 신경세포체와 신경섬유들이 그물처럼 얽힌 망상체가 자리 잡고 있으며 피질뇌간로가 교차한다.

외측에는 삼차신경의 척수핵과 척수로, 등쪽 척수소뇌로dorsal spinocerebellar tract, 적핵척수로rubrospinal tract, 척수시상로spinothalamic tract 등이 있다. 등쪽에는 얇은다발핵gracile nu., 얇은다발gracile fasciculus, 쐐기다발핵cuneate nu., 쐐기다발cuneate fasciculus이 있으며, 배쪽 가장자리에는 피질척수로corticospinal tract, 배쪽 척수소뇌로ventral spinocerebellar tract, 부신경핵accessory nu.이 위치해 있다.

뇌신경핵의 분포

뇌간의 수평면에서도 살펴보았듯이, 뇌간에는 뇌신경의 핵이 모여 회백질을 구성하는 다수의 뇌신경핵군cranial neve nuclei이 있다(그림 8-10). 뇌신경핵의 분포 양상을 종합해 볼 때, 다음과 같이 세 가지 특징으로 요약할 수 있다.

첫째, 뇌신경핵의 위치는 단일 뇌간 구조에만 국

잠깐!

뇌간의 부분 확인

뇌간은 단면 구조에서 등쪽 뇌실의 종류, 크기, 모양 등에 따라 뇌간의 어떤 부분인지를 가늠할 수 있다. 중뇌에는 뇌수도관이 있고, 뇌교와 개방연수에서는 제4뇌실이 관찰되며, 폐쇄연수에는 중심관이 있다.

한되거나 위아래로 길게 여러 뇌간 구조들에 걸쳐 분포하기도 한다. 예컨대, 안면운동핵은 뇌교에만 위치하는 반면, 삼차신경의 척수핵은 중뇌부터 척수까지 길게 뻗어 있으며, 부신경의 핵은 척수 C1–C5(경수)에 걸쳐 있다. 척수(경수)가 손상되는 경우에는 부신경의 기능저하를 야기하여 말호흡speech breathing에 지장을 주기도 한다.

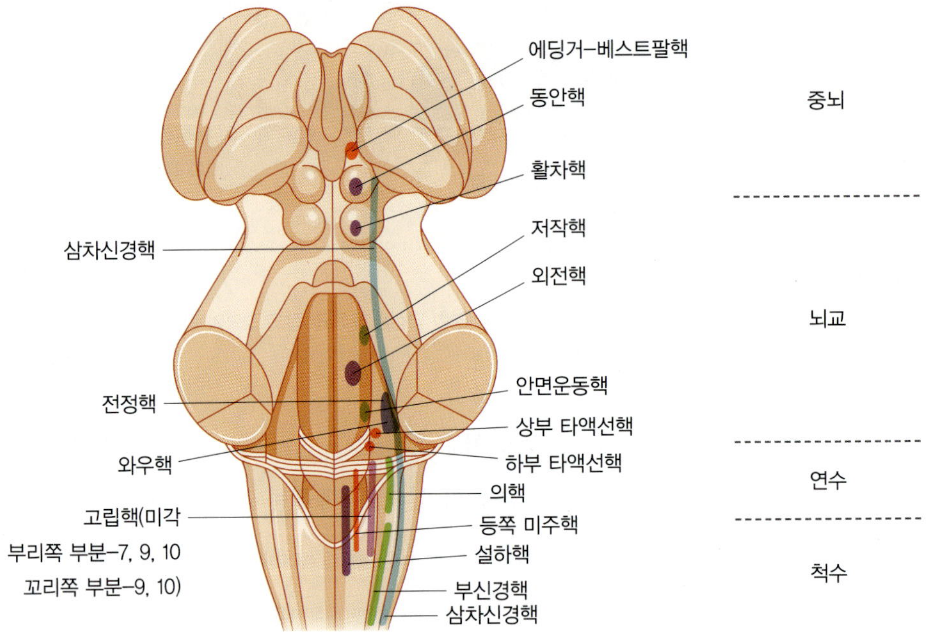

그림 8–10 뇌신경핵군

뇌신경핵군은 좌 · 우 쌍으로 이루어져 있으며 특정 뇌간 구조에만 국한되기도 하고 여러 뇌간 구조에 걸쳐서 위치하기도 한다. 뇌신경핵은 총 19쌍이나 이에 연관된 뇌신경은 총 12쌍이다.

둘째, 뇌신경핵군 중 감각핵군sensory nuclei은 대체적으로 외측에laterally, 운동핵군motor nuclei은 내측에medially 위치한다. 예컨대, 설하핵이나 의핵 등의 운동핵은 내측에 있고, 삼차신경의 척수핵 등의 감각핵은 대부분 상대적으로 외측에 있다. 운동핵들은 일반적으로 양쪽 대뇌피질로부터 명령을 받지만, 안면하부를 담당하는 안면운동핵과 설하핵은 한쪽(대측)에서만 신호를 받는다.

셋째, 대부분의 뇌신경들은 1개 이상의 기능을 가진 다양한 섬유들로 구성되어 있기 때문에 하나의 뇌신경에 여러 개의 뇌신경핵이 관련될 수 있으며, 반대로 여러 개의 뇌신경이 하나의 뇌신경핵을 공유할 수도 있다. 예컨대, 8번 전정-와우신경의 뇌신경핵은 2개로서 와우핵과 전정핵이다. 와우핵은 청각을 담당하며, 전정핵은 평형기능을 담당한다. 한편, 고립핵은 7번, 9번, 10번 뇌신경 모두와 연관이 있으며, 삼차신경의 척수핵은 5번, 7번, 9번, 10번 등 총 4개의 뇌신경과 관련이 있다. 뇌신경은 전체 12쌍이나 뇌신경핵은 총 19쌍이다.

뇌신경핵은 중추신경계 질환인 뇌졸중으로 흔히 손상되므로 신경핵의 기능과 위치를

표 8-1 뇌신경핵과 연관 뇌신경

기능	뇌신경핵(nucleus, nu.)	위치	뇌신경(cranial nerve)	역할
감각	고립로핵(nu. solitary tract)	뇌교, 연수	7번, 9번, 10번	미각, 장기감각
	삼차신경의 척수핵 (spinal nu. of trigeminal nerve)	뇌교, 연수	5번(눈측가지, 상악가지), 7번, 9번, 10번	촉각, 압각, 통각 및 온도각 등의 체감각
	후각망울 승모세포핵[1] (mitral cells of olfactory bulb nu.)	대뇌	1번	후각
	망막 신경절세포핵[2] (ganglion cells of retina nu.)	간뇌	2번	시각
	미각핵(gustatory nu.)	뇌교, 연수	7번, 9번	미각
	전정핵(vestibular nu.)	뇌교, 연수	8번	신체평형
	와우핵(cochlear nu.)	뇌교, 연수	8번	청각
운동	동안핵(oculomotor nu.)	중뇌	3번	안구운동
	활차핵(trochlear nu.)	중뇌	4번	안구운동
	외전핵(abducens nu.)	뇌교	6번	안구운동
	설하핵(hypoglossal nu.)	연수	12번	혀운동
	저작핵(masticator nu.)	뇌교	5번(하악가지)	턱운동
	안면운동핵(facial motor nu.)	뇌교	7번	안면운동
	의핵(nu. ambiguus)	연수	9번, 10번, 11번	연구개, 인두, 후두근 운동, 어깨 및 목 움직임
	척수핵(spinal nu.)	척수	11번(척수근)	어깨 및 목 움직임
	에딩거-베스트팔핵(Edinger-Westphal nu.)	중뇌	3번	동공 축소
	상부 타액선핵(superior salivatory nu.)	뇌교	7번	침 분비
	하부 타액선핵(inferior salivatory nu.)	연수	9번	침 분비
	등쪽 미주핵(dorsal vagus nu.)	연수	10번	장기운동

1), 2)는 뇌신경핵으로 간주되지 않음

정확히 이해하는 것은 임상에서 매우 유용하다. 언어(병리)와 연관된 뇌신경핵 및 뇌신경들에 대한 자세한 정보는 '언어(장애)와 뇌신경'(201쪽)에서 상세히 다루었다. 표 8-1에는 뇌신경핵과 연관 뇌신경을 정리해 놓았다.

이처럼 뇌간에는 말초신경계를 관장하는 수많은 신경핵이 위치해 있다. 말기능과 삼킴기능에 있어서 말초신경계의 역할은 뇌신경과 연관하여 생각해 볼 수 있다. 감각을 관장하는 뇌신경뿐만 아니라 운동신경으로서의 뇌신경은 말의 하부 체계인 호흡, 발성, 조음, 공명 등의 기능과 관련이 있고, 구강단계 및 인두단계의 삼킴기능과도 밀접한 연관을 갖는다.

뇌신경

뇌신경은 말초신경계로서 중추신경계를 체외의 외부세계와 연결시켜 주는 기능을 한다. 뇌신경은 주요 기능이 감각인지, 운동인지에 따라 각각 감각신경로 또는 운동신경로로서의 역할을 하나, 일부 뇌신경들은 감각과 운동 두 가지 역할을 모두 수행하기도 한다. 뇌신경 중에서 운동신경로를 구성하는 뇌신경은 하부운동신경세포로 간주된다.

그림 8-11은 각 뇌신경이 뇌에서 드나드는 나들목의 위치를 보여 준다. 총 12쌍의 뇌신경 중에서 대뇌와 연결된 후각신경, 간뇌와 연결된 시신경을 제외하고, 나머지 10쌍의 뇌신경이 모두 뇌간에서 기원한다.

12쌍의 뇌신경들은 그 역할에 따라 감각신경, 운동신경, 그리고 감각과 운동 모두에 관여하는 복합신경(감각+운동)으로 나눌 수 있다(표 8-2). 감각신경은 총 3쌍인데, 각각 후각(1번), 시각(2번), 청각 · 평형감각(8번)을 담당하며, 모두 특수감각에 속한다. 이들 감각신경의 세포체는 말초신경절peripheral ganglion에 위치한다. 신경세포의 돌기 중 말초 부위로 연결되는 가지를 말초돌기peripheral process라 한다. 중추 부위로 연결되는 가지를 중추돌기central process라 하며 뇌간으로 들어가 감각신경핵sensory nu.에서 종결된다.

> **잠깐!**
>
> **특수감각**
>
> 특수감각의 종류에는 '후각', '시각', '미각', '청각·평형감각'이 있다. 이에 관련된 뇌신경을 '후-시-미-청/평'으로 외워 보자.

운동신경은 총 5쌍으로, 안구운동에 관여하는 3번, 4번, 6번 신경과 어깨 등의 운동에 관여하는 11번, 그리고 혀운동을 조절하는 12번을 포함한다.

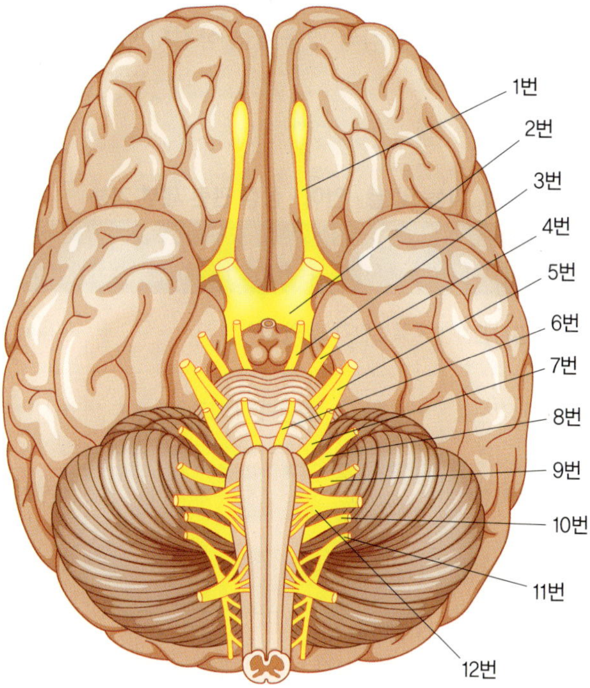

그림 8-11 뇌신경의 나들목 위치

대뇌와 연결된 후각신경, 간뇌와 연결된 시신경을 제외하고 나머지 10쌍의 뇌신경 모두 뇌간에 나들목이 위치해 있다.

총 5쌍의 운동신경 중에서 외안근육을 조절하여 안구운동에 관여하는 운동신경은 3쌍으로, 3번 동안신경, 4번 활차신경, 6번 외전신경이 있다. 이 3쌍의 운동신경들은 함께 협응하여 물체를 제대로 응시할 수 있도록 한다. 나머지 운동신경으로는 11번 부신경과 12번 설하신경이 있다. 5쌍의 운동신경 중에서 3번 동안신경만이 장기운동visceral motor의 기능, 즉 동공 축소에 관여할 뿐이며, 나머지 4쌍은 모두 체운동somatic motor을 수행한다. 운동신경의 세포체는 뇌간의 운동신경핵motor nu.에 위치한다. 뇌신경들은 두개골의 개구부, 즉 구멍foramen, 관canal, 틈새fissure 등을 통해 뇌로 들어오고 나간다.

마지막으로, 복합신경은 총 4쌍의 뇌신경으로 5번, 7번, 9번, 10번이다. 이 신경들은 감각과 운동 모두에 관여하는데, 자세한 내용은 표 8-2를 참조하기 바란다.

지금부터 언어, 말, 그리고 삼킴기능별로 범주화하여 각 범주별로 관련 있는 뇌신경들에 대하여 자세히 살펴보자. 언어의 경우에는 시각, 청각, 안구운동에 관여하는 뇌신경들을, 말의 경우에는 말생성의 하부 체계인 호흡, 발성, 조음, 공명과 관련되는 뇌신경들에 대하여 살펴보자. 그리고 삼킴의 경우에는 삼킴의 단계에 따른 뇌신경들의 역할을 알아보자.

표 8-2 뇌신경의 번호, 명칭, 분류, 기능 및 말 · 언어 · 삼킴 관련 세부 기능

번호	명칭	분류	기능 및 관련 구조	말 • 언어 • 삼킴 관련 세부 기능
1번	후각신경 olfactory n.	감각신경	• 특수감각: 코의 후각	• 음식 냄새 감지
2번	시신경 optic n.	감각신경	• 특수감각: 눈(망막)의 시각	• 시각자극 감지
3번	동안신경 oculomotor n.	운동신경	• 일반운동: 안구, 눈꺼풀 • 장기운동: 동공 축소	• 시각자극 응시
4번	활차신경 trochlear n.	운동신경	• 일반운동: 안구	• 시각자극 응시
5번	삼차신경 trigeminal n.	복합신경	• 일반감각 –눈측가지: 머리, 이마 –상악가지: 위턱, 구개 –하악가지: 아래턱, 혀 앞 3분의 2 • 일반운동 –하악가지: 아래턱	• 조음 및 씹기 시에 구강 내 자극 감지 • 조음 및 씹기 시에 아래턱 움직임
6번	외전신경 abducens n.	운동신경	• 일반운동: 안구	• 시각자극 응시
7번	안면신경 facial n.	복합신경	• 특수감각: 혀 앞 3분의 2와 경구개–연구개의 미각 • 일반감각: 귀 뒤 등 • 일반운동: 안면근육, 설골근육 등 • 장기운동: 침샘, 눈물샘	• 음식 맛 감지 • 조음 시에 얼굴근육 움직임 • 씹기 시에 볼근육 유지, 설골근육 움직임 등 • 침 분비
8번	와우–전정신경 auditory–vestibular n.	감각신경	• 특수감각: 청각 • 평형감각	• 청각자극 감지
9번	설인신경 glossopharyngeal n.	복합신경	• 일반감각: 혀 뒤 3분의 1, 구개궁, 상부 인두, 경상인두근 • 특수감각: 혀 뒤 3분의 1의 미각 • 장기감각: 경동맥의 산소량, 혈압 • 운동: 인두운동	• 조음(특히 연구개음) 시에 자극 감지 • 음식덩이 운반 시에 구강 뒤 및 인두강 내 자극 감지 • 구토반사의 감각 요소 • 음식 맛 감지 • 호흡 시에 혈관 내 산소량 감지 • 조음 시에 공명 조절

10번	미주신경 vagus n.	복합신경	• 장기감각: 식도, 복부, 장기, 경동맥의 산소량, 혈압 • 일반감각: 인두, 후두, 외이 주변 • 장기운동: 흉곽-복부장기의 부교감 신경 • 일반운동: 인두, 후두 운동	• 상부 식도에서 음식덩이 감지 • 호흡 시에 혈관 내 산소량 감지 • 인두에서 자극 감지 • 후두의 이물질 감지 • 호흡운동 • 구토반사의 운동 요소 • 발성 • 후두개 여닫힘
11번	부신경 accessory n.	운동신경	• 일반운동: 어깨 움직임(흉쇄유돌근과 승모근)	• 말호흡
12번	설하신경 hypoglossal n.	운동신경	• 일반운동: 혀운동	• 조음 • 음식덩이 조정

먼저, 구강전단계에서는 후각과 침 고임을, 구강준비단계에서는 입술 다물기, 씹기운동, 체감각, 침 분비, 미각, 그리고 음식덩이 형성에 관여하는 뇌신경들을 살펴보자. 구강운반단계에서는 음식덩이의 운반과 구토반사에 관련된 뇌신경들을 공부하고, 마지막으로 인두단계에서는 인두삼킴, 연인두폐쇄, 설골-후두 상승, 후두폐쇄, 반지인두근 열림에 관여하는 뇌신경들을 알아보자.

언어(장애)와 뇌신경

언어활동에는 일반적으로 뇌신경을 포함한 말초신경계의 역할이 두드러지지 않는다. 오히려 대뇌를 포함한 중추신경계가 인지 및 언어기능에 주요하게 작용한다. 그러나 시각언어나 청각언어를 제대로 이해하기 위해서는 각각 시각과 청각의 역할이 중요하다. 또한 시각자극을 받아들이기 위해서는 정상적인 안구운동이 필요하므로 여기에서는 시각, 청각, 안구운동과 각각에 관여하는 뇌신경을 살펴보자.

시각: 시신경

시각은 시야에 제시된 언어자극을 처리하여 이해하는 데 필요한 기본 감각이다. 시각의 처리는 말초 단계에서 2번 시신경optic nerve에 의하여 이루어진다. 시신경은 '눈'과 관련된 총 4쌍의 뇌신경(2번, 3번, 4번, 6번) 중에서 유일한 감각신경으로서, 시야에 있는 시각자극 정보를 대뇌로 전달한다. 시각정보가 대뇌피질의 일차시각영역에 도달하려면 다음의 경로를 거친다.

시야의 시각자극은 동공을 통하여 시야별로 분리되어 망막에 투사된다. 예컨대, 시야의 좌측은 좌측 망막의 비측(즉, 안쪽)과 우측 망막의 측두측(즉, 바깥쪽)에 상하가 뒤집어진 상으로 맺히게 된다(그림 8-12). 이어서 좌우의 시신경은 X자형의 시신경 교차optic chiasm에서 엇갈리게 되고, 우측 시각로(시삭)optic tract를 형성한다. 이 시각로는 중뇌의 우

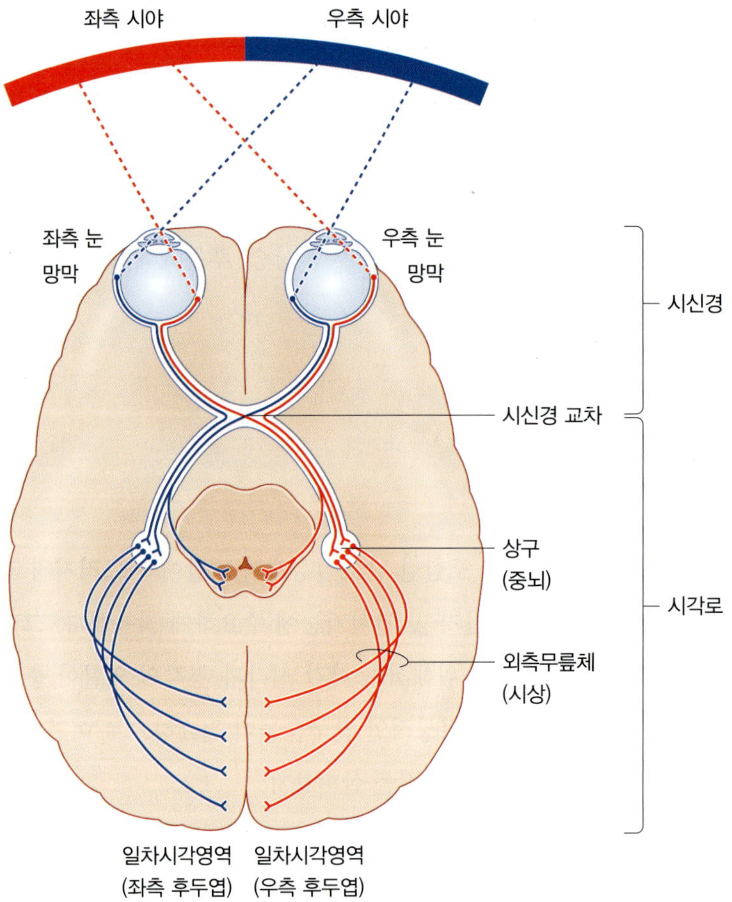

그림 8-12 2번 시신경의 경로

시각자극은 동공을 통하여 시야별로 분리되어 망막에 전달되며, 좌우의 시신경은 X자형의 시신경 교차에서 엇갈리고, 시각로를 형성하게 된다. 시각로는 중뇌의 상구와 시상의 외측무릎체로 연결되고, 후두엽에 있는 일차시각영역까지 도달한다.

측 상구와 시상의 우측 외측무릎체로 연결되고, 이어서 우반구 후두엽의 일차시각영역(즉, 시각중추)까지 도달한다. 반대로, 시야의 우측은 좌측 망막의 측두측과 우측 망막의 비측에 상하가 뒤집어진 상으로 맺히게 된다. 좌우 시신경이 시신경 교차를 거쳐 좌측 시각로를 형성하고, 좌측 상구와 좌측 외측무릎체를 거쳐 좌반구 후두엽의 일차시각영역까지 시지각정보가 전달된다.

시각장애는 '눈'으로부터 대뇌피질의 '시각중추'에 이르기까지의 경로상 어느 지점이 손상되는가에 따라 장애의 특색이 달라진다. 예컨대, 우측 시각로나 시각로 이후의 중추영역에 병변이 있으면 대측 contralateral 시야인 좌측 시야의 자극을 받아들이지

잠깐!

시신경과 시각로

시신경은 눈으로부터 시신경 교차까지의 말초신경이며, 시각로는 시신경 교차부터 시각중추까지의 중추신경이다.

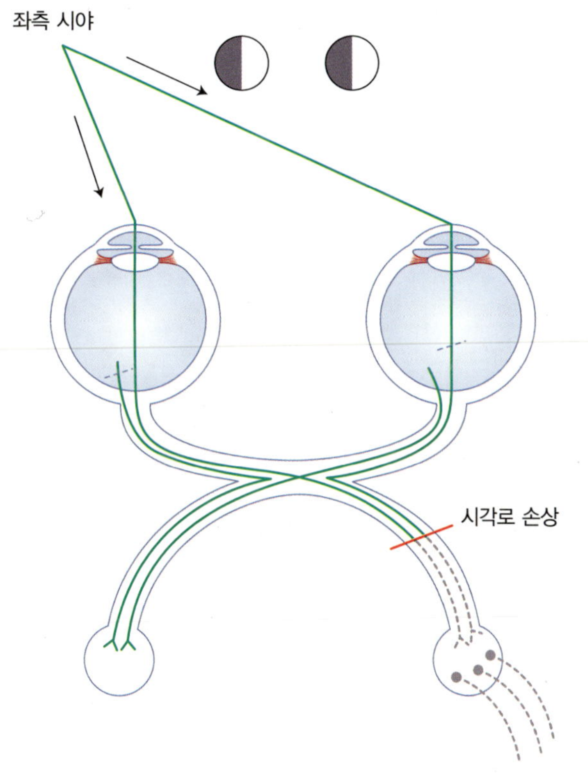

그림 8-13 동측성 반맹증
동측성 반맹증은 시각로나 시각로 이후 중추영역의 병변으로 인하여 대측 시야의 자극을 받아들이지 못하는 장애를 말한다.

못하는 장애를 유발한다(그림 8−13). 이러한 장애를 동측성 반맹증homonymous hemianopsia이라 하고, 그림 8−13의 경우는 왼쪽 동측성 반맹증이라고 할 수 있다. 시야결손 쪽과 편마비 쪽이 동일하여 편마비가 있는 사지에 대한 인식이 부족하게 될 수도 있다.

이 밖에 우뇌 손상 환자에게 언어검사를 할 때 좌측 시야의 자극을 받아들이지 못하는 반공간 무시증hemispatial neglect이 관찰되기도 한다. 이때에는 환자에게 온전한 시야 쪽으로 시각자극을 옮겨서 제시하는 것이 바람직하다.

청각: 와우신경

8번 와우−전정신경auditory-vestbular nerve은 소리를 듣게 해 주거나 평형감각을 유지하는 역할을 하며, 이러한 기능이 각각 와우핵, 전정핵과 연관되어 있다. 그러나 여기서는 청각과 관련된 와우신경 부분에 대해서만 알아보기로 한다.

와우 담당의 신경경로는 다음과 같다(그림 8−14). 귀의 감각수용기(달팽이관)에서 받아

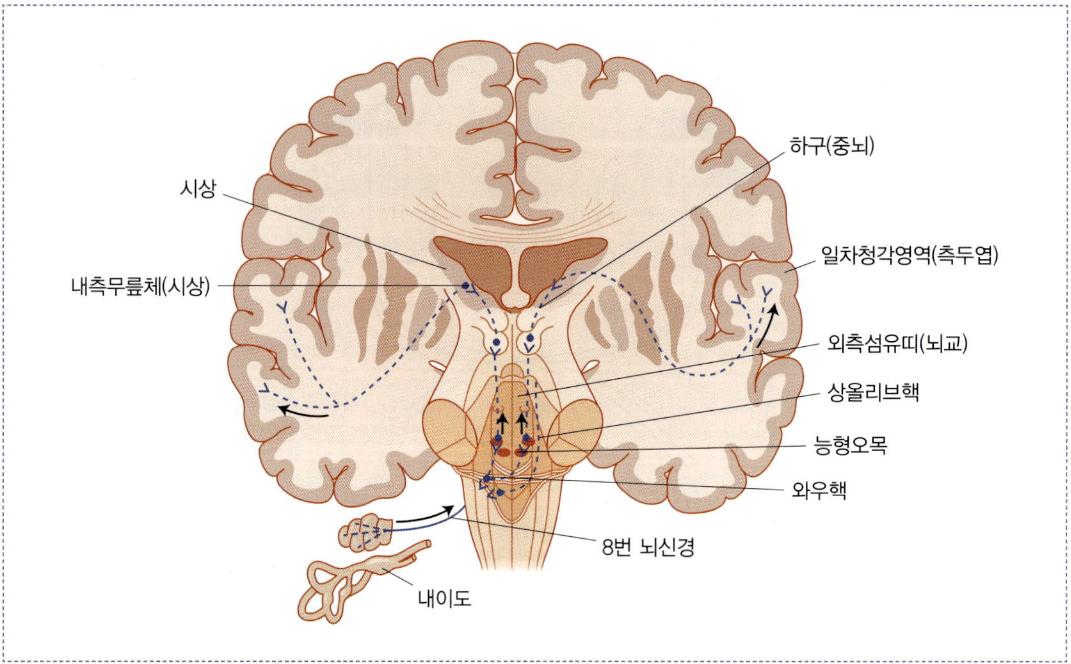

그림 8−14 8번 와우−전정신경의 경로
와우 담당의 신경경로는 먼저 소리신호가 8번 뇌신경을 거쳐 동측의 와우핵, 대측의 능형오목과 상올리브핵을 지나 외측섬유띠를 통과하여 중뇌의 하구에 도달한다. 거기서부터 다시 시상의 내측무릎체를 거쳐 측두엽에 있는 일차청각영역으로 전달되는 것이다.

들여진 소리신호는 와우신경을 통해 귀와 동일한 쪽(동측)의 배쪽 와우핵cochlear nu.과 등쪽 와우핵에 도달한다. 이때 배쪽 와우핵은 고주파의 신호를, 등쪽 와우핵은 저주파의 신호를 처리한다. 감각수용기부터 와우핵까지가 제1감각신경세포로서의 와우신경이며, 그 길이가 상당히 짧은 편이다. 제2감각신경세포는 와우핵으로부터 상올리브핵까지이다. 제2감각신경세포는 대부분이 배쪽 와우핵으로부터 중심선을 지나 반대쪽(대측)으로 건너가 상올리브핵superior olivary nu.에서 연접하며, 일부는 중심선을 건너지 않고 동측의 상올리브핵에서 연접하기도 한다. 이처럼 청각자극 대부분이 중심선을 건너 처리되는 경로를 거치므로 우측 귀에서 들리는 청각신호는 좌측 뇌로 전달되고, 좌측 귀에서 들리는 신호는 우측 뇌로 전달되는 것이다.

상올리브핵으로부터의 신경세포뿐만 아니라 등쪽 와우핵으로부터의 신경세포는 중뇌의 하구inferior colliculi에서 연접하는데, 이때 형성되는 섬유다발을 외측섬유띠lateral lemniscus라고 한다. 하구로부터의 축삭은 시상의 내측무릎체medial geniculate body에서 연접하며 측두엽에 있는 일차청각영역까지 이어진다. 이러한 '귀'로부터 '일차청각영역'까지 전달되는 경로는 여러 차례의 신경연접synapse을 거친다.

한편, 양쪽 대뇌피질의 청각영역은 말소리 자극에 대해 다른 반응 특색을 보인다고 알려져 있다. 즉, 양쪽 귀에 동시에 동일한 길이와 강세의 말소리 자극(예컨대, 왼쪽 귀에 /타/, 오른쪽 귀에 /가/)이 주어지는 이분청취dichotic listening 상황에서 오른쪽 귀로 전해진 자극을 더 잘 알아채는 오른쪽 귀 강점현상right ear advantage[REA]을 보인다. 이는 좌측 대뇌피질의 청각영역이 오른쪽 귀로 전해진 말소리를 처리하는 데 더 전문화된 기능을 하기 때문이다.

안구운동: 동안신경, 활차신경, 외전신경

시각적으로 제시되는 언어자극을 어려움 없이 처리하기 위해서는 원활한 안구운동이 필수적이다. 안구운동에 관여하는 뇌신경은 총 3쌍으로 3번 동안신경, 4번 활차신경, 6번 외전신경이다.

3번 동안신경

동안신경oculomotor nerve은 총 6쌍의 외안근육 중에 상사근(4번 활차신경에 의하여 조절됨)과 외직근(6번 외전신경에 의하여 조절됨)을 제외한 4쌍의 외안근육을 조절하여 안구운동을 관장한다. 4쌍의 외안근육에는 상직근superior rectus(위–안쪽 운동), 하직근inferior rectus(아래–안쪽 운동), 내직근medial rectus(안쪽 운동), 하사근inferior oblique(위–바깥쪽 운동)이 있다. 여기서 직근rectus은 안구의 수직운동과 수평운동에 관여하고, 사근oblique은 회전운동을 담당한다. 안구 움직임에 관련된 신경핵은 중뇌의 상구 높이에 있는 동안핵oculomotor nu.이다. 따라서 동안신경이나 동안핵이 손상되면 담당하는 안구의 운동이 원활하지 못하게 된다.

한편, 동안신경은 상안검거근levator palpebrae(눈꺼풀 올림근)의 수축에도 관여하며, 상안검거근이 마비되면 윗눈꺼풀(즉, 상안검)을 자발적으로 치켜 올리지 못하여 눈꺼풀이 내려앉는 안검하수ptosis라는 증세가 생길 수 있다. 안검하수는 중증근무력증myasthenia gravis 환자들에게서 관찰되기도 한다.

> **잠깐!**
>
> **에딩거-베스트팔핵**
>
> 동안신경은 동공 축소 등의 장기운동의 기능에도 관여하는데, 이와 관계되는 신경핵은 에딩거–베스트팔핵이다.

4번 활차신경

활차신경trochlear nerve은 상사근superior oblique이라는 외안근육의 운동에 관여한다. 상사근의 역할은 안구를 아래–바깥쪽으로 향하게 조절하는 것이다.

6번 외전신경

외전신경abducens nerve은 외직근external rectus을 움직이게 하여 안구의 외전운동, 즉 안구를 바깥쪽(옆쪽)으로 향하게 하는 기능에만 관여하는 운동신경이다. 뇌교 안의 제 4뇌실 바닥에 위치한 외전핵으로부터 외전신경의 축삭이 이어진다. 뇌교의 병변은 마비성사시paralytic strabismus를 유발하는데, 한쪽 뇌교가 손상되면 사물이 2개로 겹쳐 보이는 복시diplopia, double vision 현상을 일으킨다. 따라서 한쪽 뇌교의 손상에 따른 실조형 마비말장애[마비성 구음장애]로 의뢰된 환자가 안대를 착용하고 있는 것을 종종 관찰할 수 있다. 복시가 있을 경우에는 손상된 방향에 있는 자극을 보려고 할 때 복시 증상이 더욱 심하게 나타나므로 한쪽 눈에 안대를 착용하여 건재한 눈으로 시야에 있는 목표 사물에 초점을 맞추는 것이 좋다.

> **잠깐!**
>
> **눈과 관련된 뇌신경**
>
> 눈과 관련된 뇌신경은 감각신경인 2번 시신경, 그리고 운동신경인 3번 동안신경, 4번 활차신경, 6번 외전신경을 포함하여 총 4쌍이 있다.

말(장애)과 뇌신경

말을 산출하기 위한 단계는 호흡, 발성, 조음, 공명 등을 들 수 있다. 각 단계에서 수많은 말근육들을 움직이기 위해서는 그에 관여하는 뇌신경들의 역할이 중요하다. 먼저 호흡단계에서는 9번, 10번, 11번 뇌신경이, 발성단계에서는 10번 뇌신경이, 조음단계에서는 5번, 7번, 9번, 12번 뇌신경이, 공명단계에서는 5번, 9번, 10번 뇌신경이 관여한다. 이로써 말산출에는 5번, 7번, 9번, 10번, 11번, 12번을 포함한 총 6개의 뇌신경에 대하여 알아볼 필요가 있다.

호흡: 설인신경, 미주신경, 부신경

9번 설인신경과 10번 미주신경

말을 정상적으로 산출하기 위해서는 무엇보다도 정상적인 호흡기능이 뒷받침되어야 한다. 호흡기능을 조절하는 호흡조절중추respiratory control center는 연수와 뇌교에 위치하는데, 중추에 연결된 뇌신경들이 호흡 증가가 필요한 상황을 감지하고, 필요한 경우에 호흡에 필요한 운동신호를 내보낸다. 이처럼 호흡에는 언제 호흡이 증가되어야 하는지를 감지하는 장기감각기능과 폐, 횡격막 등 호흡기관의 근육활동을 통하여 호흡량과 호흡 수를 증가시키는 장기운동기능이 필요하다. 호흡과 관련된 감각기능과 운동기능에 대하여 좀 더 자세히 살펴보자.

먼저, 장기감각기능에 있어서 호흡이 증가되어야 하는 상황은 동맥혈 내 산소량 감시를 통하여 가능하다. 산소가 부족하면 혈관체계인 대동맥궁aortic arch, 내경동맥과 외경동맥의 분기부에 있는 화학수용체chemoreceptor인 대동맥소체aortic body와 경동맥소체carotid body가 자극을 받게 된다. 대동맥소체와 경동맥소체에는 혈관이 풍부하게 분포되어 산소 소모율이 상당히 높은데, 산소부족 시 민감하게 반응하고, 그 자극이 9번 설인신경glossopharyngeal nerve과 10번 미주신경vagus nerve을 통하여 호흡중추의 고립핵으로 전달된다. 고립핵에서 받아들인 자극은 망상체와 시상하부로 전해지고, 산소량을 증가시키기 위한 목적으로 필요한 호흡량이나 호흡 수를 늘리기 위해 연수에 위치한 호흡중추의 등쪽 미주핵dorsal vagus nu.이 미주신경의 장기운동 요소를 활성화시킨다. 그러면 흉곽 및 복부 장기(그리고 인두 및 후두)에 있는 민무늬근smooth muscle이 수축되면서 흡기inspiration 기능이 증가된다.

11번 부신경

호흡운동에 관여하는 또 다른 뇌신경은 부신경accessory nerve이다. 부신경은 목과 어깨에 있는 승모근trapezius m.과 흉쇄유돌근sternomastoid m.을 관장하여 목이나 어깨를 움직이게 한다(그림 8-15). 부신경은 뇌근과 척수근으로 이루어져 있다. 뇌근은 연수의 의핵에서 시작되어 미주신경과 합해져 인두와 후두로 이어지면서 결국 미주신경의 역할을 수행한다. 반면, 척수근은 척수(C1-C5)의 척수핵에서 시작되며, 실질적으로 승모근과 흉쇄유돌근의 움직임에 관여하는 부신경의 역할을 함으로써, 11번 부신경을 지칭할 때 부신경의 척수근만을 따로 떼어 척수부신경spinal accessory nerve이라 하기도 한다.

한편, 승모근과 흉쇄유돌근 운동에 대한 명령은 운동피질의 머리 영역에서 내려져 내포를 지나 연수에서 교차되고 척수까지 도달한다. 부신경이 마비되면 흉쇄유돌근이 아래로 처지고 위로 올리기가 힘들면서 흉곽확장이 부족하여 호흡하기가 힘들어진다.

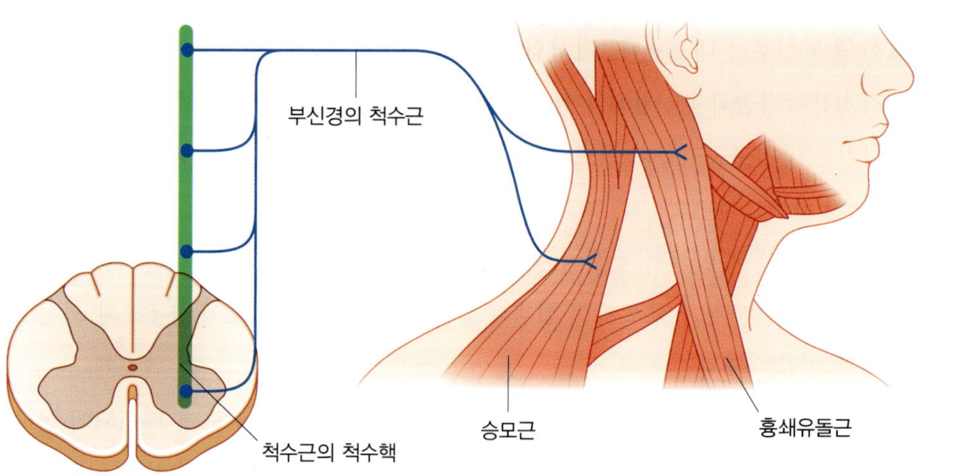

그림 8-15 11번 부신경

부신경은 뇌근과 척수근으로 이루어져 있다. 뇌근은 연수의 의핵(운동핵)에서 시작되며, 척수근은 척수핵에서 시작되어 목과 어깨의 승모근과 흉쇄유돌근의 운동에 관여한다.

발성: 미주신경

10번 미주신경vagus nerve은 두 가지의 운동기능을 가지고 있다. 하나는 앞서 설명한 호흡에 관여하는 장기운동 요소이고, 다른 하나의 운동기능은 후두와 인두근육의 수의적 운동을 조절하는 일이다. 이에 관련하여 미주신경은 3개의 가지, 즉 인두가지pharyngeal branch, 상후두가지superior laryngeal branch, 되돌이 후두신경recurrent laryngeal nerve으로 나뉜다(그림 8-16). 미주신경의 인두가지는 연인두폐쇄에 관여하므로 뒤의 '공명: 삼차신경, 설인신경, 미주신경'(216쪽)에서 다룰 것이며, 여기에서는 '발성'을 위한 후두의 운동과 감각에 관여하는 가지인 상후두가지와 되돌이 후두신경을 살펴보자.

미주신경의 상후두가지는 외부가지와 내부가지로 다시 나뉜다. 이 중 외부가지external branch는 운동가지로서 후두의 내근인 윤상갑상근cricothyroid muscle의 길이를 늘려 음도pitch

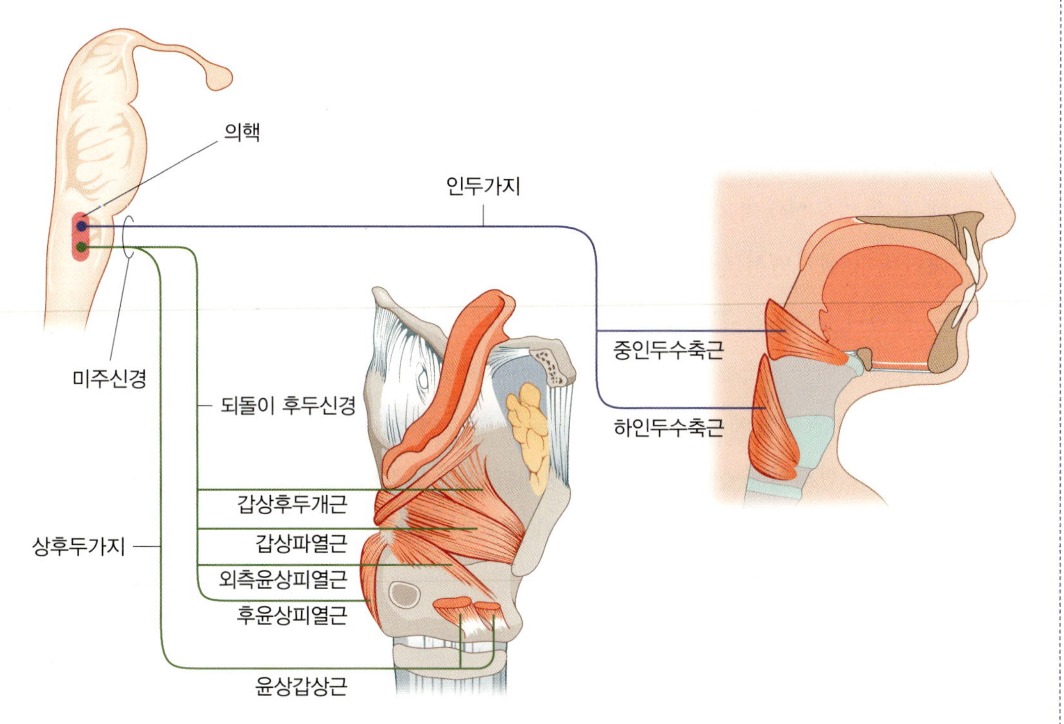

그림 8-16 10번 미주신경의 경로
미주신경은 3개의 가지, 즉 인두가지, 상후두가지, 되돌이 후두신경으로 나뉜다. 여기서 발성기능에 관여하는 미주신경의 가지는 상후두가지와 되돌이 후두신경이다.

> **잠깐!**
>
> **미주신경의 감각기능**
>
> 미주신경의 감각기능은 크게 두 가지이다. 첫째는 후두, 기관(trachea), 식도, 흉곽 및 복부장기 등으로부터 들어오는 장기감각정보를 전달하는 일이다. 둘째는 인두, 후두, 귓바퀴 뒤쪽 피부 등에서 느껴지는 일반감각(통각, 촉각, 온도 감각 등)을 전달하는 일이다.

를 높이는 데 관여한다. 한편, 내부가지internal branch는 감각가지로서 후두의 감각을 감지한다.

되돌이 후두신경은 총 6쌍의 후두내근 중에서 윤상갑상근(상후두가지의 외후두가지가 조절)을 제외한 5쌍의 후두내근인 갑상피열근thyroarytenoid, 피열횡근transverse arytenoids, 피열사근oblique arytenoids, 외측윤상피열근lateral cricoarytenoid, 후윤상피열근posterior cricoarytenoid을 수축시킨다. 갑상피열근이 수축하면 진성대의 길이가 줄어든다. 피열횡근, 피열사근, 외측윤상피열근의 수축은 진성대를 닫히게(즉, 내전) 한다. 후윤상피열근은 후두내근 중에서 유일하게 진성대의 열림(즉, 외전)에 관여하는 근육이다.

되돌이 후두신경은 후두 밑으로 내려갔다가 다시 되돌아 올라오는 경로를 타기 때문에 붙여진 이름이다. 되돌이 후두신경의 경로는 좌측과 우측이 약간 다르다. 좌측은 의핵에서 출발한 신경이 대동맥궁aortic arch까지 내려갔다가 다시 올라오면서 기관trachea과 식도 사이를 지나 후두까지 이른다. 우측 되돌이 후두신경은 쇄골하동맥에서 되돌아 올라오면서 기관과 식도 사이를 지난다. 따라서 외과적 수술(예: 심장 수술, 식도암 수술) 시에 편측 미주신경의 경로에 손상을 주기 쉽다. 손상 시에는 그 후유증으로 동측 편측 성대마비가 생기면서 성대가 완전히 닫히지 않아 기류가 새기 때문에 기식음성breathy voice이 들린다. 또한 온전한 성대와 마비된 성대가 함께 움직이면서 서로 다른 높이의 음성이 들리는 이중음도diplophonia 현상이 나타나기도 한다.

한편, 뇌간 종양에 대한 외과적 수술로 인하여 양측 의핵이 모두 손상되거나 양측 되돌이 후두신경이 손상된다면 양측 성대마비가 생긴다. 그리고 성대외전근육이 마비되면 성문glottis이 열리지 못하여 기도가 막혀서 질식할 수 있으므로 이때에는 기도삽관intubation 등의 응급조치가 필요하다.

조음: 삼차신경, 안면신경, 설인신경, 설하신경

5번 삼차신경

원활한 조음을 위해서는 감각과 운동 모두가 필요하다. 먼저 감각과 관련하여, 특정 말소리를 산출할 때 혀가 구개에 닿으면 상악의 위치감각, 촉각, 압각 등의 일반감각이 5번 삼차신경의 상악가지를 통해 전달되어야 한다. 삼차신경trigeminal nerve의 상악가지maxillary branch(그림 8-17)는 비강, 비인두강뿐만 아니라 경구개 및 연구개의 감각에 관여한다. 그러므로 구조와 관련된 각 위치별 말소리 조음과 밀접한 관련이 있다. 이와 마찬가지로, 하악가지mandibular branch는 하악에 있는 치아, 잇몸, 혀 앞 3분의 2의 일반감각을 담당하면서 조음 시에 혀가 치아, 잇몸 등에 닿게 될 때의 촉각 및 압각, 그리고 하악의 위치감각 등을 뇌간에 전달한다.

잠깐!

삼차신경의 3개 가지

삼차신경은 3개의 가지, 즉 눈측가지(ophthalmic branch), 상악가지(maxillary b.), 하악가지(mandibular b.)로 이루어져 있다고 해서 붙여진 이름이다(그림 8-17).

이 중에 눈측가지는 머리, 목, 이마나 눈 근처의 촉각, 통각, 압각, 진동각, 위치감각, 온도감각 등의 일반감각을 감지하게 하는 감각신경가지이다.

삼차신경과 3번 신경

삼차신경은 5번 뇌신경이므로 3번 뇌신경과 혼동하지 말자.

이러한 감각의 중요성은 특히 조음 및 음운 발달에 있어서 더욱 부각된다. 예컨대, 조음

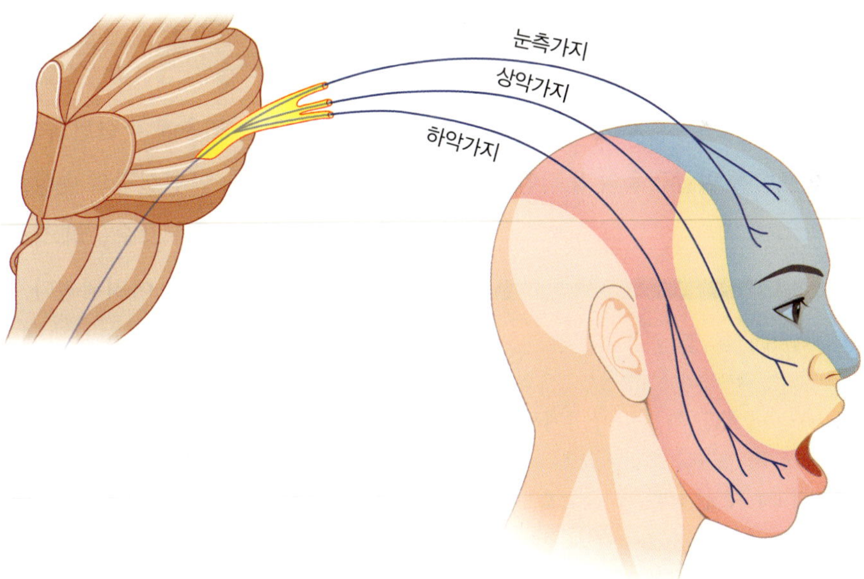

그림 8-17 5번 삼차신경

삼차신경은 눈측가지, 상악가지, 하악가지로 이루어져 있다. 이 중에서 눈측가지와 상악가지는 감각에만 관여하나, 하악가지는 감각과 운동 모두를 담당한다.

및 음운 발달기 아동의 일반감각이 비정상적이면 조음기에서 느껴지는 촉각이나 압각 등의 감각신호를 조음기의 움직임에 제대로 생체되먹임biofeedback하지 못함으로써 원활한 조음의 형성 및 습득에 부정적인 영향을 끼친다. 따라서 이러한 감각장애를 보이면 아동기에 조음음운 발달이 지체될 수 있다. 물론 성인기처럼 오랜 연습 과정을 거쳐 이미 자동화된 말운동은 감각되먹임의 의존도가 감소될 수 있다. 한편, 감각기능은 감각수용기로부터 전달되는 체감각을 중뇌에 있는 삼차신경의 척수핵까지 전달한다.

5번 삼차신경의 하악가지는 삼차신경의 3개 가지 중에서 유일하게 운동기능을 가지고 있다. 즉, 측두근temporalis, 교근masseter, 익상근pterygoids 등의 턱근육을 움직이는 운동기능에 관여하여 조음활동을 관장한다. 하악가지의 운동기능은 운동피질의 머리영역에서 내려져 내포를 지나 연수에서 교차된 후에 뇌교의 저작핵에 도달한다. 하악가지(특히, 양측)가 손상되면 턱을 움직이기 어려우므로 조음장애가 유발될 수 있다.

잠깐!

치과에서 치료를 받을 때 잇몸에 맞는 마취주사가 혀의 감각까지도 마비시키는 경험을 해 본 적이 있을 것이다. 이는 혀 앞 3분의 2와 잇몸의 감각이 함께 마취 주사의 영향을 받기 때문이다.

7번 안면신경

안면신경facial nerve은 감각기능과 운동기능을 관장하나, 조음에 관련된 주요 기능은 입술을 포함한 얼굴근육의 움직임에 관여하는 운동기능이다. 안면신경의 손상으로 얼굴근육이 마비되면 원순음이나 양순음의 생성을 위하여 입술을 모으는 움직임 등이 어려워진다. 예컨대, 말평가의 과제로서 /퍼/ 음절을 반복하게 하면 조음이 왜곡되는 현상이 나타날 수 있다.

얼굴을 움직이고자 할 때 대뇌피질의 얼굴영역에서 내려진 명령은 내포를 거쳐 하부 배쪽 뇌교의 안면운동핵까지 간다(그림 8-18). 이때, 양쪽 안면운동핵은 등쪽과 배쪽으로 구분되어 등쪽은 양측 반구에서, 배쪽은 대측 반구에서 신경신호를 전달받는다. 이어서 눈 근처를 중심으로 얼굴 위쪽은 양측 반구의 지배를 받고, 얼굴 아래쪽은 대측 반구의

잠깐!

양측지배와 대측지배

피질로부터 시작되는 대부분의 상부운동신경세포는 뇌신경에 양측지배를 한다. 즉, 왼쪽 뇌신경에 양쪽 뇌피질이 신경신호를 보낸다. 그러나 양측지배를 하지 않고 대측지배를 하는 상부운동신경세포가 있는데, 안면운동핵의 등쪽 부분에 신경신호를 보내는 상부운동신경세포와 설하핵과 연결되는 상부운동신경세포가 그것이다. 즉, 왼쪽 상부운동신경세포가 손상되면 오른쪽 뇌신경이 영향을 받고, 오른쪽 상부운동신경세포의 손상은 왼쪽 뇌신경에 영향을 준다.

지배를 받는다.

안면운동핵 이전의 상부운동신경세포의 한쪽 손상으로 대측 얼굴 아래쪽이 마비되면 중추성 안면마비central facial palsy[CFP]라 하고, 안면운동핵 이후의 하부운동신경세포의 손상으로 같은 쪽 얼굴 전체가 마비되면 말초성 안면마비peripheral facial palsy[PFP]라 한다. 벨

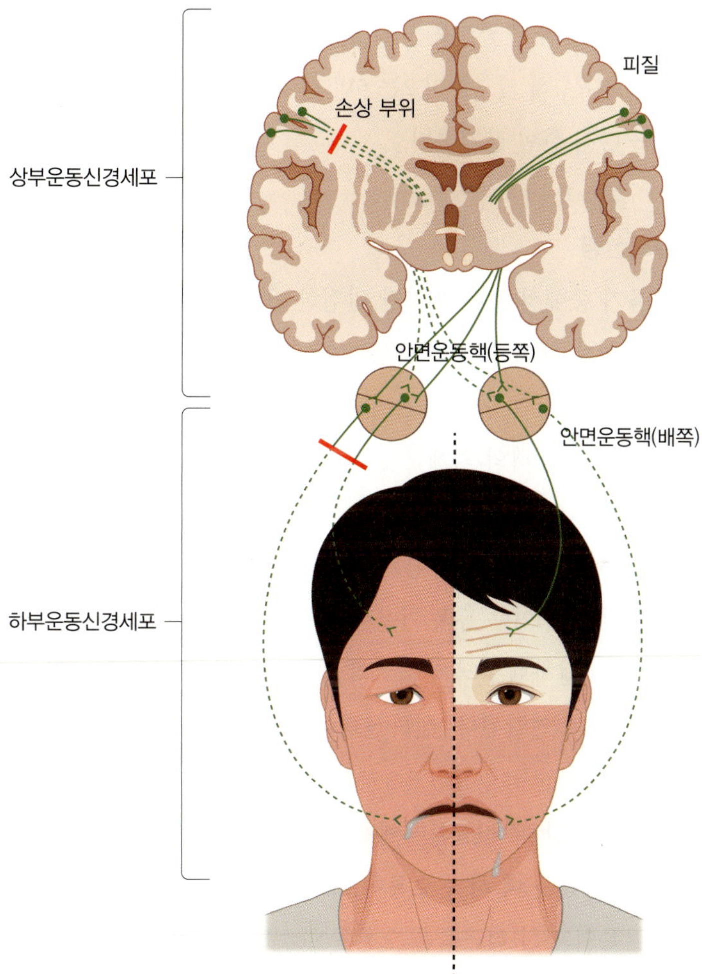

그림 8-18 7번 안면신경 운동기능의 경로

대뇌피질의 얼굴영역에서 내려진 명령은 내포를 거쳐 뇌교의 안면운동핵까지 내려간다. 이때 양쪽 안면운동핵은 등쪽, 배쪽으로 구분되어 등쪽은 양쪽 반구에서, 배쪽은 대측 반구에서 신경신호를 전달받는다. 이어서 안면운동핵의 등쪽은 눈 주위를 중심으로 위쪽 얼굴을, 안면운동핵의 배쪽은 아래쪽 얼굴에 관여한다. 이에 따라 눈 주위를 중심으로 위쪽 얼굴은 양쪽 반구의 지배를 받고, 아래쪽 얼굴은 대측 반구의 지배를 받는다.

마비Bell's palsy는 말초성 안면마비로서 얼굴 한쪽의 안면근육이 전체 혹은 부분적으로 마비되는 증상이다. 벨마비는 특정한 질환이나 외상 없이 갑작스럽게 발생한다.

9번 설인신경

설인신경은 혀의 뒤 3분의 1, 인두, 편도 등에 있는 감각수용기로부터 받아들인 통각, 온도감각, 촉각 등의 감각을 전달받아 삼차신경의 척수핵과 척수로까지 전해 준다. 그러므로 /ㄱ/, /ㅋ/ 등의 연구개음을 생성할 때 혀의 뒷부분이 닿는 감각을 느끼게 해 준다. 혀의 감각의 경우, 혀 앞 3분의 2는 5번 삼차신경이, 뒤 3분의 1은 9번 설인신경이 담당한다는 것을 다시 한번 상기하자.

12번 설하신경

여러 조음기 중에서 조음에 가장 밀접한 관련이 있는 구조는 혀라고 할 수 있다. 대부분의 혀 움직임에 관여하는 뇌신경은 설하신경hypoglossal nerve이다. 설하신경은 혀 내재근육intrinsic m.의 움직임과 구개설근palatoglossus(10번 미주신경)을 제외한 대부분의 외부근육 움직임을 관장한다. 혀의 외재근육extrinsic에는 각각 1쌍의 경돌설골근stylohyoid, 설골설근hyoglossus, 이설근genioglossus이 있다.

혀근육의 움직임에 대한 명령은 운동피질의 얼굴영역에서 시작되어 내포를 지나 연수에서 교차된 후에 연수 등쪽 가운데 부분에 위치한 1쌍의 설하핵hypoglossal nu.에 도달한다. 설하신경은 설하핵부터 추체로와 하올리브핵 사이를 통과하여 배쪽으로 빠져나와 1쌍의 혀근육까지 연결된다. 설하신경이 연수에서 교차된다는 점은 신경언어 임상에서 중요시된다.

말운동 평가를 할 때에는 환자에게 혀를 내밀게 하여 혀의 운동장애 여부를 판단하게 된다. 혀를 내밀었을 때 혀가 오른쪽으로 기울어진다면 왼쪽의 강한 혀근육(여기서는 이설근)이 오른쪽의 약한 혀근육을 오른쪽으로 밀기 때문이다(그림 8-19).

이처럼 오른쪽 혀근육이 약하게 된 원인은 다음의 두 가지 중 하나이다. 첫째, 뇌손상이 신경교차점 위인 왼쪽에서 일어났으나 신경세포가 교차되었기 때문에 오른쪽 뇌신경으로 신경신호 전달이 제대로 이루어지지 않고, 이에 따라 오른쪽 혀근육이 약한 것이다. 둘째, 신경교차점 아래의 오른쪽 신경세포가 손상되었거나 혹은 오른쪽 혀근육 자체가 약하기 때문이다.

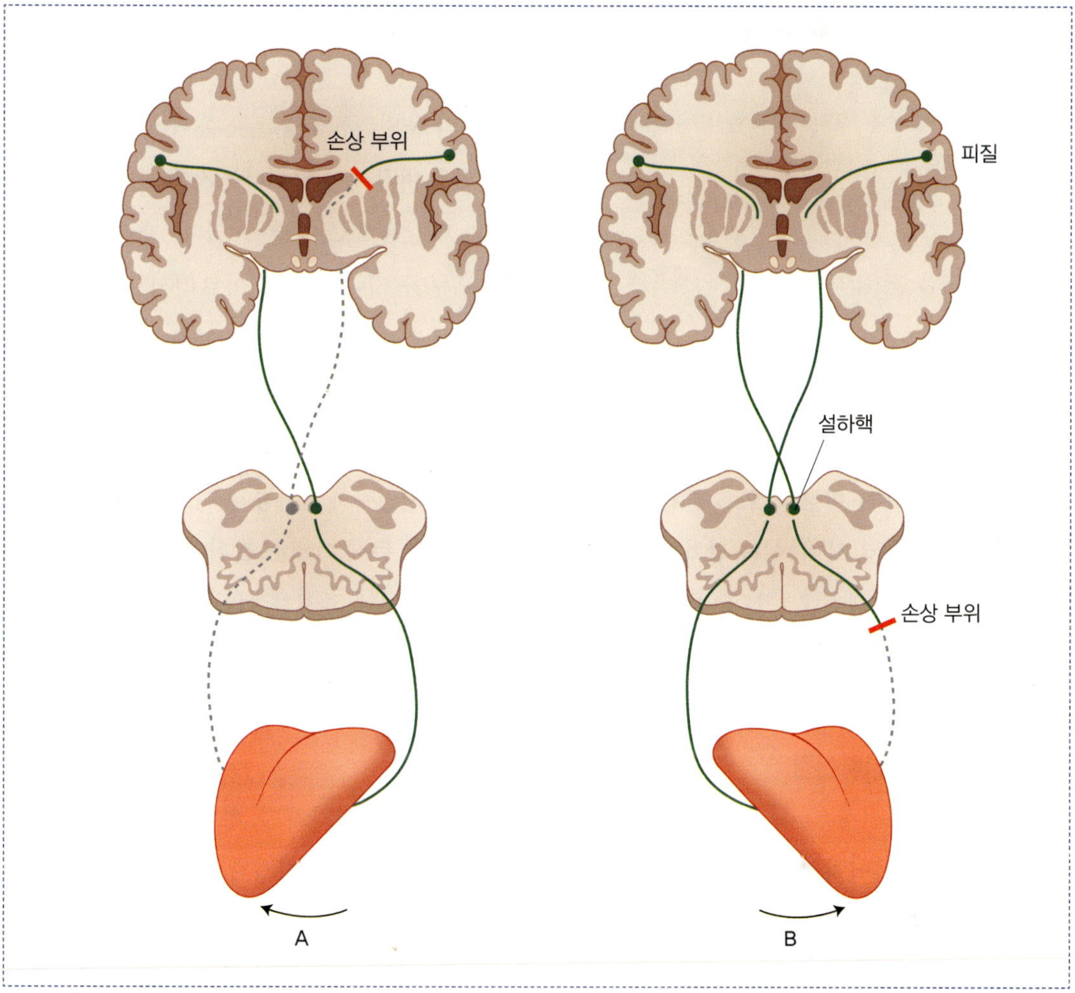

그림 8-19 12번 설하신경과 관련된 신경경로의 손상
환자가 혀를 내밀었을 때 환자의 오른쪽으로 혀가 기울어지는 경우(A)는 신경경로상에 교차 전의 좌뇌 손상으로 인하여 혀의 오른쪽 근육이 약해서 오른쪽으로 밀리기 때문이다. 이와는 대조적으로, 환자의 혀가 왼쪽으로 기울어지는 경우(B)는 우뇌 손상이나 혹은 그림 B와 같이 신경이 교차된 후의 좌측 손상을 의미한다.

그런데 혀를 들여다보았을 때 혀근육 자체가 소실되어 작아 보이는 위축atrophy이나 혀근육이 미세하게 떨리는 속상수축fasciculation이 보이는 경우에는 신경세포가 교차점 아래 병변을 시사한다. 혀의 운동장애는 부정확한 조음으로 인하여 말명료도speech intelligibility를 저하시킨다. 예컨대, 말평가 과제로서 /터/ 음절을 반복하게 하면 조음이 왜곡되기도 하며, 더불어 반복 속도가 느려지는 현상이 나타날 수 있다. 또한 구강에서 음식덩이를 만들거나 운반하는 기능에 문제를 보이는 삼킴장애를 유발할 수도 있다.

잠깐!

내포 손상과 운동장애

신경교차점 위의 손상, 특히 내포의 손상으로 인해 혀가 한쪽으로 밀리는 증세뿐만 아니라 혀가 밀리는 방향(예: 우측)과 동일한 쪽(예: 우측)의 사지 편마비도 종종 관찰된다. 이는 수많은 신경세포가 밀도 높은 내포를 형성함으로써 좁은 영역의 내포 손상이라도 여러 신체 부위의 기능장애를 유발하기 때문이다.

공명: 삼차신경, 설인신경, 미주신경

말소리의 울림, 즉 공명resonance이 구강에서 일어나는지 혹은 비강에서 일어나는지에 따라 말소리를 구강음과 비강음으로 나눌 수 있다. 폐에서 생성된 기류가 후두를 지나 인두에 이르러서 구강으로 전달되기 위해서는 비강으로의 기류를 차단하는 연인두폐쇄velopharyngeal closure가 이루어져야 한다. 반대로, 비강으로 전달되어 비강음을 형성하기 위해서는 기류가 비강 쪽으로 원활하게 통과해야 한다. 연인두폐쇄기능은 여러 근육들의 협응을 필요로 하며, 이는 삼차신경, 설인신경, 미주신경 등에 의해 조절된다. 이들 신경이 손상되면, 예컨대 /커/ 음절을 반복하게 하는 말평가 시에 온전한 연인두폐쇄가 불가능하여 과다공명hypernasality이 들릴 수 있다.

5번 삼차신경

삼차신경trigeminal nerve은 총 3개의 가지, 즉 눈측가지, 상악가지, 하악가지를 포함한다. 이 중 하악가지만이 감각과 운동 기능을 모두 수행하는 복합신경으로서, 운동기능을 통해 구개긴장근tensor veli palatini을 조절함으로써 연인두개폐를 통한 공명기능에 관여한다. 하악가지의 운동신경섬유는 운동피질의 머리영역에서 기원하여 내포를 지나 연수에서 교차된 후에 뇌교의 저작핵에 도달한다. 이 경로를 따라 하행한 운동신호는 하악가지의 말초분지를 통해 턱근육과 구개긴장근으로 전달된다.

9번 설인신경

공명기능에 있어서 설인신경은 혀의 뒤 3분의 1, 인두, 편도 등에 있는 감각수용기로부터 받아들인 통각, 온도감각, 촉각 등의 체감각을 전달받아 삼차신경의 척수핵과 척수로 전달한다. 연인두폐쇄를 위하여 혀와 인두 등이 움직여 인접한 조음기에 닿게 되면 그 감각정보가 설인신경을 통해 중추로 전달된다.

공명기능에 있어서 설인신경은 인두근육인 경상인두근stylopharyngeus m.의 수의적 움직임에도 관여한다. 경상인두근이 수축하면 연인두가 상승하면서 비강으로의 기류를 차단

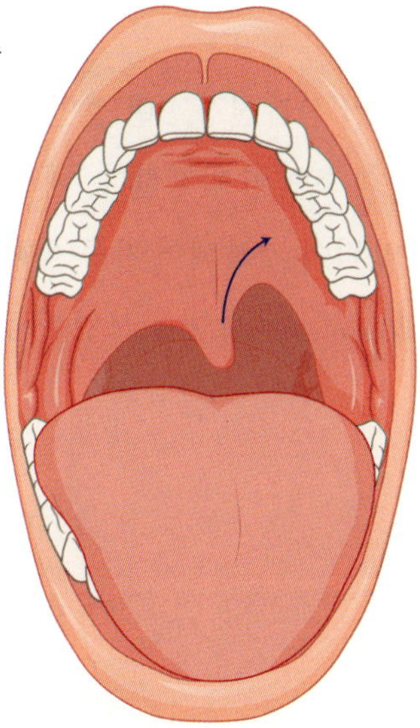

그림 8-20 9번 설인신경의 기능
편측 설인신경이 손상되면 환자에게 '아—아—아—'를 짧게 소리 내도록 하였을 때 건재한 쪽(여기서는 왼쪽)으로 목젖이 딸려 올라가고 마비된 쪽(여기서는 오른쪽)은 처져 있는 것을 관찰할 수 있다.

하여 구강을 형성에 기여한다. 설인신경의 운동섬유는 연수에 위치한 의핵으로부터 경상인두근으로 투사된다. 만일 한쪽 설인신경이 손상되면 환자에게 '아—아—아—'를 짧게 소리 내도록 하였을 때 건재한 쪽으로 목젖이 딸려 올라간다. 예컨대, 오른쪽 설인신경 손상의 경우, 오른쪽 연구개가 마비되어 처져 있으며, 소리를 낼 때 왼쪽 근육만 수축되고 목젖이 왼쪽으로 편위된다(그림 8-20).

10번 미주신경

연수의 의핵으로부터 이어지는 미주신경이 인두가지를 형성하면서, 구개긴장근(5번 삼차신경)과 경상인두근(9번 설인신경)을 제외한 대부분의 인두와 연구개의 근육을 수축시킨다. 즉, 미주신경의 인두가지가 활성화되면 인두의 가로무늬근인 상수축근superior constrictor, 중수축근middle c., 하수축근inferior c.과 연구개의 가로무늬근인 구개올림근levator veli palatini, 이관인두근salpingopharyngeus, 구개인두근palatopharyngeus, 그리고 혀의 구개설근palatoglossus을 수축하여 인두를 조여 주는 동시에 연구개를 들어 올린다(그림 8-21). 이처럼 인두강을 중심으로 한 여러 근육들의 협응적 수축은 구강음을 생성할 때에 연인두폐쇄를 할 수 있게 해 준다.

연인두폐쇄에 관여하는 5번 삼차신경, 9번 설인신경, 10번 미주신경이 손상되면 연관 근육의 마비로 인하여 조음의 왜곡이 발생한다. 예컨대, 구강음에서 비성이 들리는 과다비성이 관찰되거나, 구강 압력이 저하되어 자음(특히, 파열음)이 왜곡되고, 조음 시에 코로 콧김이 나오는 비강누출nasal emission 등을 보일 수 있다.

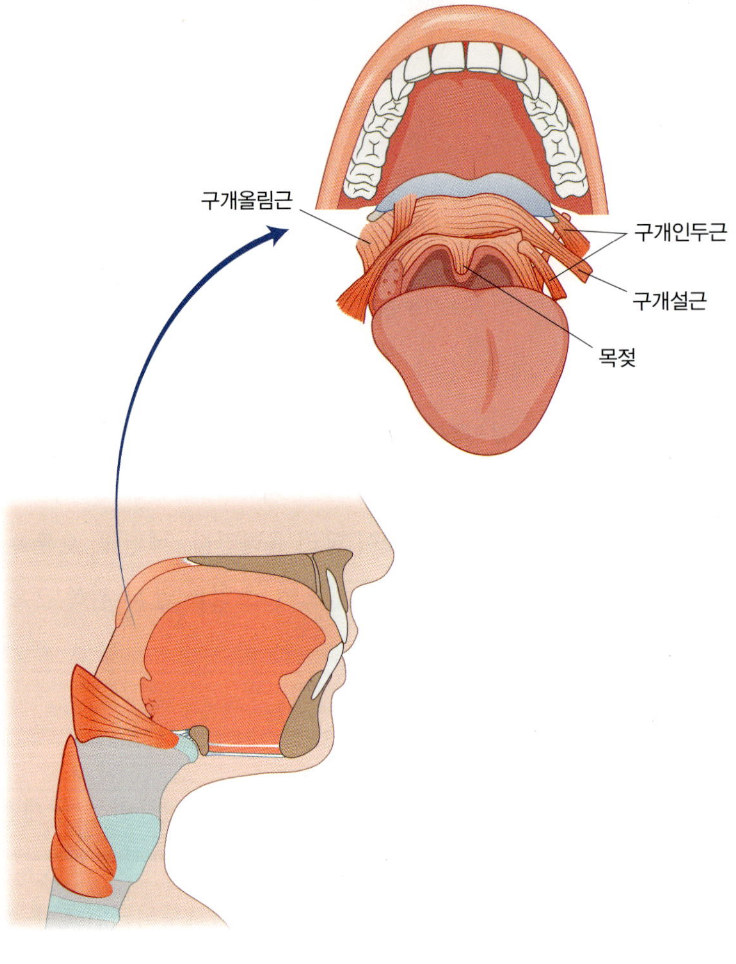

그림 8-21 공명기능과 관련된 인두근육
공명기능에 관여하는 인두근육인 구개올림근, 구개인두근, 구개설근 등은 수축하면 인두를 조여 주면서 연구개가 올라가게 한다.

삼킴(장애)과 뇌신경

삼킴기능에 연관된 활동은 크게 네 단계인 구강준비단계, 구강운반단계, 인두단계, 식도단계로 나눌 수 있다. 먼저 구강준비단계oral preparatory phase에서는 음식을 씹기 좋은 크기, 질감, 형태의 음식덩이bolus로 만든다. 둘째, 구강운반단계oral transport phase에서는 음식덩이를 구강 후방으로 넘긴다. 셋째, 인두단계pharyngeal phase는 음식덩이가 구강을 벗어나 인두강을 통해 식도로 진입하는 단계로서, 기도보호와 연인두폐쇄가 중요하게 작용한다. 마지막으로, 식도단계esophageal phase에서는 식도의 연동운동을 통해 음식덩이를 위장으로 운반된다.

한편, 이 책에서는 뇌신경의 기능적 역할을 체계적으로 다루기 위하여 구강준비단계에 선행하는 구강전단계pre-oral phase를 추가하되, 식도단계는 제외한 총 네 단계의 삼킴과정을 살펴보기로 한다. 여기서 '구강전단계'라 함은 시각, 후각, 미각 자극에 대한 반응으로 섭식 준비가 시작되는 시점이다. 예컨대, 음식을 먹기 전에 음식의 냄새를 맡는다든지, 맛있는 음식에 대하여 입에 침이 분비된다든지, 시각적으로 음식에 집중하는 반응을 포함한다.

구강전단계: 후각신경, 설인신경

냄새 맡기와 1번 후각신경

후각은 코로 냄새를 맡을 수 있는 감각이며, 후각정보는 대뇌의 안와전전두피질에서 미각정보와 함께 음식의 풍미flavor를 느끼게 하고, 음식섭취 조절feeding control 면에서 중요한 역할을 한다. 후각은 1번 후각신경olfactory nerve에 의하여 이루어지는데, 냄새를 맡게 되는 경로는 다음과 같다.

먼저, 공기 중의 냄새입자가 코로 들어가 비강지붕에 분포한 후각상피olfactory epithelium에 도달한다. 이 상피의 수많은 후각신경세포는 냄새자극에 의하여 흥분된다. 신경신호가 후각신경세포의 축삭을 거쳐 후각망울olfactory bulb로 전달되고, 후각로olfactory

> **잠깐!**
>
> **풍미**
>
> '풍미(flavor)'를 인식하는 역할에는 '맛(taste)'보다는 '냄새(smell)'가 더 주요하다. 소믈리에(sommelier)로 칭하는 와인 감식 전문가에게 예민한 후각이 필수적이란 것은 널리 알려진 사실이다.

tract를 거쳐 일차후각영역(조롱박피질pyriform cortex, 편도체결피질periamygdaloid cortex)에, 이후 이차후각영역인 내후각영역entorhinal area에 도달한다. 후각신경이 손상되면 냄새 맡는 기능을 저하시켜 음식의 풍미를 잘 인식하지 못하게 된다. 이는 음식에 대한 흥미를 잃게 할 수도 있으며, 식욕저하 및 영양실조의 원인이 되기도 한다.

침 분비와 9번 설인신경

설인신경이 관장하는 장기운동기능은 연수에 위치한 하부 타액선핵inferior salivary nu.에서 기원한 신경신호를 통하여 귀 바로 앞의 아래에 위치한 이하선parotid gland(귀밑샘)의 활동을 일으키는 일이다. 이하선은 하부시상이나 후각체계로부터 전해진 자극의 영향을 받아 무서운 상황에서 입이 마른다든지, 좋은 냄새가 나면 입안에 침이 분비되는 등의 반사적 반응을 보인다. 맛있는 냄새를 맡으면 후각신경에서 받아들인 자극이 타액선을 자극하여 침이 나오게 하는 설인신경의 장기운동기능을 활성화하기 때문에 입안에 침이 저절로 고이게 된다. 설인신경을 조정하는 상부운동신경세포는 양측 대뇌피질에서 신경신호를 내려보내며, 이는 양측성 신경지배를 의미한다.

구강준비단계: 삼차신경, 안면신경, 설인신경, 설하신경

입술 여닫기와 7번 안면신경

구강준비단계에서 가장 기본적인 동작은 음식을 흘리지 않고 구강 안에 위치시키는 것이다. 이를 위하여 입술을 잘 오므려서 닫힌 상태를 유지해야 하는데, 이러한 입술근육의 움직임에 관여하는 뇌신경은 7번 안면신경이다. 안면신경에 대한 상세한 설명은 앞의 조음과 5번 삼차신경, 7번 안면신경, 12번 설하신경에서 이미 다루었다.

씹기운동과 5번 삼차신경

음식을 입안에 위치시킨 후에는 씹기 좋은 크기, 질감, 형태의 음식덩이로 만들기 위하여 턱을 움직여서 음식을 씹으면서 잘게 부수어야 한다. 5번 삼차신경의 하악가지는 측두근, 교근, 익상근 등의 아래턱 근육의 움직임을 관장하면서 음식물을 씹어 부수는 씹기운동에 관여한다. 이때, 씹기운동은 아래턱의 개폐와 전후좌우 회전동작을 활용한다.

체감각과 5번 삼차신경

음식물을 구강 내에서 잘 조절하기 위해서는 앞서 설명한 입술 닫기나 씹기운동이 일어나는 동안에 윗입술이나 구개를 포함한 상악에서 느껴지는 촉각이나 압각 등을 통하여 음식물을 제대로 감지해야 한다. 또한 상악의 위치감각 등을 통하여 상악의 움직임을 잘 통제해야 한다. 이렇듯 다양한 체감각의 정보를 받아들여 처리하는 역할은 삼차신경의 상악가지가 담당한다.

한편, 하악가지는 하악에 있는 치아, 잇몸, 혀 앞 3분의 2의 일반감각을 담당하면서 씹기운동을 할 때 음식물이 치아나 잇몸 등에 닿는 촉각이나 압각 및 하악의 위치감각 등을 삼차신경의 척수핵에 전달한다.

침 분비와 7번 안면신경

삼킴의 구강준비단계에서 음식을 씹는 동안에 침의 역할은 적어도 다음의 두 가지 측면에서 매우 중요하다. 첫째, 침은 음식의 점도 consistency를 음식덩이로 형성하기 좋은 상태로 변화시켜 준다. 특히 수분이 부족한 건조 음식의 경우에는 적당한 침이 섞여야 흐트러지지 않는 안정된 음식덩이가 되어 구강 뒤로 잘 넘길 수 있다. 둘째, 침은 구강 점막의 수분이 마르지 않게 해 주는 윤활제 역할을 한다. 중추신경계질환 환자의 경우, 약물 복용으로 인하여 침분비가 감소하면서 구강이 건조해지는 구강건조증xerostomia을 종종 호소한다. 구강건조증이 심하면 미각 등의 감각 이상을 초래할 수도 있다. 침분비salivation는 상부 타액선핵superior salivatory nu.을 거쳐 7번 안면신경을 통하여 이루어지는 장기운동기능이다.

> **잠깐!**
>
> **눈물샘핵**
>
> 안면신경의 장기운동기능에는 눈물을 분비시키는 눈물샘핵(lacrimal nucleus)의 활동을 조정하는 일도 포함된다.

미각과 7번 안면신경, 9번 설인신경, 10번 미주신경

7번 안면신경이 관장하는 감각기능은 특수감각인 미각을 느끼게 해 주는 일이다. 미각정보는 말초신경경로를 따라 혀의 앞 3분의 2와 경구개(입천장) 등의 미각수용기인 미뢰taste bud에서 연수의 고립핵까지 전달된다. 이후, 고립핵으로부터 시상(배쪽 뒤내측핵)과 내포를 거쳐 대뇌피질의 일차감각영역에 있는 일차미각영역으로 전달된다. 그러므로 안면신경이 손상되면 혀 앞부분의 미각정보를 감지하기가 힘들다.

9번 설인신경 혀의 앞 3분의 2나 경구개의 미각은 7번 안면신경에서 관장하는 반면에, 혀의 뒤 3분의 1, 연구개, 인두 등의 미각은 9번 설인신경이 담당하는 감각기능이다. 이러한 미각정보는 말초의 미각수용기부터 연수의 고립핵까지 전달되며, 시상의 배쪽뒤내측핵과 내포를 거쳐 대뇌피질의 일차미각영역에 도달한다. 손상 시에는 혀 뒷부분의 미각정보를 감지하기가 힘들 수 있다.

10번 미주신경 미주신경은 혀뿌리 및 후두개의 미뢰를 통해 감지되는 미각자극을 전달하는 역할을 한다. 이와 같은 기능은 안면신경이나 설인신경과 마찬가지로 미주신경의 세포체는 연수의 고립핵에 위치하며, 시상(배쪽뒤 내측핵)을 거쳐 일차미각영역으로 동일한 경로를 따라 전달된다.

음식덩이 형성 기능과 7번 안면신경, 12번 설하신경

혀는 여러 조음기 중에서 조음에 가장 밀접한 관련이 있는 구조이면서도 구강단계에서 음식덩이를 만드는 데 핵심적 역할을 한다. 이와 같은 혀의 움직임은 12번 설하신경이 관장한다. 한편, 음식물이 구강의 측면고랑lateral sulcus으로 떨어지거나 고이지 않고 제대로 음식덩이로 만들어져 구강 뒤로 옮겨지기 위해서는 볼근육buccinator의 긴장도가 정상적으로 유지되어야 한다. 이러한 볼근육의 긴장도는 7번 안면신경에 의하여 조절된다.

구강운반단계: 설인신경, 미주신경, 설하신경

음식덩이 운반과 12번 설하신경

음식덩이를 구강 뒤쪽으로 운반하는 역할은 혀가 담당하며, 이는 설하신경에 의해 수행된다. 설암tongue cancer 등으로 인하여 설하신경 절제술이나 혀 절제술을 받은 환자는 음식덩이를 제대로 운반하지 못하여 음식을 삼킬 때 고개를 뒤로 젖히는 보완적compensatory 전략행동을 하게 된다.

구토반사와 9번 설인신경, 10번 미주신경

구토반사gag reflex는 혀뿌리와 인두벽의 수축에 의하여 이물질이 들어오는 것을 저지하는 방어적 반사작용이다. 이 반사는 구강준비단계나 구강운반단계에서 의도치 않게 음식물이 인두로 넘어갈 때 또는 혀뿌리나 인두벽에 물리적자극을 가할 때 일어날 수 있다.

구토반사는 감각 요소와 운동 요소 모두가 제대로 기능을 해야만 유발된다. 그렇다면 구토반사는 어떻게 일어나는 것일까? 먼저, 혀뿌리나 상부인두 등에 이물질에 대한 감각자극이 발생하면 설인신경을 통해 장기감각이 연수의 고립핵까지 전달된다. 이 감각 신호는 삼차신경 척수핵을 거쳐 교차되고 대측 시상으로 전해진 후, 내포를 거쳐 대뇌의 일차감각피질까지 전달된다. 그 결과, 미주신경(장기운동 요소)의 장기운동 요소가 활성화되어, 의핵에서 기원한 운동신경이 혀뿌리와 인두벽의 수축을 유도하여 구토반사가 일어나는 것이다. 한편, 임상에서는 구토반사를 검사함으로써 뇌신경 손상 여부를 평가할 수 있다. 다만, 일부 정상인들 중에서도 구토반사가 유발되지 않는 경우가 있으므로 결과 해석 시 주의가 필요하다.

인두단계: 삼차신경, 안면신경, 설인신경, 미주신경, 설하신경

구강 뒤쪽으로 운반된 음식덩이는 인두강을 거쳐 식도로 안전하게 운반되어야 하는데, 이를 위하여 인두강과 주변 구조에서 일어나는 삼킴과정이 인두단계pharyngeal phase이다. 인두단계에서는 인두삼킴이 반사적으로 유발되며 여러 생리적 활동이 거의 동시에 이루어진나. 이 단계에는 연인두폐쇄, 설골-후두 상승, 후두폐쇄, 반지인두근 열림 등을 포함한다. 인두단계의 각 활동에 연관되는 뇌신경에 대하여 자세히 살펴보자.

인두삼킴과 9번 설인신경, 10번 미주신경

음식덩이가 연구개의 앞쪽 구개활anterior faucial arch 지점에 도달하면, 감각수용기가 음식덩이를 감지하고, 이 감각 정보가 9번 설인신경을 통하여 연수의 고립핵까지 전달된다. 고립핵에 도달한 들어온 자극에 대한 정보는 곧바로 연수의 의핵으로 보내져 10번 미주신경을 통하여 인두삼킴pharyngeal swallowing 운동이 이루어진다. 이때 신경학적 손상으로 인하여 인두삼킴이 지연되면 인두삼킴이 반사 전에 음식물이 기도로 들어가 성대 밑으로 내려가는 흡인aspiration 현상을 보일 수 있다.

이처럼 인두삼킴에 관여하는 의핵을 중심으로 한 연수의 뇌영역은 삼킴중추swallowing center로 알려져 있으며, 의핵 손상은 삼킴장애, 특히 인두단계의 장애를 유발한다. 더욱이 양측 연수가 손상되면 삼킴기능이 완전히 소실되어 영구적으로 비위관 섭식nasogastric tube feeding에 의존해야 되는 경우가 많다.

연인두폐쇄와 5번 삼차신경, 9번 설인신경, 10번 미주신경

음식물이 비강으로 역류하는 것을 방지하기 위하여 연구개와 인두근이 수축하면서 연인두가 닫히는 연인두폐쇄가 일어나야 한다. 연인두가 닫히면 인두강 내의 내압이 낮아져 음식물이 식도로 효과적으로 전달된다. 연인두폐쇄를 관장하는 뇌신경으로는 삼차신경, 설인신경, 미주신경을 들 수 있으며, 이에 대한 기제는 앞의 '공명: 삼차신경, 설인신경, 미주신경'(216쪽)을 참조하기 바란다. 연인두폐쇄가 제대로 이루어지지 않는 경우에는 음식물이 비강으로 들어가는 비강역류nasal regurgitation 현상이 발생할 수 있다. 이는 신경학적 손상이나 연인두부 기능장애에 의해 흔히 관찰되는 삼킴장애 증상이다.

설골-후두 상승과 5번 삼차신경, 7번 안면신경, 12번 설하신경

삼킴반응의 구성요소 중에 설골-후두 상승hyolaryngeal excursion은 설골 및 후두를 앞-위쪽으로 견인하여 후두개epiglottis를 닫히게 하고, 동시에 식도 입구에서 상부식도괄약근upper esophageal sphincter[UES]을 열리게 한다. 설골에는 설골 주변 구조로부터 근원되는 여러 근육들이 붙어 있는데 턱설골근mylohyoid, 붓설골근stylohyoid 혀설골근geniohyoid 등이 있고, 각각 5번 삼차신경, 7번 안면신경, 12번 설하신경이 지배한다.

또한 5번 삼차신경이 지배하는 앞배쪽 두힘살근anterior belly digastric과 뒤배쪽 두힘살근posterior belly digastric은 설골을 앞-위쪽으로 끌어올린다. 이들 근육이 수축하여 설골이 상승하면 설골과 연결된 후두도 함께 올라가게 된다. 그 밖에도 혀와 연결된 혀근육인 설골설근hyoglossus과 턱끝설근genioglossus 등이 설골을 상승시키는 기능을 하며, 이들 근육은 12번 설하신경이 지배한다. 따라서 설하신경이 손상되면 혀의 마비와 함께 설골-후두 상승 장애가 유발되어 흡인 등의 삼킴장애가 나타날 수 있다. 한편, 설골-후두 상승은 후두개를 아래로 덮어 주어 한층 더 기도를 보호하게 한다.

잠깐!

설골-후두 움직임과 후두근육

'hyoid'가 붙은 후두근육, 예컨대 방패설골근(thyrohyoid) 등은 설골-후두를 내려 주는 역할을 한다.

후두폐쇄와 10번 미주신경

음식물이 성대 밑으로 들어가는 흡인aspiration을 방지하기 위해서는 성대와 후두전실laryngeal vestibule을 포함한 상후두영역 근육들이 조여지는 후두폐쇄laryngeal closure가 필수적이다. 후두폐쇄는 미주신경의 또 하나의 가지인 되돌이 후두신경에 의하여 이루어진다. 이에 대한 자세한 설명은 '발성: 미주신경'(209쪽)을 참조하기 바란다.

> **잠깐!**
>
> **흡인과 침투**
>
> 이물질이 성대까지는 들어가나 성대 밑까지 침범하지 않는 현상을 '침투(penetration)'라 하고, 성대 밑까지 들어가서 기도로 침입하는 것을 '흡인(aspiration)'이라 한다.

한편, 후두폐쇄가 제대로 이루어지지 않아 이물질이 성대를 침범하게 되면 기침반사cough reflex가 유발되어, 기도 내 이물질을 배출하는 방어반응이 일어난다. 기침반사의 기제는 다음과 같다. 먼저, 후두의 감각수용기로부터 전달받은 장기자극이 미주신경을 통하여 연수의 고립핵으로 전달된다. 고립핵으로 들어온 자극이 잠재적으로 해로운 자극(예: 이물질)으로 인지되면 연수의 의핵으로 정보를 보내어 미주신경을 통하여 기침이라는 반사적 장기운동을 일으키고, 이물질을 기도 밖으로 내보내게 된다. 이러한 기침반사 기능이 저하되면 기도를 보호하지 못하여 흡인위험이 증가하며, 흡인성폐렴aspiration pneumonia 등의 합병증을 유발할 수 있다.

반지인두근 열림과 10번 미주신경

음식물이 인두강에 다다르면 인두연동운동pharyngeal peristalsis에 의하여 음식물을 점차 아래로 운반하고, 식도 입구 직전에서 반지인두근cricopharyngeal muscle이 긴장이 이완되면서 열리게 된다. 음식물이 이 지점을 통과하면 반지인두근은 다시 수축한다. 이러한 소화기관의 장기운동은 미주신경에 의하여 수행된다. 반지인두근은 상부식도괄약근upper esophageal sphincter[UES]을 형성하며 이 부위가 열리면서 비로소 음식덩이가 식도로 들어가게 된다. 상부식도괄약근이 제대로 열리지 않으면 흡인이 발생하기도 한다.

개념 및 용어 정리

뇌간의 위치: 위로는 간뇌, 아래로는 척수, 뒤로는 소뇌가 있다.

뇌간의 구성: 중뇌, 뇌교, 연수

- **중뇌의 위치**: 바로 위에는 제3뇌실이, 뒤에는 소뇌가 있다.
- **뇌교의 위치**: 능형오목 부위
- **뇌교연수이행부**: 뇌교와 연수가 만나는 경계 지점
- **망상체와 망상활성계**

중뇌: 덮개, 피개, 기저부

- **덮개**: 뇌수도관의 바로 뒤를 지칭한다.
  - 사구체 중에 1쌍의 상구는 상부 덮개에, 1쌍의 하구는 하부 덮개에 있다.
- **피개**: 뇌수도관의 앞 부분
  - 소뇌각이 교차된다.
- **기저부**: 중뇌의 가장 배쪽이며 대뇌각이라 한다.
  - 피질척수로와 피질뇌간로 등이 지나간다.
  - 기저부 피질뇌간로의 손상: 편측 상부운동신경세포형 마비말장애[마비성 구음장애]
- **흑질**: 피개와 기저부 사이의 구조로서 도파민을 생성하며, 손상 시에는 운동감소형 마비말장애[마비성 구음장애]를 유발한다.

뇌교: 상뇌교, 중뇌교, 하뇌교

- **상뇌교**
  - 등쪽에는 제4뇌실이, 그 뒤로는 소뇌, 양옆으로는 상소뇌각이 있다.
  - 기저부: 뇌교소뇌로, 교핵, 피질척수로, 피질뇌교로, 피질뇌간로 등
  - 뇌교소뇌로의 손상: 실조형 마비말장애[마비성 구음장애], 삼킴장애
- **중뇌교**
  - 등쪽에는 제4뇌실이 관찰된다.
  - 피개부: 내측종단다발, 내측섬유띠, 외측섬유띠, 척수핵(감각핵), 저작핵(운동핵) 등
  - 기저부: 뇌교소뇌로, 피질척수로, 피질뇌교로, 피질뇌간로 등이 지나간다.

■ **하뇌교**

- 등쪽: 제4뇌실이 위치한다.
- 피개: 외전핵, 중소뇌각, 안면신경, 전정핵, 삼차신경의 척수핵과 척수로, 안면운동핵, 상올리브핵, 내측섬유띠 등
- 안면운동핵의 손상: 조음장애, 삼킴장애 등
- 기저부: 뇌교소뇌로 안에는 대뇌피질로부터 내려오는 신경신호를 받아 대측 소뇌로 전달하는 교핵이 있다.

연수: 개방연수, 폐쇄연수

■ **개방연수**: 설하핵, 등쪽 미주핵, 고립핵, 삼차신경의 척수핵과 척수로, 의핵 등

- 설하핵: 연수에서 가장 중심 쪽에 위치하며 12번 설하신경의 신경세포와만 연결된다.
- 등쪽 미주핵: 흉곽과 복부에 있는 소화기관과 호흡기관의 무의식적 운동에 관여한다.
- 고립핵: 미각과 일반장기감각에 관여한다.
- 삼차신경의 척수핵과 척수로: 얼굴 감각을 전달한다.
- 의핵: 말과 삼킴기능에 중요한 역할을 한다.

■ **폐쇄연수**

- 연수 하부로서 제4뇌실이 관찰되지 않고 중심관이 있다.
- 피질뇌간로가 교차한다.

뇌신경핵과 뇌신경의 주요 특색

■ **뇌신경핵**

- 한 가지 뇌간 구조에만 국한되거나 여러 뇌간 구조들에 걸쳐 있다.
- 감각핵군은 대체로 외측에, 운동핵군은 내측에 위치한다.
- 뇌신경핵은 총 19쌍이나 그에 대응하는 뇌신경은 전체 12쌍이다.

■ **뇌신경**

- 말초신경계로서 중추신경계를 체외의 바깥세상과 연결시켜 준다.
- 후각신경과 시신경을 제외하고 나머지 10쌍이 모두 뇌간에서 나간다.
- 역할에 따라 3쌍의 감각신경(1번, 2번, 8번), 5쌍의 운동신경(하부운동신경세포)(3번, 4번, 6번, 11번, 12번), 4쌍의 복합신경(5번, 7번, 9번, 10번)으로 나뉜다.

언어(장애)와 뇌신경

시각과 2번 시신경

- 시야에 있는 시각자극의 정보는 시신경을 통해 시신경 교차가 이루어진다.
- 시신경 교차 후 형성된 시각로가 상구(중뇌), 외측무릎체(시상)를 거쳐 대뇌 후두엽에 있는 일차시각영역(시각중추)까지 이어지면서 전달된다.
- 동측성 반맹증: 시각로나 시각로 이후의 중추영역 병변으로 인하여 대측 시야 자극을 받아들이지 못하는 장애
- 반공간 무시증: 우뇌 손상으로 인하여 좌측 시야의 자극을 받아들이지 못하는 현상

청각과 8번 와우-전정신경

- 와우 담당의 신경경로: 연수의 상올리브핵을 거쳐 뇌교의 외측섬유띠가 중뇌의 하구까지 도달하고 시상의 내측무릎체에서 다시 연접하며 측두엽의 일차청각영역까지 이어진다.
- 오른쪽 귀 강점현상

안구운동과 3번 동안신경, 4번 활차신경, 6번 외신신경

- 시각적으로 제시되는 언어자극을 원활히 처리하기 위한 뇌신경
- 연관 용어: 동안핵, 상안검거근, 안검하수, 마비성 사시, 복시

말(장애)과 뇌신경

호흡과 9번 설인신경, 10번 미주신경, 11번 부신경

- 호흡기제와 9번/10번 뇌신경: 산소량이 줄어들면 9번 설인신경과 10번 미주신경을 통해 고립핵으로 자극이 감지되고, 등쪽 미주핵이 미주신경의 장기운동 요소를 활성화시킨다.
- 11번 부신경: 목이나 어깨의 승모근과 흉쇄유돌근을 관장한다.

발성과 10번 미주신경

- 상후두가지의 외가지(운동가지): 음도를 높이는 데 관여하며, 내가지(감각가지)는 후두의 감각을 감지한다.
- 되돌이 후두신경: 진성대의 길이를 줄게 하거나, 진성대의 열고 닫힘에 관여한다.

조음과 5번 삼차신경, 7번 안면신경, 9번 설인신경, 12번 설하신경

- 5번 삼차신경의 상악가지: 비강, 비인두강, 경구개, 연구개의 감각에 관여한다.
- 5번 삼차신경의 하악가지: 치아, 잇몸, 혀(앞 3분의 2)에서 감각을 전달하며, 턱운동기능에 관여한다.

- 7번 안면신경: 얼굴근육의 움직임에 관여한다.
- 7번 안면신경의 안면운동핵: 등쪽은 양측 반구에서, 배쪽은 대측 반구에서 신경신호를 받으며, 얼굴 위쪽은 양측 반구의 지배를, 아래쪽은 대측 반구의 지배를 받는다.
- 중추성 안면마비와 말초성 안면마비: 편측 상부운동신경세포의 손상으로 인한 안면마비는 중추성이고 하부운동신경세포의 손상으로 인한 안면마비는 말초성이다.
- 9번 설인신경: 혀(뒤 3분의 1), 인두, 편도 등의 감각을 전달받아 삼차신경의 척수핵과 척수로로 전해 준다.
- 12번 설하신경: 대부분의 혀 외부 근육 움직임을 관장하며, 운동명령의 신경경로는 연수에서 교차된다.

■ 공명과 5번 삼차신경, 9번 설인신경, 10번 미주신경

- 5번 삼차신경의 하악가지: 구개긴장근을 조절함으로써 연인두폐쇄 기능에 관여한다.
- 9번 설인신경: 연인두 감각정보를 삼차신경의 척수핵과 척수로까지 전달하고 경상인두근의 수의적 움직임에도 관여한다.
- 10번 미주신경의 인두가지: 인두와 연구개의 근육을 수축시킨다.

삼킴(장애)과 뇌신경

■ 구강전단계와 1번 후각신경, 9번 설인신경

- 1번 후각신경: 냄새를 맡는 데 관여한다.
- 9번 설인신경: 침 고임에 관여한다.

■ 구강준비단계와 5번 삼차신경, 7번 안면신경, 9번 설인신경, 10번 미주신경, 12번 설하신경

- 5번 삼차신경: 구강 내 체감각을 느끼게 해 주고 씹기운동에 관여한다.
- 7번 안면신경: 미각(혀 앞의 3분의 2, 경구개), 음식을 씹는 동안의 침 분비, 입술 다물기, 음식덩이 형성 등에 관여한다.
- 9번 설인신경(혀 뒤의 3분의 1, 연구개): 미각을 담당한다.
- 10번 미주신경(혀뿌리, 후두개): 미각을 담당한다.
- 12번 설하신경: 음식덩이 형성에 관여한다.

■ 구강운반단계와 9번 설인신경, 10번 미주신경, 12번 설하신경

- 9번 설인신경: 구토반사의 장기감각을 담당한다.
- 10번 미주신경: 구토반사의 장기운동을 담당한다.

- 12번 설하신경: 구강 내 음식덩이를 운반한다.

■ **인두단계와 5번 삼차신경, 7번 안면신경, 9번 설인신경, 10번 미주신경, 12번 설하신경**

- 5번 삼차신경: 연인두폐쇄, 설골-후두 상승에 관여한다.
- 7번 안면신경: 설골-후두 상승에 관여한다.
- 9번 설인신경: 연구개의 앞쪽 구개활 지점에서 감지된 음식덩이를 고립핵까지 전달하며, 연인두폐쇄에 관여한다.
- 10번 미주신경: 의핵을 통한 인두삼킴 운동에 관여하며 연인두폐쇄, 후두폐쇄, 반지인두근을 포함한 상부식도괄약근의 열림을 관장한다.
- 12번 설하신경: 설골근과 연결된 혀근육 운동이 설골 상승을 유발한다.

복습문제

1. 뇌교와 연수가 만나는 지점을 무엇이라 지칭하는가?

2. 다음은 뇌간에 대한 설명이다. 옳은 것에 ○, 틀린 것에 × 표시를 하시오.
   (1) 뇌간에는 뇌신경세포들의 핵이 모여 생긴 뇌신경핵군이 위치하고 말초신경계인 뇌신경과 연결된다. (　　)
   (2) 뇌간은 중뇌, 뇌교, 연수의 세 구조로 구성된다. (　　)
   (3) 중뇌의 바로 위에는 제4뇌실이 보인다. (　　)
   (4) 뇌교는 소뇌와 연계되는 섬유다발이 매우 풍부하고, 뇌간 구조 중에서 가장 크다. (　　)

3. 중뇌를 구성하는 세 부분(피개, 덮개, 기저부)을 대뇌수도관을 중심으로 중뇌의 등쪽 부분부터 배쪽 부분의 순서로 쓰시오.

4. 중뇌에 대한 다음 보기의 빈칸에 알맞은 용어를 쓰시오.

중뇌의 기저부에는 피질척수로와 피질뇌간로 등이 지나가는데 이 부분을 (1) ___________이라고 한다. 이 부분이 손상되면 상부운동신경세포의 손상을 야기하며 (2) ___________ 등의 장애를 일으킬 수 있다.

5. 중뇌의 피개와 기저부 사이에 위치한 구조로서 신경전달물질인 도파민을 생성하는 중뇌의 구조는 무엇인가?

6. 추체교차는 어디에서 관찰되는가?

7. 뇌간에는 뇌간 전체 길이에 걸쳐 신경세포들의 회백질 조직이 느슨한 그물 모양을 이루는 구조가 있는데, 이 구조에 의식 유지나 주의 집중을 조절하는 신경세포가 분포되어 있다. 이를 무엇이라 일컫는가?

8. 뇌교의 등쪽에서는 어떤 뇌실이 관찰되는가?

9. 연수는 개방연수와 폐쇄연수로 구분된다. 각각 관찰되는 뇌실의 종류에 대하여 간단히 설명하시오.

10. 다음은 뇌신경핵과 관련된 내용이다. 옳은 것에 ○, 틀린 것에 × 표시를 하시오.

(1) 일반적으로 감각핵군은 외측으로, 운동핵군은 내측으로 위치한다. (　　)

(2) 뇌신경핵은 총 12쌍이다. (　　)

(3) 뇌신경핵과 연관 뇌신경은 일대일로 대응하여 기능한다. (　　)

11. 다음 그림에 12쌍의 뇌신경을 표시하시오.

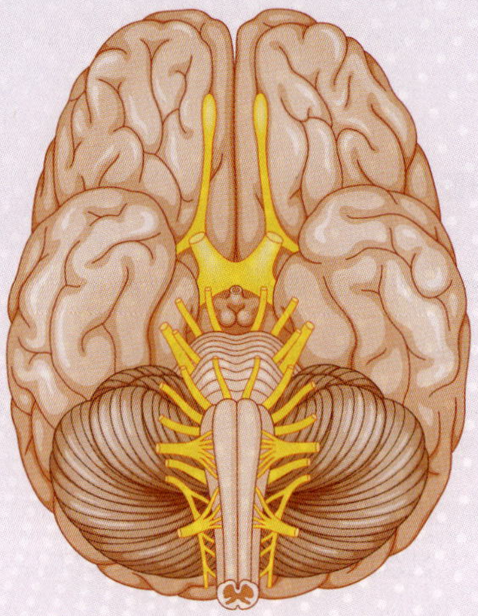

(1) 1번 뇌신경

(2) 2번 뇌신경

(3) 3번 뇌신경

(4) 4번 뇌신경

(5) 5번 뇌신경

(6) 6번 뇌신경

(7) 7번 뇌신경

(8) 8번 뇌신경

(9) 9번 뇌신경

(10) 10번 뇌신경

(11) 11번 뇌신경

(12) 12번 뇌신경

12. 다음 보기에서 동일한 뇌신경핵을 공유하지 않는 뇌신경을 고르시오.

가. 5번	나. 7번	다. 9번	라. 10번	마. 12번

13. 12쌍의 뇌신경들 중에서 감각신경, 운동신경, 복합신경에 해당하는 뇌신경을 모두 나열하시오.

(1) 감각신경:

(2) 운동신경:

(3) 복합신경:

14. 다음의 특수감각에 관여하는 뇌신경들을 쓰시오.

(1) 후각:

(2) 시각:

(3) 미각:

(4) 청각 · 평형감각:

15. 다음의 각 기능에 관여하는 뇌신경과 뇌신경핵을 쓰시오.

(1) 혀운동:

(2) 턱운동:

(3) 연구개, 인두, 후두근 운동:

(4) 안면운동:

16. 시각로나 시각로 이후의 중추영역에 병변이 있으면 대측 시야의 자극을 받아들이지 못하는 장애를 유발한다. 이러한 장애를 무엇이라 하는가?

17. 양쪽 귀에 동시에 같은 길이와 강세의 말소리 자극이 주어지는 이분청취 상황에서 오른쪽 귀로 전해진 자극을 더 잘 알아채는 현상을 무엇이라 하는가?

18. 다음은 운동신경에 대한 내용이다. 옳은 것에 ○, 틀린 것에 × 표시를 하시오.

(1) 동안신경은 시각자극의 정보를 대뇌로 전달한다. ( )

(2) 활차신경은 안구를 아래 바깥쪽으로 향하게 조절한다. ( )

(3) 부신경은 목과 어깨의 승모근과 흉쇄유돌근의 운동에 관여한다. ( )

(4) 설인신경은 혀의 움직임에 관여한다. ( )

19. 다음 보기의 눈과 관련된 뇌신경들 중에서 안구운동에 관여하는 운동신경은 무엇인가?

가. 시신경	나. 동안신경	다. 활차신경	라. 외전신경

20. 환자가 혀를 내밀었을 때 혀가 환자의 왼쪽으로 치우쳤다. 다음 보기에서 의심되는 손상 병소 부위를 모두 고르시오.

가. 왼쪽 12번 뇌신경	나. 오른쪽 내포
다. 왼쪽 혀근육	라. 왼쪽 운동피질

21. 삼차신경의 3개 가지 중에서 손상으로 인해 조음장애나 씹기장애를 보일 수 있는 가지는 무엇인가?

22. 다음은 안면신경 운동기능의 경로이다. (1), (2)에서 알맞은 말에 동그라미를 치시오.

> 코를 중심으로 얼굴 위쪽은 (1) 대측 / 양측 반구의 지배를 받고, 아래쪽 얼굴 아래쪽은 (2) 대측 / 양측 반구의 지배를 받는다.

23. 안면운동핵 이전의 상부운동신경세포의 한쪽 손상으로 대측 얼굴 아래쪽이 마비되는 증상을 무엇이라 하는가?

24. 인두근의 조절로써 특정 구강음을 만들게 하며, 손상이 되면 과다비성을 유발하는 뇌신경은 무엇인가?

25. 구토반사를 구성하는 감각 및 운동 요소를 담당하는 뇌신경의 짝을 고르시오.

(1) 설인신경－미주신경
(2) 안면신경－설인신경
(3) 삼차신경－미주신경
(4) 삼차신경－안면신경

26. 구토반사를 구성하는 감각 및 운동 요소에 대하여 알맞게 짝지은 것을 고르시오.

(1) 일반감각－체운동
(2) 일반감각－장기운동
(3) 장기감각－체운동
(4) 장기감각－장기운동

27. 흉부외과적 수술(예: 식도암 수술)이 진행되면서 왼쪽 미주신경의 경로에 손상을 입은 경우에 그로 인한 후유증으로 유발될 수 있는 증상은 무엇인가?

28. 다음 중 호흡과 가장 관련이 적은 뇌신경을 고르시오.

(1) 9번 뇌신경

(2) 10번 뇌신경

(3) 11번 뇌신경

(4) 12번 뇌신경

29. 10번 미주신경의 가지 중에서 발성과 관련이 많은 짝을 고르시오.

(1) 인두가지–상후두가지

(2) 인두가지–하후두가지

(3) 하후두가지–되돌이 후두신경

(4) 상후두가지–되돌이 후두신경

30. 다음 중 연인두폐쇄에 관여하여 음식물이 비강으로 들어가는 것을 방지하는 역할을 하는 뇌신경이 아닌 것을 고르시오.

(1) 5번 뇌신경

(2) 7번 뇌신경

(3) 9번 뇌신경

(4) 10번 뇌신경

31. 다음의 왼쪽 그림은 상부연수를 자른 것이다. 보기에서 알맞은 단면을 고르시오.

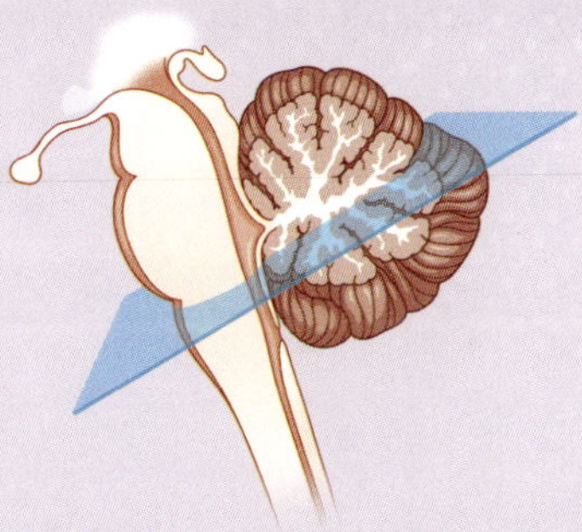

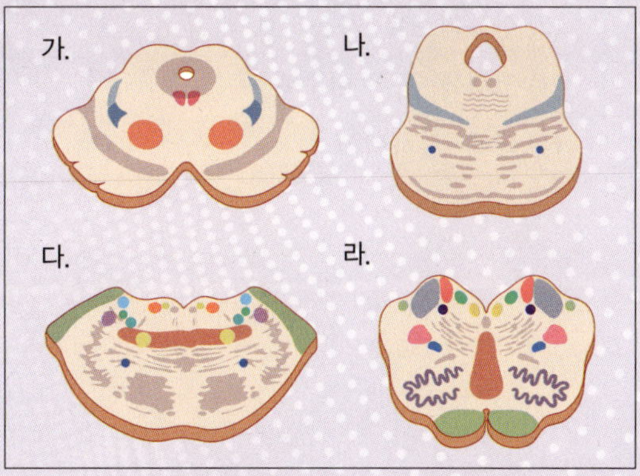

32. 다음 중뇌의 그림에서 도파민이 생성되는 핵을 고르고, 그 핵의 명칭을 쓰시오.

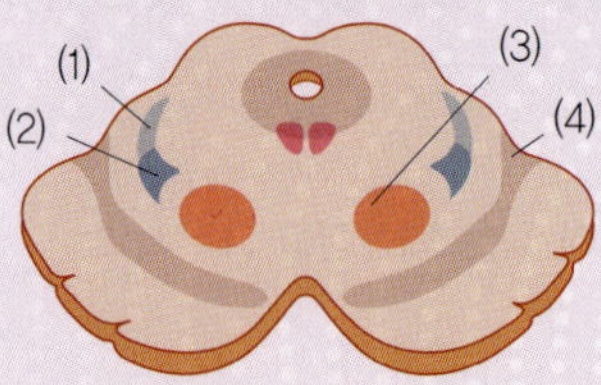

33. 다음 그림은 뇌교의 단면(A)과 인접 구조와의 연결 도식(B)이며, '가'는 교핵을 가리킨다. 이 그림에서 설명되지 않는 현상을 고르시오.

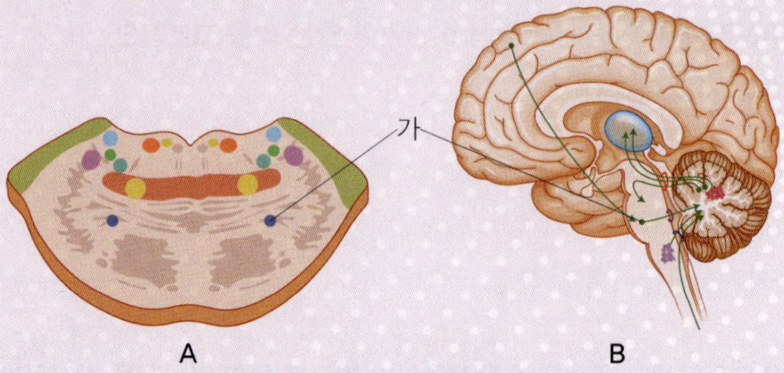

(1) 교핵은 대뇌로부터 오는 신경신호를 받아 대측 소뇌로 전달한다.

(2) 뇌교 손상이 실조형 마비말장애[마비성 구음장애]를 유발하지는 않는다.

(3) 대뇌, 뇌교, 소뇌는 기능적으로 연결되어 있다.

(4) 뇌교 손상은 소뇌 기능장애를 일으킬 수 있다.

34. 33번 문제의 그림 A에서 가장 잘 관찰되는 핵으로 바르게 짝지어진 것을 고르시오.

(1) 삼차신경의 척수핵과 척수로–안면운동핵

(2) 상올리브핵–하올리브핵

(3) 고립핵–등쪽 미주핵

(4) 의핵–설하핵

35. 환자에게 혀를 내밀어 보라고 하였을 때 그림과 같이 혀가 우측으로 기울어졌다. 이러한 증세를 일으킬 수 있는 병소 부위를 선상에 한 군데만 표시하시오.

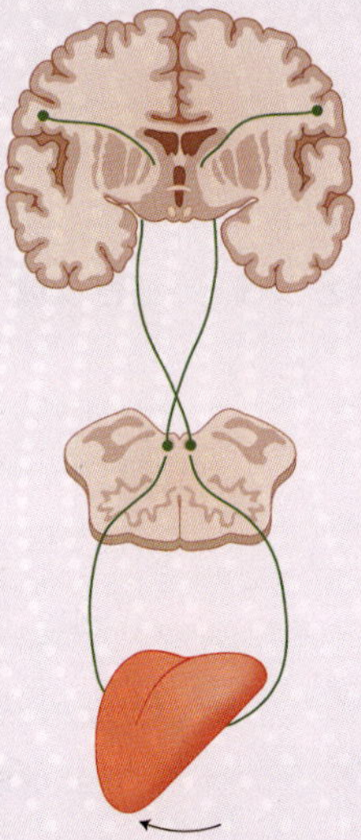

36. 다음 그림에서 화살표가 가리키는 핵의 손상으로 야기될 수 있는 장애로 거리가 먼 것을 고르시오.

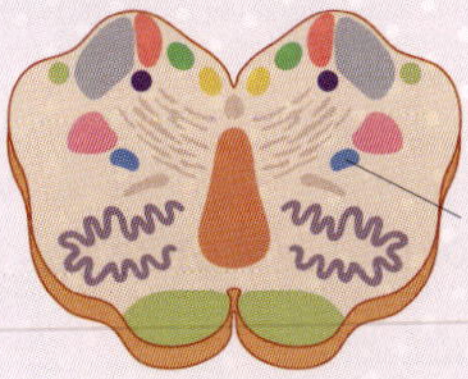

(1) 공명장애
(2) 음성장애
(3) 삼킴장애
(4) 조음장애

37. 다음 뇌 그림의 병소 부위(●)와 연관되는 안면마비의 부위를 고르시오.

우뇌 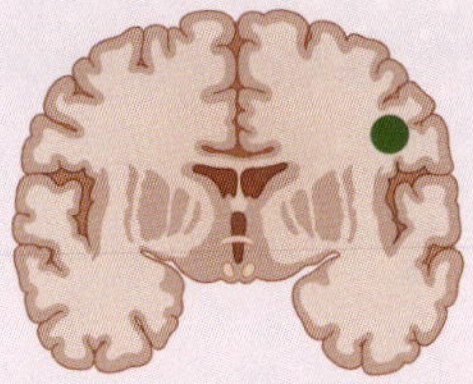 좌뇌

(1) 좌측 위쪽 얼굴
(2) 우측 위쪽 얼굴
(3) 좌측 아래쪽 얼굴
(4) 우측 아래쪽 얼굴

38. 37번 문제에서 나타나는 증세를 무엇이라고 하는가?

(1) 중추성 안면마비

(2) 말초성 안면마비

(3) 편측성 안면마비

(4) 양측성 안면마비

39. 다음 그림에 대한 설명으로 옳은 것에 ○, 틀린 것에 × 표시를 하시오.

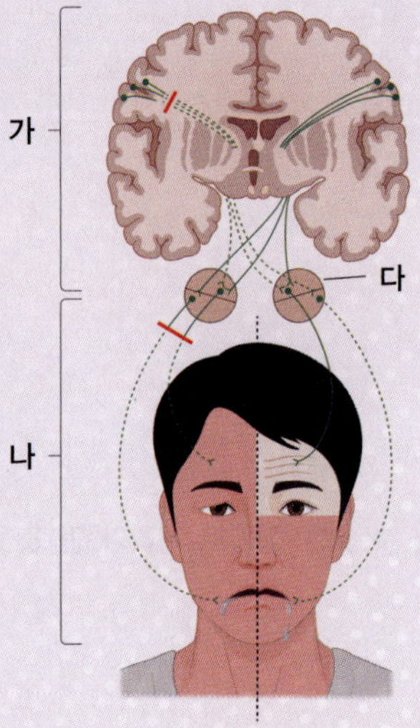

(1) '가'는 상부운동신경세포를 나타낸다. (　　)

(2) '나'는 하부운동신경세포를 나타낸다. (　　)

(3) '다'는 안면운동핵이다. (　　)

(4) 우뇌 피질하영역의 손상은 우측 아래쪽 얼굴의 마비를 일으킨다. (　　)

(5) 한쪽 뇌신경의 손상은 좌우 양측 얼굴을 마비시킨다. (　　)

(6) 얼굴은 눈 주위를 중심으로 좌우, 위아래로 나뉘어 신경신호를 전달받는다. (　　)

40. 삼킴의 구강단계와 인두단계에서 공통적으로 기능하는 뇌신경이 아닌 것을 고르시오.

(1) 1번 후각신경

(2) 5번 삼차신경

(3) 9번 설인신경

(4) 10번 미주신경

41. 삼킴과 관련된 기능들과 관련된 뇌신경을 보기에서 고르시오.

(1) 냄새 맡기
(2) 입술 다물기
(3) 씹기
(4) 침 고임 및 분비
(5) 맛 감지
(6) 음식덩이 형성
(7) 음식덩이 운반
(8) 인두삼킴
(9) 연인두폐쇄
(10) 설골-후두 상승
(11) 후두폐쇄
(12) 반지인두근 열림
(13) 상부식도괄약근 열림

가. 1번 후각신경	나. 5번 삼차신경	다. 7번 안면신경
라. 9번 설인신경	마. 10번 미주신경	바. 12번 설하신경

정답

1. 뇌교연수이행부
2. (1) ○ (2) ○ (3) × *제 3뇌실이 보임. (4) ○
3. 덮개, 피개, 기저부
4. (1) 대뇌각 (2) 편측 상부운동신경세포형 마비말장애[마비성 구음장애]
5. 흑질
6. 연수의 하부
7. 활성망상체
8. 제4뇌실
9. 개방연수에서는 제4뇌실이 관찰되지만, 폐쇄연수에서는 중심관이 보임.
10. (1) ○ (2) × *총 19쌍임. (3) × *하나의 뇌신경핵에 연관되는 뇌신경은 여럿일 수 있으며, 반대로 하나의 뇌신경이 여러 뇌신경핵을 가질 수 있음.
11.

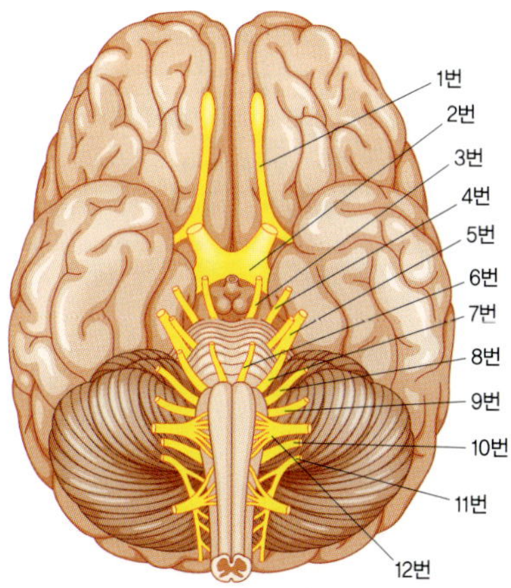

12. 마 *12번 뇌신경의 핵은 설하핵이고, 5번, 7번, 9번, 10번 뇌신경은 삼차신경의 척수핵을 공유함.
13. (1) 1번 후각신경, 2번 시신경, 8번 와우–전정신경 (2) 3번 동안신경, 4번 활차신경, 6번 외전신경, 11번 부신경, 12번 설하신경 (3) 5번 삼차신경, 7번 안면신경, 9번 설인신경, 10번 미주신경
14. (1) 1번 후각신경 (2) 2번 시신경 (3) 7번 안면신경, 9번 설인신경 (4) 8번 와우–전정신경
15. (1) 12번 설하신경, 설하핵 (2) 5번 삼차신경, 저작핵 (3) 9번 설인신경, 10번 미주신경, 의핵 (4) 7번 안면신경, 안면운동핵
16. 동측성 반맹증
17. 오른쪽 귀 강점현상
18. (1) ×*시각자극의 정보를 대뇌로 전달하는 신경은 시신경임. (2) ○ (3) ○ (4) ×*혀의 움직임에 관여하는 신경은 설하신경임.
19. 나, 다, 라
20. 가, 나, 다
21. 하악가지
22. (1) 양측 (2) 대측
23. 중추성 안면마비

정답

24. 5번 삼차신경, 9번 설인신경, 10번 미주신경
25. (1)
26. (4)
27. 좌측 성대마비
28. (4)
29. (4)
30. (2)
31. 라
32. (4) 흑질
33. (2) *뇌교의 손상으로 실조형 마비말장애[마비성 구음장애]가 올 수 있음.
34. (1) *나머지는 연수에서 잘 관찰되는 핵임.
35. (A), (B), 또는 (C)

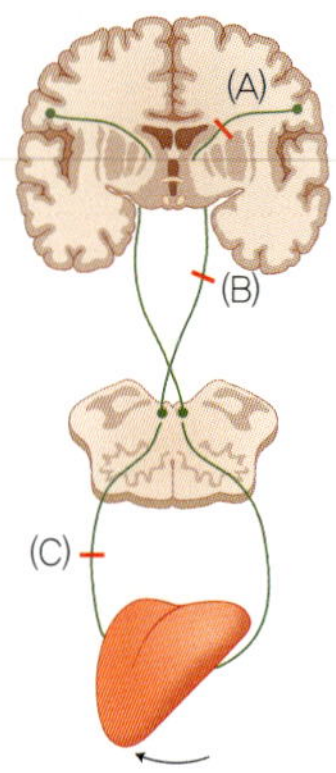

36. (4) *의핵은 혀운동에는 관여하지 않으므로 손상 시에 조음장애를 야기하지 않음.
37. (4)
38. (1)
39. (1) ○ (2) ○ (3) ○ (4) × *우뇌 피질하영역의 손상은 좌측 아래쪽 얼굴의 마비를 일으킴.
(5) × *한쪽 뇌신경의 손상은 같은 쪽 얼굴만을 마비시킴. (6) ○
40. (1)
41. (1) 가 (2) 다 (3) 나 (4) 다, 라 (5) 다, 라, 마 (6) 다, 바 (7) 바 (8) 라, 마 (9) 나, 라, 마
(10) 나, 다, 바 (11) 마 (12) 마 (13) 마

제 9 장

뇌혈관체계

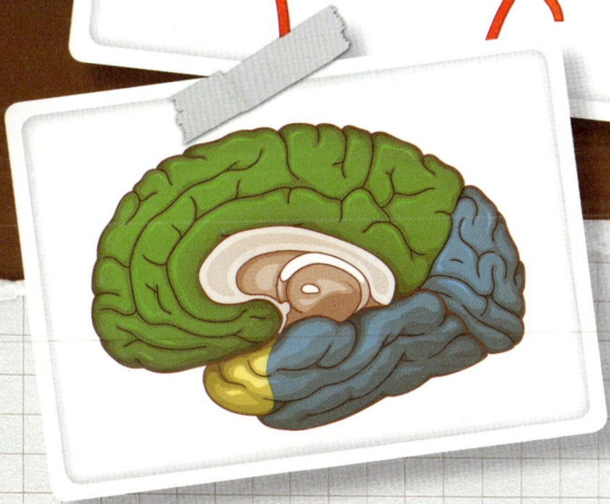

학습목표

- 경동맥계의 구성을 알아본다.
- 전대뇌동맥의 혈액 공급 영역을 익힌다.
- 중대뇌동맥의 혈액 공급 영역을 익힌다.
- 추골-뇌저동맥계의 구성과 후대뇌동맥의 혈액 공급에 대해 알아본다.
- 윌리스 환의 구조와 기능을 알아본다.
- 혈관성 병인에 대하여 공부한다.
- 뇌혈관 손상과 관련된 언어병리에 대해 살펴본다.

혈관은 동맥계와 정맥계로 나뉜다. 여기서는 동맥계에 관해서만 살펴보기로 한다. 사람의 몸을 순환한 혈액은 대정맥을 통하여 심장으로 운반된다. 운반된 혈액은 폐동맥을 통해 폐로 보내지고, 폐에서 가스 교환을 마친 동맥혈은 폐정맥을 통해 다시 심장으로 보내진다. 이후 동맥혈은 대동맥을 통하여 뇌를 비롯한 온몸으로 운반된다.

뇌는 심장에서 나온 혈액의 약 20% 정도를 공급받는다. 뇌혈관계는 에너지 생산에 필요한 포도당 및 산소를 함유한 혈액을 뇌로 공급하는 기능을 한다. 뇌는 물질대사가 매우 활발한 기관으로서, 혈액 내 포도당이 아미노산이나 단백질 등으로 전환되어 뇌 에너지로 활용된다. 그러므로 뇌에 혈액 공급이 원활하지 못하면 뇌신경세포가 괴사하며 재생이 불가능하다.

동맥계는 2쌍이 있는데, 하나는 경동맥계이고, 다른 하나는 추골-뇌저동맥계인데 모두 대동맥궁aortic arch에서부터 시작된다. 경동맥계carotid (arterial) system는 뇌 속으로 분당 600~700ml의 혈액을 공급하는 주요 혈류 공급원이다. 반면에, 추골-뇌저동맥계vertebro-basilar (arterial) system는 뇌 속으로 분당 100~200ml의 혈류를 보낸다.

지금부터 뇌혈관을 시각화할 수 있는 검사법인 뇌 자기공명혈관술brain magnetic resonance angiography[B-MRA]을 통해 얻은 자기공명혈관영상과 도식화된 해부 그림들을 통하여 경동맥계와 추골-뇌저동맥계의 구조를 살펴보자.

경동맥계

가장 아래 가운데에 동그란 구조가 바로 대동맥궁이다(그림 9-1). 이 대동맥궁을 중심으로 경동맥계가 분지되는데, 심장 근처에서의 경동맥계의 분포는 좌우가 완전 대칭적이지 않다. 즉, 좌측의 총경동맥common carotid artery은 대동맥궁으로부터 직접 나오지만, 우측의 총경동맥은 완두동맥brachiocephalic a.(무명동맥innominate a.이라고도 함)을 거쳐 나오기 때문이다. 좌우 옆으로 뻗은 혈관은 각각 쇄골하동맥subclavian a.이다. 그리고 좌우 1쌍의 총경동맥은 턱 아래 부위(제4경추 높이)에서 각각 1쌍씩의 외경동맥과 내경동맥으로 나뉜다. 외경동맥external carotid artery[ECA]은 얼굴, 머리 구조, 뇌막, 두피, 안면근육 등에 혈액을 공급

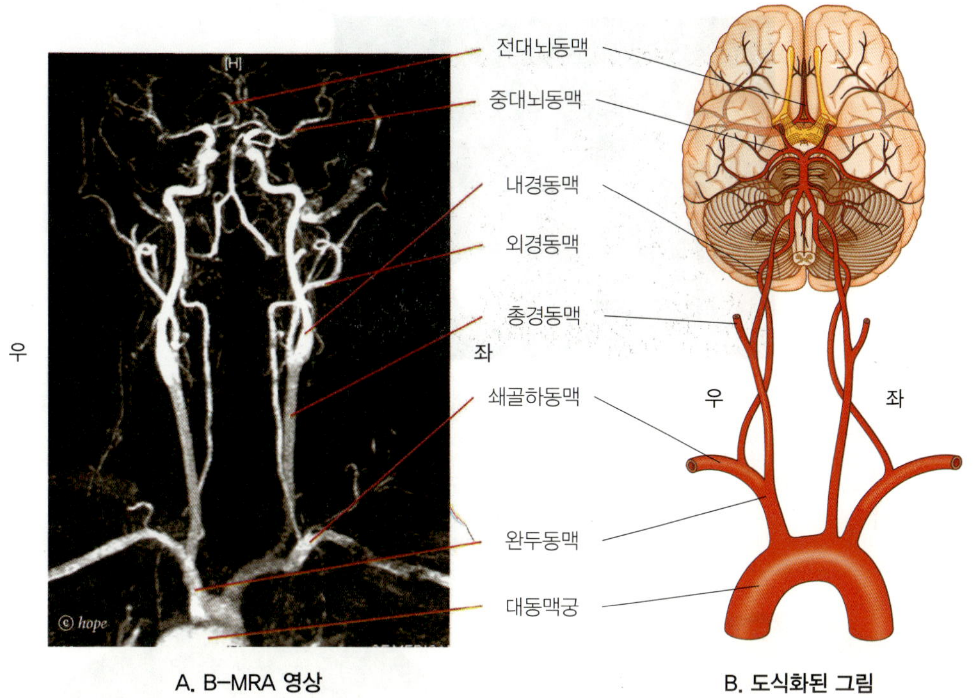

그림 9-1 경동맥계의 세부 명칭
대동맥궁에서 출발한 경동맥계는 좌측은 쇄골하동맥, 우측은 완두동맥을 지난 다음 쇄골하동맥으로 나뉘고, 다시 총경동맥, 외경동맥 · 내경동맥, 전대뇌동맥 · 중대뇌동맥으로 이어진다.

한다. 내경동맥internal carotid artery[ICA]은 주로 뇌에 혈액을 공급하는 역할을 한다. 내경동맥이 갈라져서 전대뇌동맥과 중대뇌동맥으로 나뉘는 부분(그림 9-2)을 자세히 살펴보면, 전대뇌동맥, 중대뇌동맥, 후대뇌동맥이 각기 서로 다른 뇌영역에 혈액을 공급한다는 것을 알 수 있다(그림 9-3).

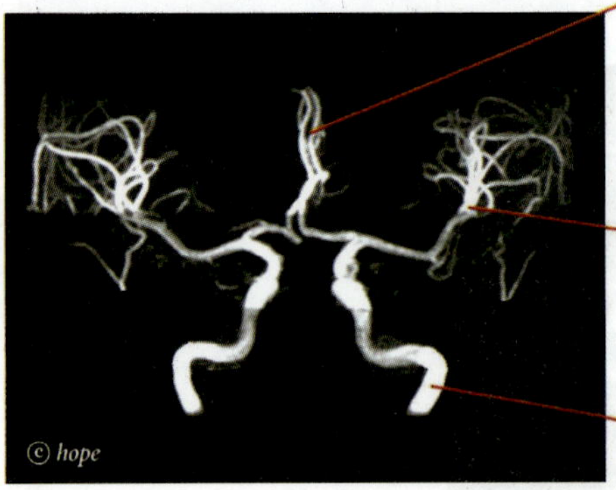

그림 9-2 내경동맥의 분지
내경동맥은 전대뇌동맥과 중대뇌동맥으로 분지된다.

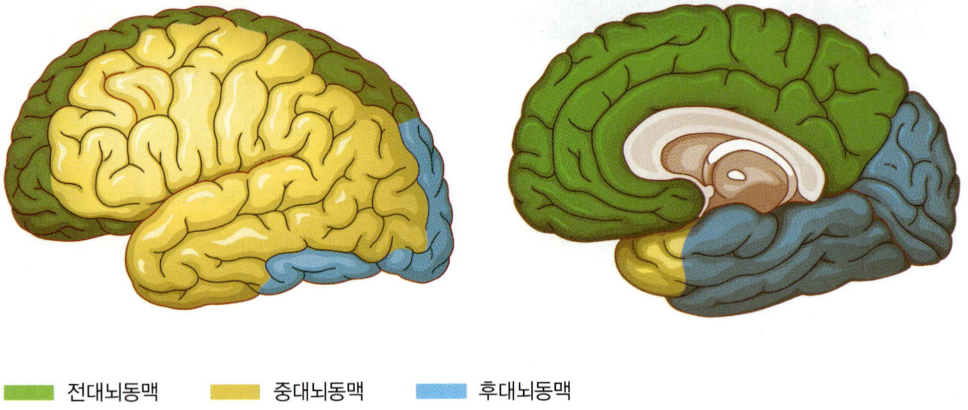

그림 9-3 대뇌동맥의 혈관지도
대뇌동맥은 전대뇌동맥, 중대뇌동맥, 후대뇌동맥으로 나뉘어 뇌에 혈액을 공급한다.

전대뇌동맥

전대뇌동맥anterior cerebral artery[ACA]은 대뇌반구의 내측면을 주로 관류하는 주요 동맥이다. 외측 단면에서 볼 때, 상두정이랑과 상전두이랑의 윗부분을 포함하여 양반구에 걸쳐 대뇌종렬과 평행으로 놓여진 영역에 혈액을 공급한다(그림 9-4). 내측 단면에서 볼 때 중

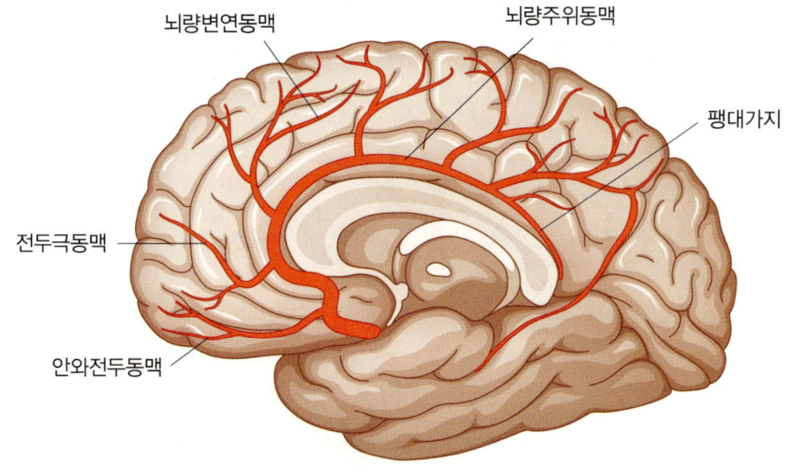

그림 9-4 전대뇌동맥의 분포
전대뇌동맥은 앞쪽부터 안와전두동맥, 전두극동맥, 뇌량변연동맥, 뇌량주위동맥, 그리고 뇌량의 뒤쪽으로 팽대가지로 나뉜다.

심결소엽을 포함한 전두엽과 두정엽의 내측 부분, 대상이랑, 뇌량(팽대 부분 제외), 안와이랑을 포함한 전두엽의 기저면, 꼬리핵의 머리 부분 등에 혈액을 공급한다. 양쪽 반구의 전대뇌동맥은 전교통동맥anterior communicating a.에 의하여 서로 이어진다. 그림 9-4에서는 전대뇌동맥이 내측면의 뇌영역에 따라 분지를 형성하여 혈액을 공급해 주는 것을 나타낸다.

중대뇌동맥

중대뇌동맥middle cerebral artery[MCA]은 실비안종렬을 중심으로 대뇌반구의 외측면(대부분의 측두엽, 전두엽, 두정엽)을 광범위하게 관장하며, 뇌섬, 측두극 등에 혈류를 보낸다.

중대뇌동맥은 외측면에서 바라볼 때 여러 분지로 나뉜다(그림 9-5). 전두엽부터 시계 방향으로 안와전두동맥orbitofrontal a., 전전두동맥prefrontal a., 중심앞고랑동맥precentral sulcal a., 중심고랑동맥central sulcal a., 중심뒤고랑동맥postcentral sulcal a., 전두정엽동맥fronto-parietal a., 후두정엽동맥parieto-occipital a., 각이랑동맥angular a., 후측두엽동맥posterior temporal a., 중측두엽동맥middle temporal a., 전측두엽동맥anterior temporal a., 측두극동맥temporal polar a. 등이 있다.

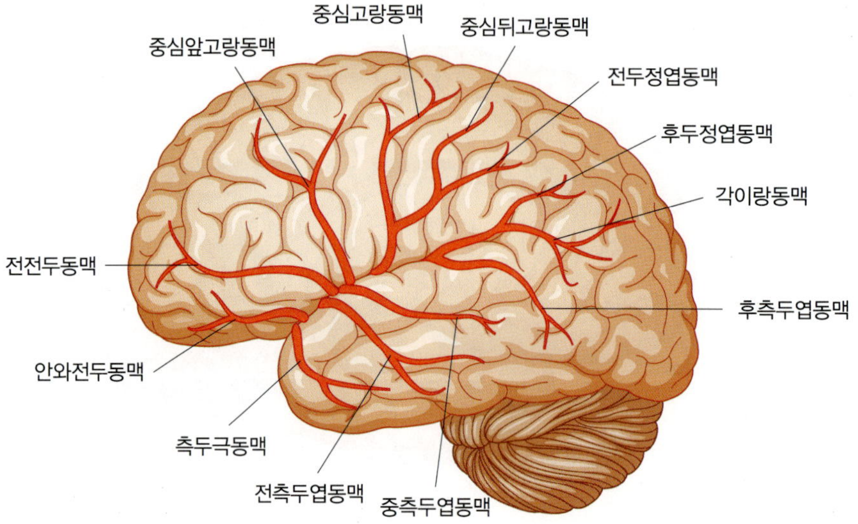

그림 9-5 중대뇌동맥의 분포
중대뇌동맥은 전두엽, 두정엽, 측두엽의 광범위한 영역으로의 혈액 공급을 담당한다.

관상면에서 살펴보면(그림 9-6), 중대뇌동맥은 내경동맥에서 전대뇌동맥과 중대뇌동맥으로 분지되는 지점으로부터 실비안종렬까지 이르는 M1분절(가로분절)이 있다. 이 M1분절로부터 외측 렌즈핵줄무늬체동맥lateral lenticulostriate a.이 분지되어 기저핵(창백핵, 조가비핵)과 내포(특히 전각) 등에 혈액을 공급한다.

M1분절이 더 나아가면서 뇌섬 등을 담당하는 M2분절(실비안분절)로 이어진다. 한편, M2분절로부터 더 나아가 피질의 상부와 하부로 가는 M3분절(피질분절)이 있다. 피질분절은 상부영역superior division과 하부영역inferior div.으로 나뉘게 된다. 상부영역은 일차운동영역, 브로카영역, 일차감각영역, 전두엽 및 두정엽의 측면 일부에 혈액을 공급한다. 하부영역은 베르니케영역과 두정엽의 후반부 일부와 관련이 있다. 결론적으로, M3분절은 언어중추를 포함한 덮개부operculum 부분의 혈액 공급에 관여한다고 할 수 있다.

한편, M1분절이 근원지 역할을 하므로 M1의 시작점, 즉 근위proximal M1이 막히는 경우에는 외측 렌즈핵줄무늬체동맥, M2분절, M3분절 모두에 영향을 줄 수 있어 광범위한 허혈성 손상이 유발된다. 또한 뇌동맥에서 분지되는 여러 관통동맥perforating arteries이 있으며 각각이 뇌의 심부구조들에 혈액 공급을 한다. 지금까지 설명된 경동맥계는 뇌의 앞부분을 순환하는 전뇌순환anterior circulation에 해당한다.

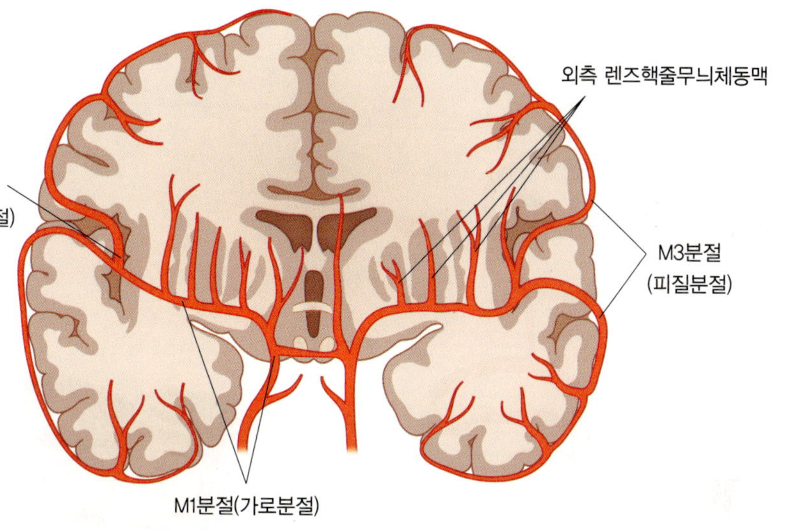

그림 9-6 관상면에서 본 중대뇌동맥의 분절
중대뇌동맥은 다시 M1분절(가로분절), M2분절(실비안분절), M3분절(피질분절)로 나뉜다. 또한 M1분절(횡분절)로부터 외측 렌즈핵줄무늬체동맥이 나온다.

추골-뇌저동맥계

추골-뇌저동맥계vertebro-basilar (arterial) system(그림 9-7)는 좌우 한 쌍의 쇄골하동맥에서 각각 분지되는 추골동맥vertebral a.에서부터 시작한다. 이 추골동맥으로부터 또다시 분지되는 3쌍의 동맥은 전척수동맥anterior spinal a., 후척수동맥posterior spinal a., 후하소뇌동맥posterior inferior cerebellar artery[PICA]이다.

전척수동맥은 좌우 한 쌍의 추골동맥에서 각각 가지를 낸 뒤, 정중선midline에서 합쳐져 단일 동맥이 되어 척수 앞쪽(복측) 2/3, 특히 운동신경 경로(추체로 등)에 혈류를 공급한다. 후척수동맥은 각 추골동맥에서 직접 또는 후하소뇌동맥(PICA)에서 분지되며, 척수의 뒤쪽(배측)을 따라 내려가면서, 척수 뒤 1/3, 특히 감각신경 경로에 혈액을 공급한다. 후하소뇌동맥은 소뇌 하부의 뒤쪽에 혈액 공급을 담당하며, 뇌간(특히, 외측 연수) 및 제4뇌실 맥락얼기의 혈액 공급에도 관여한다.

좌우 1쌍의 추골동맥은 뇌교연수이행부pontomedullary junction에서 하나의 뇌저동맥basilar

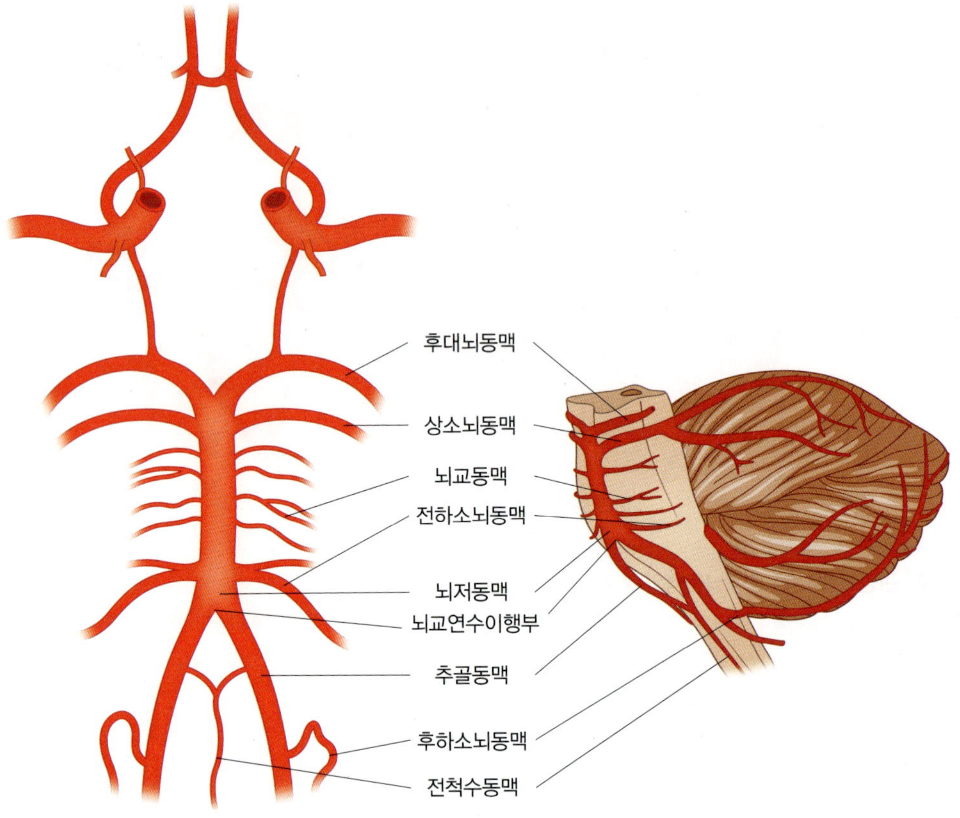

그림 9-7 추골-뇌저동맥계
양쪽 1쌍의 추골동맥은 올라가면서 합쳐져서 뇌저동맥을 형성하며, 전하소뇌동맥, 상소뇌동맥, 후대뇌동맥으로 분지한다.

artery[BA]을 형성한다. 뇌저동맥은 뇌간에 혈액을 공급하는 역할을 하는데, 중뇌의 동안핵과 적핵, 뇌교의 외전핵, 안면운동핵, 미각핵, 내측섬유띠, 그리고 연수의 추체로, 설하핵, 내측섬유띠에 관여한다.

1쌍의 추골동맥이 뇌저동맥으로 합쳐진 후에 1쌍의 전하소뇌동맥anterior inferior cerebellar artery[AICA]이 지류를 형성한다. 전하소뇌동맥은 소뇌하부의 앞쪽과 꼬리쪽 뇌교의 혈액 공급을 담당한다. 뇌저동맥은 위로 올라가다가 또다시 중뇌에서 1쌍의 상소뇌동맥superior cerebellar artery[SCA]으로 갈리고 소뇌의 상부, 꼬리쪽 중뇌 및 부리쪽 뇌교를 관장한다.

후대뇌동맥

뇌저동맥은 위로 올라가다가 막바지에서 다시 1쌍의 후대뇌동맥posterior cerebral artery [PCA]의 지류를 형성한다. 후대뇌동맥은 측두엽과 후두엽의 내측면과 기저면에 혈액을 공급하고, 꼬리쪽 시상, 시상하부, 상부 뇌교, 내포의 후각, 부리쪽 중뇌, 뇌량의 팽대 등도 담당한다. 그림 9–8은 후대뇌동맥의 세부 지류를 보여 준다. 내측 후맥락동맥, 등쪽 뇌량가지, 두정후두엽동맥, 외측후두엽동맥, 새발톱고랑동맥, 후측두엽가지, 중측두엽가지, 전측두엽가지, 시상관통동맥 등이 있다. 후대뇌동맥은 후교통동맥posterior communicating artery에 의해 내경동맥과 이어진다. 추골–기저동맥계는 뇌의 뒷부분을 순환하므로 후뇌순환posterior circulation이라고 한다.

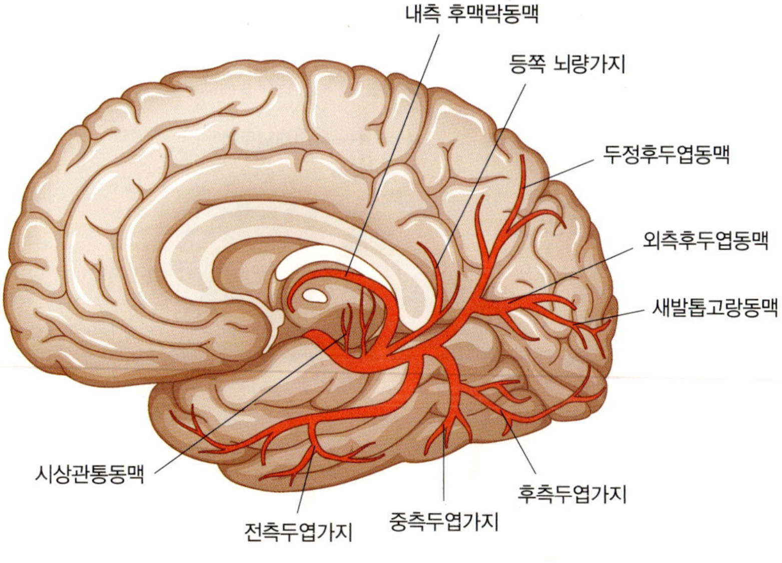

그림 9–8 후대뇌동맥의 분포
후대뇌동맥은 측두엽과 후두엽의 내측과 기저면에 혈액을 공급하고, 꼬리쪽 시상뿐만 아니라 부리쪽 중뇌도 담당한다.

윌리스 환

윌리스 환circle of Willis(대뇌동맥고리)은 여러 혈관들이 서로 연결되어 고리를 형성하는 구조이다(그림 9-9). 17세기 해부학자 토마스 윌리스Thomas Willis, 1621~1675는 세 종류의 동맥, 즉 전대뇌동맥, 중대뇌동맥, 후대뇌동맥이 전교통동맥 및 후교통동맥에 의하여 연결되어 혈액이 순환됨을 발견하였다. 전교통동맥은 좌우 뇌반구의 전대뇌동맥을 연결하고, 후교통동맥은 같은 쪽 뇌반구의 중대뇌동맥과 후대뇌동맥을 연결한다. 이로써, 경동맥계와 추골-뇌저동맥계가 윌리스 환에 의하여 하나의 순환망으로 이어진다. 평상시에는 윌리스 환에 흐르는 혈류량이 적지만 윌리스 환 주변의 부분에서 혈관장애가 발생하면 교통동맥을 통해 대체 혈류가 제공되어 신경계의 손상이나 기능 저하를 예방하는 역할을 한다.

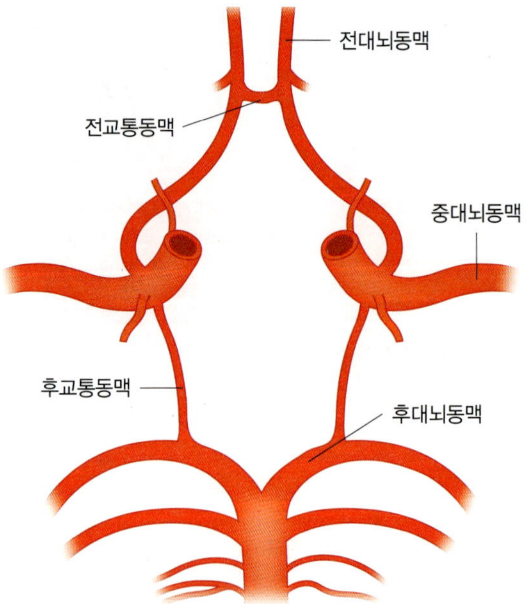

그림 9-9 윌리스 환
전대뇌동맥, 중대뇌동맥, 후대뇌동맥, 전교통동맥, 후교통동맥 등의 주요 뇌동맥들은 서로 연결되어 고리 모양을 형성하고 있는데 이를 윌리스 환이라고 부른다.

혈관성 병인

혈관은 윌리스 환을 통하여 혈류의 우회가 가능하더라도 혈관장애로 인하여 혈관이 막히거나 터질 수 있다. 이처럼 혈관장애로 인한 병인, 즉 혈관성 병인에는 크게 허혈성(혈류 부족)과 출혈성(혈류 과다)이 있다. 허혈ischemia은 혈관이 좁아지거나(협착stenosis) 막히면서(폐색occlusion) 담당 세포에 혈액 공급이 원활하지 못하거나 불가능한 상태이다.

뇌에 허혈이 생기는 원인은 크게 두 가지이다. 첫째는 혈관벽에 침전물이 쌓여 점차 혈관이 좁아지면서 혈전thrombus으로 혈관을 막게 되는 혈전증thrombosis(그림 9-10의 A)이 있다. 둘째로는 혈전으로부터 떨어져 나간 조각인 색전embolus이 혈관을 타고 이동하다가 모세혈관을 막게 되는 색전증embolism(그림 9-10의 B)이 있다. 혈전증은 혈관벽이 서서히 좁아지므로 증상이 점차적으로 나타날 수 있지만, 색전증은 갑자기 막히는 경우가 많으므로 증상이 갑작스럽게 발생할 수 있다. 어떠한 이유에서든지 혈전이나 색전이 혈관을 막으면, 막힌 지점 이후의 뇌는 손상을 받게 되어 뇌조직이 괴사infarct하고 만다. 한편, 작은 관통동맥이나 모세혈관이 여러 곳 막혀 뇌세포의 다발성 괴사를 초래하여 작은 공간, 즉 열공lacune이 관찰되는 상태를 열공성 뇌경색lacunar infarction이라고 한다(그림 9-11).

출혈hemorrhage의 경우는 혈관의 약한 지점이 터지면서 발생한다. 출혈이 대뇌 안에서

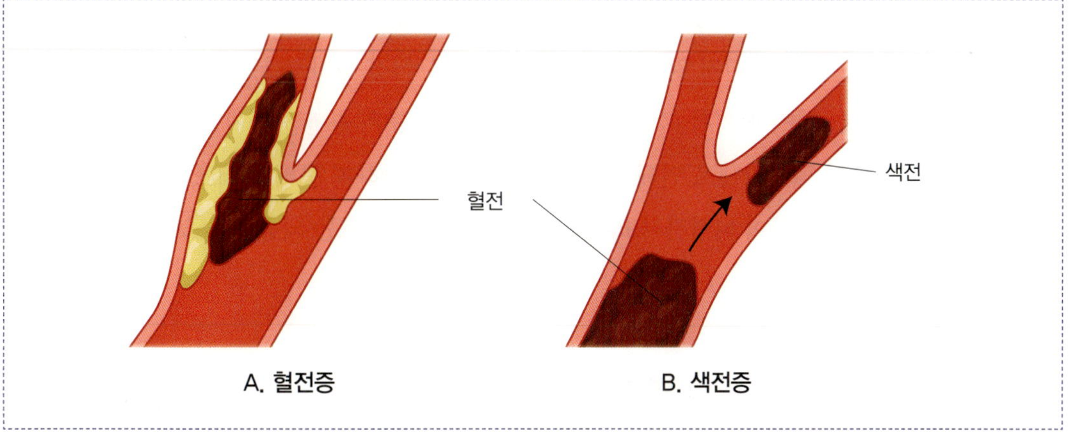

그림 9-10 혈전증과 색전증
혈전증은 혈관벽에 침전물이 쌓여서 점차 혈관이 좁아지면서 혈전이 혈관을 막게 되는 상태를 말하고, 색전증은 혈전으로부터 떨어져 나간 조각인 색전이 혈관을 타고 이동하다가 모세혈관을 막게 되는 상태이다.

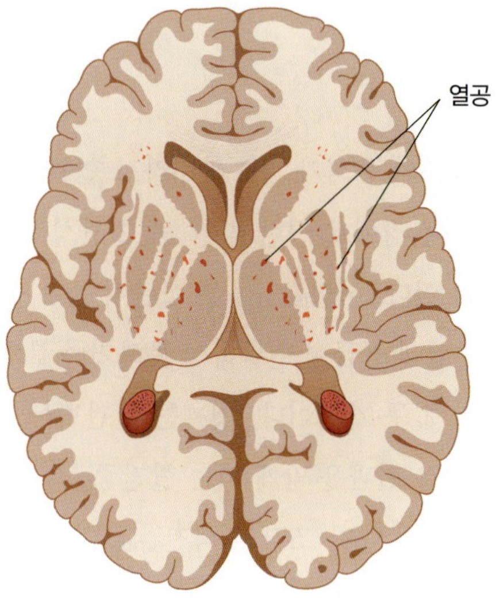

그림 9-11 열공성 뇌경색
작은 모세혈관이 많이 막혀 뇌세포가 괴사하게 되는 현상을 열공성 뇌경색이라고 한다.

일어나는 경우를 대뇌내 출혈intracerebral hemorrhage[ICH]이라 하며, 뇌실 안에서 출혈이 일어나면 뇌실내 출혈intraventricular hemorrhage[IVH]이라 한다. 또한 거미막과 연막 사이의 공간에서 발생하는 거미막하 출혈subarachnoid hemorrhage[SAH]이 있다[53쪽의 뇌막(주변) 질환과 언어병리 참조]. 이때, 출혈에 의해 주변의 뇌세포가 압박을 받아 괴사될 수 있다. 그 밖에도 동맥내강이 혹이나 풍선처럼 확장된 상태인 동맥류aneurysm나, 뇌동맥과 뇌정맥 사이가 모세혈관으로 연결되지 않고 동맥에서 정맥으로 직접 피가 흐르는 선천적인 기형적 혈관을 보이는 동정맥 기형arteriovenous malformation[AVM] 등은 출혈을 야기할 수 있다.

이와 같이 혈관장애로 인해 뇌로 혈액 공급이 원활하지 못해 뇌세포의 괴사가 일어나는 현상을 통칭하여 뇌혈관사고cerebrovascular accident[CVA] 또는 뇌졸중stroke이라 한다.

뇌혈관 손상과 언어병리

뇌혈관은 막히는 위치에 따라 뇌의 괴사 부분이 다르며, 그에 따른 후유증으로 나타나는 언어병리 현상 역시 달라진다. 여기서는 중대뇌동맥, 전대뇌동맥, 후대뇌동맥, 소뇌동맥 등의 손상으로 관찰될 수 있는 언어병리 현상을 살펴보자.

중대뇌동맥 손상과 실어증

그림 9-12의 A와 같이 피질분절의 상부영역만 막히면 브로카영역을 포함한 전두엽 손상으로 브로카실어증이나 연결피질운동실어증 등의 운동실어증이 유발된다. 또한 피질분절의 하부영역만 막히면(그림 9-12의 B) 베르니케영역을 포함한 측두엽 손상으로 베르니케실어증이나 연결피질감각실어증 등의 감각실어증이 생긴다. 반면에, 근위proximal동맥인 가로분절이 막히면(그림 9-12의 C), 대뇌 측면의 대부분이 괴사하여 전반실어증global aphasia이 유발될 수 있다.

또한, 중대뇌동맥의 분절인 M1 가로분절에서 나오는 외측 렌즈핵줄무늬체동맥이 손상되면 기저핵 등의 피질하 구조에 혈액 공급이 원활하지 않게 되어 연결피질감각실어증

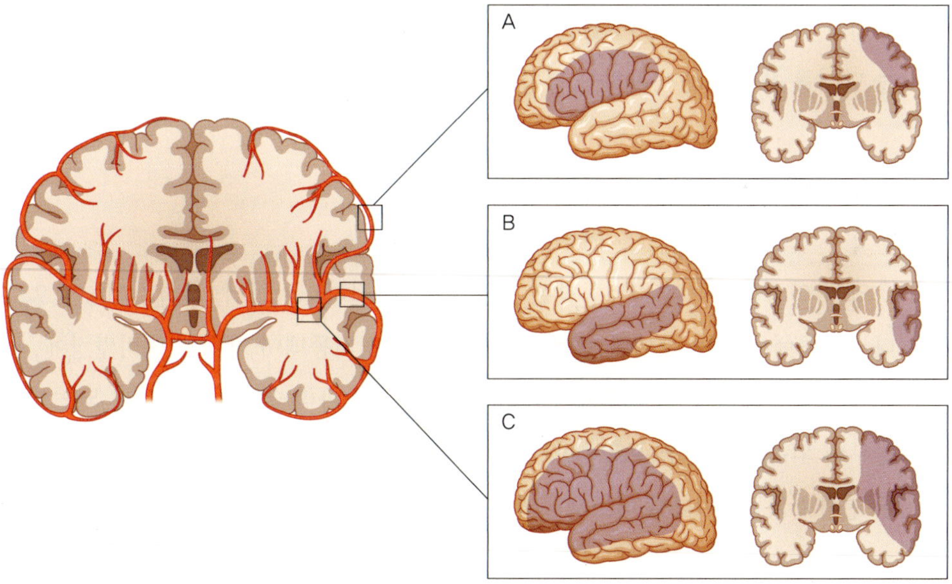

그림 9-12 중대뇌동맥 혈관경색의 위치에 따른 괴사

혈관이 막힌 위치에 따라 괴사 영역이 다르다. 피질분절의 상부영역만 막히면(A) 브로카영역을 포함한 전두엽이 손상되며, 하부영역만 막히면(B) 베르니케영역을 포함한 측두엽 손상이 관찰된다. 근위동맥인 가로분절이 막히면(C) 실비우스 주위피질 위와 아래 모두에 뇌손상이 야기된다.

이나 연결피질운동실어증 등의 연결피질실어증을 보일 수 있다. M2 실비안분절은 뇌섬까지 이어지는데 실비안분절의 손상은 전도실어증이나 말실행증을 유발할 수 있다.

전대뇌동맥 손상과 신경말장애, 실어증

말프로그래밍에 관여하는 일부 이차운동영역이나 보충운동영역은 전대뇌동맥에 의하여 혈액을 공급받는다. 그러므로 이 동맥이 손상되면 말실행증이나 연결피질운동실어증이 생길 수 있다. 양쪽 전대뇌동맥이 모두 막히면 무동성 함구증akinetic mutism이 생길 수 있다.

후대뇌동맥 손상과 실독증, 명칭실증

이미 언급된 바와 같이 후대뇌동맥은 후두엽, 뇌량의 팽대, 측두엽의 내측과 기저면에 혈액을 공급한다. 그러므로 이 동맥의 혈류가 원활하지 못하면 후두엽이 손상되며 실독증이나 시각기억장애 등이 생길 수 있다. 측두엽으로의 혈액 공급에 장애가 있는 경우에는 단어를 잘 회상하지 못하는 명칭실증anomia이 나타날 수 있다.

소뇌동맥 손상과 마비말장애

앞서 언급하였듯이 소뇌동맥은 상소뇌동맥, 전하소뇌동맥, 후하소뇌동맥으로 나뉜다. 이 중에서 소뇌 상부에 혈액을 공급하는 상소뇌동맥이 막히면 마비말장애, 특히 실조형 마비말장애가 가장 흔하게 나타난다. 실조형 마비말장애와 연관된 뇌영역은 소뇌 상부의 외측 소뇌반구(주로 우반구)와 소뇌벌레 주변, 즉 곁소뇌벌레paravermis 등이다. 물론 전하소뇌동맥이나 후하소뇌동맥이 막히는 경우에도 마비말장애가 관찰된다.

후하소뇌동맥 손상과 발렌베르크증후군

연수의 외측에는 척수시상로spinothalamic tract, 삼차신경의 척수핵과 척수로, 전정핵, 하소뇌각, 하행자율신경로descending autonomic pathway, 의핵 등이 분포되어 있다(제8장 뇌간과

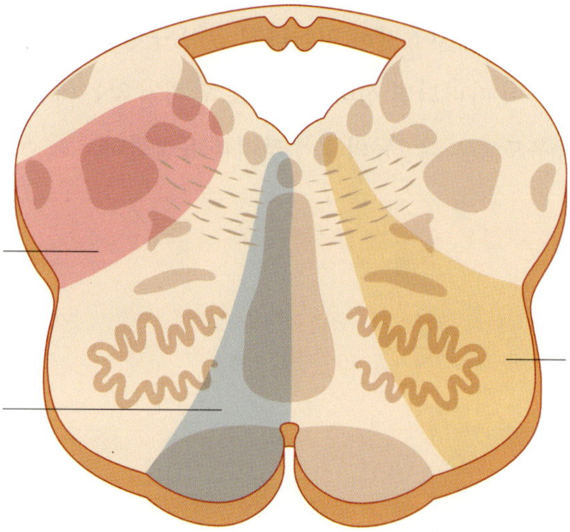

그림 9-13 연수의 동맥 혈액 공급 담당 영역

상부 연수에는 많은 핵들과 신경경로들이 있다. 이 영역들은 추골동맥이나 그로부터 분리되어 나오는 후하소뇌동맥 등으로부터 혈액을 공급받는다. 이 혈관들이 막히면 삼킴장애, 음성장애와 같이 뇌신경핵과 관련되는 기능장애가 나타난다.

뇌신경의 193쪽 참조). 이 영역들에 혈액을 공급하는 동맥은 추골동맥 또는 추골동맥으로부터 분지되어 나오는 후하소뇌동맥이다(그림 9-13). 후하소뇌동맥이 막히면 발렌베르크증후군Wallenberg syndrome이란 뇌혈관질환이 생길 수 있다. 외측연수증후군lateral medullary syndrome이라고도 부르는 이 증후군의 특징은 다음과 같다.

첫째, 척수시상로의 손상으로 인해 대측 몸에 통각 및 온도감각이 소실되며, 삼차신경 척수핵과 척수로가 손상되어 동측 안면에 통각 및 온도감각이 소실된다. 둘째, 전정핵이 손상되면서 현기증vertigo, 오심nausea, 구토vomiting 등의 증세가 나타나기도 한다. 셋째, 하행자율신경로의 손상으로 인해 호너증후군Horner's syndrome이 유발될 수 있는데, 호너증후군은 상안검하수ptosis, 동공 축소meiosis(축동), 발한장애anhydrosis 등의 자율신경장애를 포함한다. 넷째, 하소뇌각이 손상되면 동측에 소뇌 기능장애가 나타나기도 한다.

그러나 발렌베르크증후군의 증세 중에서 무엇보다도 언어병리 분야와 가장 관련이 있는 것은 연수의 외측에 있는 의핵nucleus ambiguus이 손상되어 연구개, 인두, 후두근 등에 마비가 오면서 삼킴장애, 마비말장애, 음성장애 등을 유발하는 것이다. 삼킴장애의 경우는 상부식도괄약근이 제대로 열리지 않아 음식물이 식도로 들어가지 않고 기도로 침범하면서 사레 혹은 흡인이 일어나게 된다. 양쪽 의핵을 포함한 양측 연수의 경색이 있으면 삼킴 반응swallowing response이 전혀 일어나지 않아 구강으로 음식을 섭취하지 못할 수도 있다. 또한 후두근이 마비되면 성대가 제대로 닫히지 않는데 성대의 마비는 기식음성breathy voice이나 이중음도diplophonia 등의 음성장애를 유발한다.

개념 및 용어 정리

동맥계의 분류: 경동맥계와 추골-뇌저동맥계

외경동맥과 내경동맥: 좌우 1쌍의 총경동맥은 각각 1쌍의 외경동맥과 내경동맥으로 나뉜다.

- **외경동맥**: 얼굴, 머리 구조, 뇌막, 두피 등에 혈액을 공급한다.
- **내경동맥**: 뇌에 혈액을 공급한다.

내경동맥: 전대뇌동맥과 중대뇌동맥으로 나뉘며 전뇌순환을 한다.

- **전대뇌동맥의 영역**
  - 상전두엽, 대뇌종렬과 평행으로 놓여진 양반구 영역
  - 중심곁소엽을 포함한 전두엽과 두정엽의 안측 부분, 대상이랑, 뇌량(팽대 부분 제외), 안와이랑을 포함한 전두엽의 기저면, 꼬리핵의 머리
- **중대뇌동맥의 영역**
  - M1분절(가로분절): 실비안종렬까지 이르는 부분으로 기저핵과 내포 등
  - M2분절(실비안분절): 뇌섬 등
  - M3분절(피질분절): 피질의 상부영역과 하부영역

추골-뇌저동맥계: 추골동맥에서부터 시작하여 후뇌순환을 한다.

- **추골동맥에서 전척수동맥, 후척수동맥, 후하소뇌동맥으로 분지된다.**
  - 후하소뇌동맥은 소뇌 하부의 뒤쪽 등을 담당한다.
- **기저동맥**: 1쌍의 추골동맥이 뇌교연수이행부에서 하나로 합쳐진 동맥이며, 뇌간을 담당한다.
- **전하소뇌동맥**: 뇌저동맥으로부터 지류를 형성하며 소뇌 하부의 앞쪽 등을 담당한다.
- **상소뇌동맥**: 기저동맥의 또 하나의 지류로서 소뇌 상부 등을 담당한다.
- **후대뇌동맥**: 측두엽과 후두엽의 내측과 기저면 등을 담당한다.

윌리스 환: 전대뇌동맥, 중대뇌동맥, 후대뇌동맥, 전교통동맥, 후교통동맥이 서로 연결되어 형성된 고리 구조

- **전교통동맥**: 좌우 뇌반구의 전대뇌동맥을 연결한다.
- **후교통동맥**: 같은 뇌반구의 중대뇌동맥과 후대뇌동맥을 연결한다.

혈관성 병인: 허혈성과 출혈성이 있다.

- **허혈의 원인**
  - 혈전증, 혈전
  - 색전증, 색전
- **출혈**: 동맥류, 동정맥 기형 등으로 발생할 수 있다.
- **열공성 뇌경색**: 많은 모세혈관이 막혀 뇌세포의 괴사가 초래되는 현상

뇌혈관사고, 뇌졸중: 혈관성 병인으로 인한 뇌손상을 통칭한다.

뇌혈관의 손상과 언어병리

- **중대뇌동맥**
  - 상부영역: 운동실어증
  - 하부영역: 감각실어증
  - 근위 중대뇌동맥: 전반실어증
  - 외측 렌즈핵줄무늬체동맥: 연결피질실어증
  - M2분절: 전도실어증, 말실행증
- **전대뇌동맥**
  - 말실행증, 무동성 함구증, 연결피질운동실어증 등
- **후대뇌동맥**
  - 읽기장애, 시각기억장애, 명칭실증 등
- **소뇌동맥**
  - 상소뇌동맥 폐쇄: 실조형 마비말장애
- **후하소뇌동맥**
  - 발렌베르크증후군(외측연수증후군)
  - 의핵 손상: 삼킴장애, 마비말장애, 음성장애 등

복습문제

1. 다음 보기는 동맥계를 이루는 2쌍의 혈관계에 대한 설명이다. 빈칸에 알맞은 용어를 쓰시오.

> 뇌의 앞부분을 순환하는 '전뇌순환'의 기능을 맡는 동맥계는 (1) ________계이고, 뇌의 뒷부분을 순환하는 '후뇌순환'의 기능은 (2) ________계가 맡는다.

2. 좌우 1쌍의 총경동맥이 각각 1쌍씩의 외경동맥과 내경동맥으로 나뉘는 위치는 어디쯤인가?

3. 다음은 우측 경동맥계가 형성되기까지의 흐름을 나타낸 것이다. 빈칸에 알맞은 용어를 쓰시오.

> 대동맥궁 → (1) ________ → 쇄골하동맥 → (2) ________ → 외경동맥/내경동맥

4. 외경동맥과 내경동맥이 각각 혈류를 공급하는 위치를 바르게 짝지으시오.

(1) 외경동맥 ㄱ. 얼굴, 머리 구조, 뇌막, 두피

(2) 내경동맥 ㄴ. 뇌

5. 다음 보기의 경동맥들이 혈액을 공급하는 뇌영역을 다음 그림에 표시하시오.

> 가. 전대뇌동맥 나. 중대뇌동맥 다. 후대뇌동맥

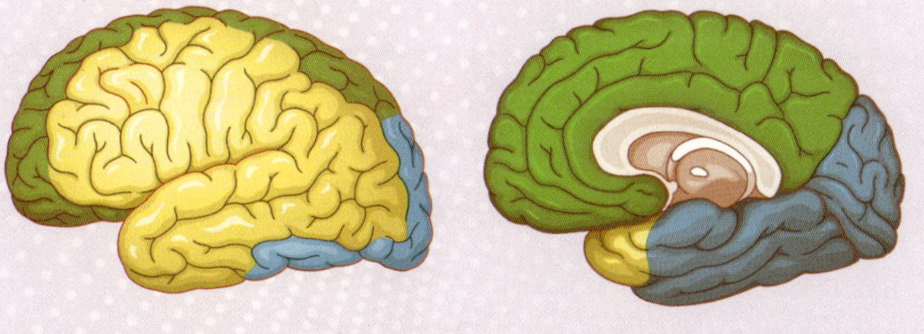

6. 중대뇌동맥에서 뻗어 나오는 세 분절의 명칭을 쓰고, 각각이 담당하는 뇌영역을 한두 군데 대시오.

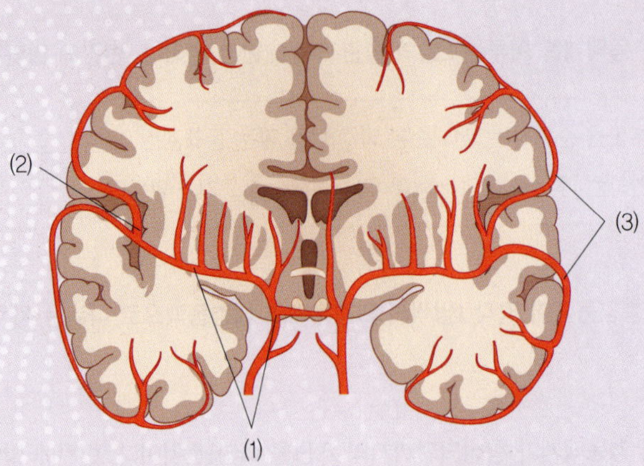

7. 좌우 1쌍의 추골동맥이 하나의 뇌저동맥으로 형성되는 위치는 어디인가?

8. 다음은 추골-뇌저동맥계를 나타낸 그림이다. (1)~(6)의 동맥 이름을 쓰시오.

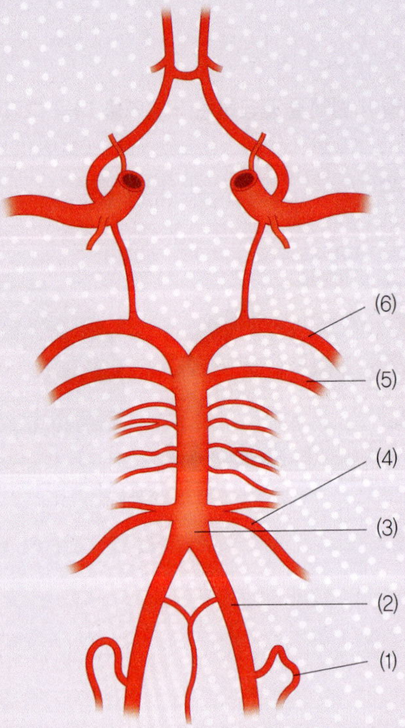

9. 여러 혈관들이 서로 연결되어 고리를 형성하는 구조로서 경동맥계와 추골-뇌저동맥계를 이어 주는 것을 무엇이라 하는가?

10. 전교통동맥과 후교통동맥의 연결에 대한 내용을 바르게 짝지으시오.

(1) 전교통동맥 ㄱ. 같은 뇌반구의 중대뇌동맥과 후대뇌동맥을 연결

(2) 후교통동맥 ㄴ. 좌우 뇌반구의 전대뇌동맥을 연결

11. 다음은 허혈성 병인에 대한 내용이다. 빈칸에 알맞은 용어를 쓰시오.

(1) ________은 혈관벽에 침전물이 쌓여 점차 혈관이 좁아지면서 피응어리로 혈관이 막히는 상태를 말한다.

(2) ________은 피응어리로부터 떨어져 나간 조각이 혈관을 타고 이동하다가 좁은 혈관을 막게 되는 상태를 말한다.

12. 다음 그림은 중대뇌동맥 경색의 위치를 나타낸 것이다. 경색 위치에 따라 유발될 수 있는 실어증의 유형을 쓰시오.

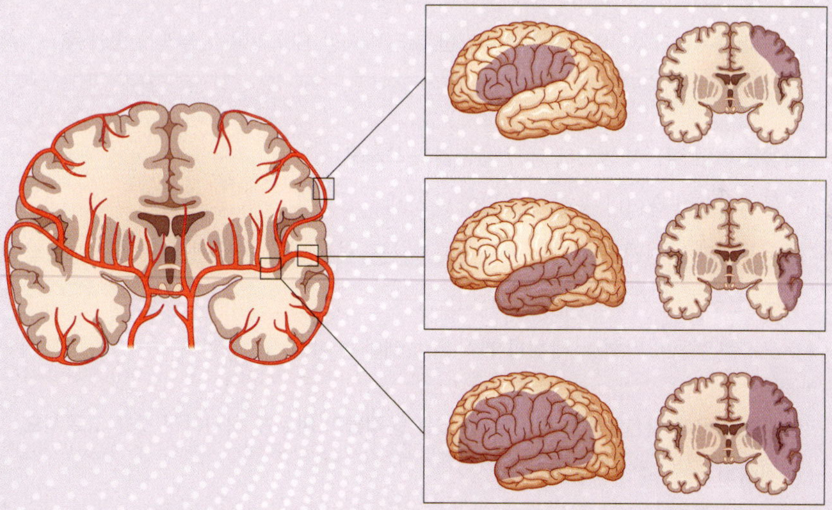

13. 척추동맥 또는 후하소뇌동맥이 폐색되어 나타나는 뇌혈관질환으로 연구개, 인두, 후두근 등의 마비로 인하여 호너증후군뿐만 아니라 삼킴장애, 마비말장애, 음성장애 등을 유발할 수 있고, 외측연수증후군이라고도 부르는 질환을 무엇이라 하는가?

14. 추골동맥에서 분지되는 동맥들을 쓰시오.

15. 다음 동맥들의 혈액 공급 장소를 보기에서 고르시오.

(1) 전하소뇌동맥
(2) 후하소뇌동맥
(3) 상소뇌동맥
(4) 후대뇌동맥
(5) 뇌저동맥

> 가. 소뇌하부의 뒤쪽, 뇌간, 제4뇌실 등
> 나. 중뇌의 동안핵과 적핵, 뇌교의 외전핵 · 안면운동핵 · 미각핵 등, 연수의 추체로, 설하핵 등
> 다. 소뇌하부의 앞쪽, 꼬리쪽 뇌교 등
> 라. 소뇌의 상부, 꼬리쪽 중뇌, 부리쪽 뇌교 등
> 마. 측두엽과 후두엽의 내측과 기저면, 꼬리쪽 시상, 내포의 후각, 부리쪽 중뇌 등

16. 다음은 어떤 혈관성 병인에 대한 설명인지 쓰시오.

(1) 동맥내강이 혹이나 풍선처럼 확장된 상태: ________
(2) 뇌동맥과 뇌정맥 사이가 모세혈관으로 연결되지 않고 동맥에서 정맥으로 직접 피가 흐르는 선천적인 기형적 혈관을 보이는 상태: ________
(3) 모세혈관들이 막혀 뇌세포의 괴사를 초래하는 현상: ________

17. 막히는 경우에 말실행증을 유발할 수 있는 동맥들이 바르게 짝지어진 것을 고르시오.

(1) 전대뇌동맥–중대뇌동맥
(2) 전대뇌동맥–후대뇌동맥
(3) 후대뇌동맥–소뇌동맥
(4) 중대뇌동맥–후대뇌동맥

18. 뇌영역(A)의 화살표가 가리키는 뇌병소는 어떤 뇌혈관(B)의 손상에 의한 것인가?

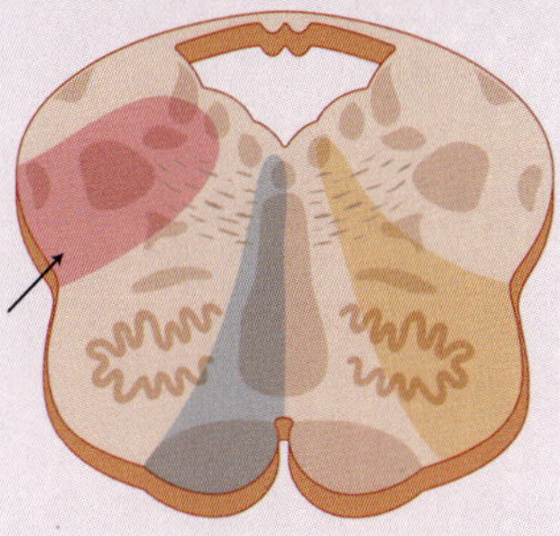

A

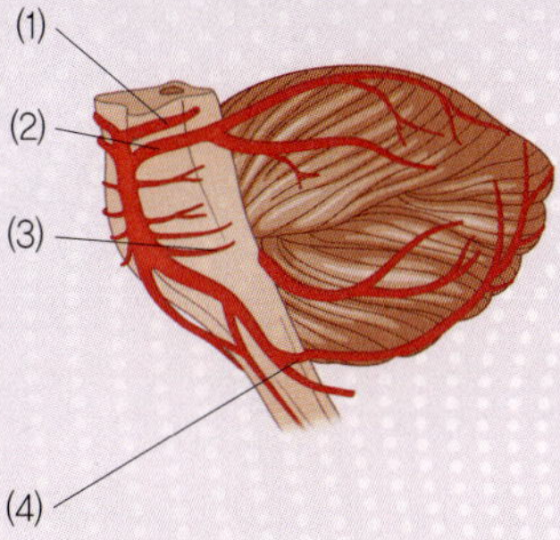

B

19. 위의 18번 문제에서 관찰된 뇌병소(A)와 관련이 적은 것을 고르시오.

(1) 삼킴장애

(2) 음성장애

(3) 호너증후군

(4) 내측연수증후군

20. 막히는 경우에 실조형 마비말장애를 가장 흔하게 유발하는 소뇌동맥은 무엇인가?

정답

1. (1) 경동맥 (2) 추골-뇌저동맥
2. 턱 밑
3. (1) 완두동맥 (2) 총경동맥
4. (1) ㄱ (2) ㄴ
5.

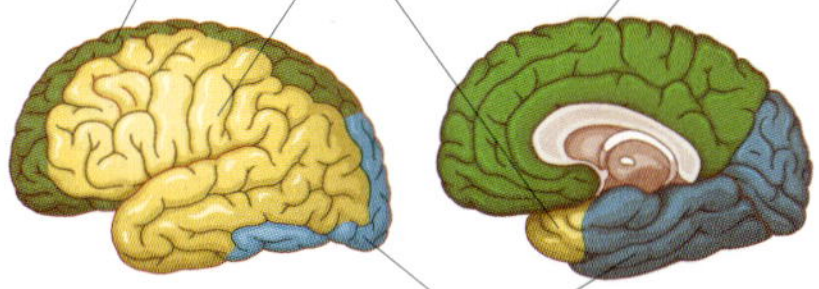

6. (1) M1분절(가로분절): 기저핵, 내포 (2) M2분절(실비안분절): 뇌섬
   (3) M3분절(피질분절): 일차운동영역, 브로카영역, 일차감각영역, 베르니케영역 등
7. 뇌교연수이행부
8. (1) 후하소뇌동맥 (2) 추골동맥 (3) 뇌저동맥 (4) 전하소뇌동맥 (5) 상소뇌동맥 (6) 후대뇌동맥
9. 윌리스 환
10. (1) ㄴ (2) ㄱ
11. (1) 혈전증 (2) 색전증
12. (1) 브로카실어증, 연결피질운동실어증 (2) 베르니케실어증, 연결피질감각실어증 (3) 전반실어증
13. 발렌베르크증후군 혹은 외측연수증후군
14. 전척수동맥, 후척수동맥, 후하소뇌동맥
15. (1) 다 (2) 가 (3) 라 (4) 마 (5) 나
16. (1) 동맥류 (2) 동정맥 기형 (3) 열공성 뇌경색
17. (1)
18. (4) *상부 연수의 등쪽 영역 손상은 후하소뇌동맥의 손상에 의함.
19. (4) *외측연수증후군임.
20. 상소뇌동맥

참고문헌

김문수, 문향호, 박소현, 박순권(역)(2006). 생물심리학(제8판). 시그마프레스.

김향희, 서미경, 김윤정, 윤지혜(2016). 말운동장애: 기질 · 감별진단 · 중재[J. R. Duffy. *Motor speech disorders: Substrates, differential diagnosis, and management* (3rd ed.)].

대한의사협회(2020). 의학용어집(제6판). 군자출판사.

이대희(2003). 임상 신경학-각론. 고려대학교 출판부.

이원택, 박경아(2006). 의학신경해부학. 고려의학.

Balconi, M. (2010). Intentions and communication: Cognitive strategies, metacognition and social cognition. In: Balconi M. eds. *Neuropsychology of communication* (pp. 159-175). Springer.

Benarroch, E. (2006). *Basic neurosciences with clinical applications.* Butterworth Heinemann Elsevier.

Bosco, F. M., Parola, A., Valentini, M. C., & Morese, R. (2017). Neural correlates underlying the comprehension of deceitful and ironic communicative intentions. *Cortex, 94,* 73-86.

Cho, S. H., Kim, D. G., Kim, D. S., Kim, Y. H., Lee, C. H., & Jang, S. H. (2007). Motor outcome according to the integrity of the corticospinal tract determined by diffusion tensor tractography in the early stage of corona radiata infarct. *Neuroscience Letters, 426,* 123-127.

Damasio, H., & Damasio A. R. (1989). *Lesion analysis in neuropsychology.* Oxford University Press.

Duffy, J. R. (2012). *Motor speech disorders: Substrates, differential diagnosis, and management* (3rd ed.). Elsevier Mosby.

England, M. A., & Wakely, J. (1991). *Color atlas of the brain and spinal cord.* Mosby-Year Book, Inc.

Enrici, I. & Adenzato, M. (2019). Neural correlates of intention attribution in communication:

Communicative intentions and expressive means. Frontiers in Psychology Conference Abstract: XPRAG.it Behavioral and Neural Evidence on Pragmatic Processing. doi: 10.3389/conf.fpsyg.2017.71.00016

Geschwind, N. (1995). Disconnexion syndromes in animals and man. *Brain, 88,* 237-294.

Goldberg, S. (1997). *Clinical neuroanatomy made ridiculously simple.* MedMaster, Inc.

Gong, G., He Y., Concha, L., Lebel, C., Gross, D. W., Evans, A. C., & Beaulieu, C. (2008). Mapping anatomical connectivity patterns of human cerebral cortex using in vivo diffusion tensor imaging tractography. *Cerebral Cortex, 19*(3), 524-536.

Harasty, J., Double K. L., Halliday G. M., Kril J. J., & McRichie, D. A. (1997). Language-associated cortical regions are proportionally larger in the female brain. *Archives of Neurology, 54*, 171-176.

Kent, R. D. (1997). *The speech sciences.* Singular Publishing Group, Inc.

Kent, R. D. (Ed.) (2004). *The MIT encyclopedia of communication disorders.* The MIT Press.

Kim, J. S., & Pole, A. (2005). Somatotopically located motor fibers in corona radiata: Evidence from subcortical small infarcts. *Neurology, 64,* 1438-1440.

Molinari, M., Leggio, M. G., & Silveri, M. C. (1997). Verbal fluency and agrammatism. In J. D. Schmahmann (Ed.), *The cerebellum and cognition.* Academic Press.

Trujillo, J. P., Simanova, I., Bekkering, & H., Özyürek, A. (2018). Communicative intent modulates production and comprehension of actions and gestures: A Kinect study, *Cognition, 180,* 38-51.

Urban, P. P., Marx, J., Hunsche, S., Gawehn, J., Vucurevic, G., Wicht, S., Massinger, C., Stoeter, P., & Hopf, H. C. (2003). Cerebellar speech representation: Lesion topography in dysarthria as derived from cerebellar ischemia and functional magnetic resonance imaging. *Archives of Neurology, 60*, 965-972.

Vogel, D., Carter, J. E., & Carter, P. B. (2000). *The effects of drugs on communication disorders* (2nd ed.). Singular Publishing Group.

Wang, A. T., Lee, S. S., Sigman, M., & Dapretto, M. (2006). Developmental changes in the neural basis of interpreting communicative intent. *Social Cognitive and Affective Neuroscience*, *1*(2), 107-121.

Watson, C. (1985). *Basic human neuroanatomy: An introductory atlas.* Little, Brown and Company.

Webb, W. G., & Adler, R. K. (2008). *Neurology for the speech-language pathologist* (5th ed.). Mosby Elsevier.

Wilson-Pauwels, L., Akesson, E. J., & Stewart, P. A. (1988). *Cranial nerves: Anatomy and clinical comments.* B. C. Decker Inc.

Wong, P. C. M., Warrier C. M., Penhune V. B., Roy A. K., Sadehh A., Parrish T., & Zatorre R. J. (2008). Volume of left Heschl's gyrus and linguistic pitch learning. *Cerebral Cortex, 18,* 828-836.

찾아보기

인명

내용

저자 소개

김향희(Kim, Hyang Hee)

연세대학교에서 국어(음성학)학을 전공한 후 도미하여, 미국 인디애나대학교(펜실베이니아주)와 위스콘신대학교에서 각각 언어병리학 석사 및 박사 학위를 취득하였다. 한국 1급 언어재활사, 미국언어청각협회(ASHA) 공인 언어치료사 자격증(CCC-SLP), 미국신경언어장애과학회(ANCDS)의 신경언어장애 전문가 자격증(BC-ANCDS)을 보유하고 있다. 미국 위스콘신대학병원 임상전임(clinical fellow)과 성균관대학교 의과대학 의학과 연구교수 및 삼성서울병원 신경과 스태프를 역임하였다. 현재는 연세대학교 의과대학 재활의학교실 교수 및 대학원 언어병리학협동과정 담당교수로 재직하면서 후학 양성, 연구 및 임상 활동 중이다. 또한 '언어병리학'과 '공학' 간의 학제간 융합 교육 및 연구 활동을 위해 포항공대(POSTECH) 겸직교수를 맡고 있다. 저자는 지난 30여 년간의 교육, 연구, 학회 활동을 통해 축적된 전문성과 공헌을 인정받아 ASHA Fellow상을 수상하였다.

신경언어장애의 해부생리

Anatomy and Physiology for Neurologic
Speech-Language Disorders

2025년 9월 10일 1판 1쇄 인쇄
2025년 9월 15일 1판 1쇄 발행

지은이 • 김향희
펴낸이 • 김진환
펴낸곳 • ㈜학지사
04031 서울특별시 마포구 양화로 15길 20 마인드월드빌딩
대표전화 • 02-330-5114 팩스 • 02-324-2345
등록번호 • 제313-2006-000265호

홈페이지 • http://www.hakjisa.co.kr
인스타그램 • https://www.instagram.com/hakjisabook

ISBN 978-89-997-3521-9 94180
978-89-997-3520-2 (set)

정가 27,000원
(set 정가 40,000원)